D0261190

afgeschreven

OVERWONNEN TWIJFELS

Openbare Bibliotheek
Osdorp
Osdorpplein 16
1068 EL Amsterdam
Tel.: 610.74.54
www.oba.nl

Julia Burgers-Drost

Overwonnen twijfels

Spiegelserie

Zomer & Keuning familieromans

Van deze auteur verscheen ook:

Door de tuinpoort

Thuis in het poorthuis

ISBN 90 5977 120 6

NUR 344

Omslagontwerp: Hendriks grafische vormgeving
© 2006, Zomer & Keuning familieromans, Kampen
www.spiegelserie.nl
Alle rechten voorbehouden

1

Anouk Tigchelaar, directrice van kinderopvangtehuis het Poorthuis zit onderuitgezakt in een weinig elegante houding in haar kantoor. Ze knijpt haar ogen voor een paar momenten stijf dicht om al het wachtende werk dat voor haar op het bureau ligt, niet te hoeven zien. Staten die bijgewerkt moeten worden, lijsten met gegevens die al in de computer hadden moeten zitten.

Thuis heeft ze twee herstellende kleine kindertjes. Waterpokken, net als veel jongere bewoners van het Poorthuis. Het heerst, stelde de huisarts, mevrouw Dullemond, kalmpjes vast. Alsof het niets is. Jeukende blaasjes.

Anouk is haar man dankbaar dat hij een paar uurtjes wil oppassen. Frits van twee jammert de hele dag en ook nog een stukje van de nacht. Anne Marie – ze heeft zelf haar naam in de loop der tijd verbasterd tot Ammie – draagt haar 'lijden' geduldig. Er kriebelt een glimlach om Anouks mond. Ammie, haar vondeling. Het zal je maar gebeuren dat je op een gegeven moment een baby op je stoepje vindt! Het is alweer ruim vier jaar geleden dat deze verrassing in haar leven kwam en wat is ze gelukkig met het kleine ding. Ze is muzikaal, volgens de man die in 'Het Poorthuis' de muzieklessen geeft. Ammie heeft een goed gevoel voor ritme, haar stemmetje is glashelder en ze hoort zichzelf maar wat graag zingen. Vlak nadat Ammie te vondeling was gelegd, kwam er uit België een officieel schrijven waarin werd meegedeeld dat de biologische moeder was verongelukt. Hendrine heette ze. Het was een kwestie van weken voordat de adoptie een feit was. Ooit zal Anouk haar dochtertje moeten vertellen dat zij niet haar biologische ouders zijn. Maar dat heeft de tijd nog. Hoewel officieel is bevestigd dat Ammie geen ouders meer heeft, toch blijft er iets knagen wat het beste met onzekerheid omschreven kan worden. Alleen zij heeft dat gevoel, Lucas is een nuchtere man en lacht haar uit als ze erover begint. Ze willen dolgraag een derde kindje, helaas bleef het bij twee. Tot nu toe, want Anouk weet met een aan zekerheid grenzende waarschijnlijkheid dat het zover is. Ze koestert haar geheimpje. Het is nog van haar alleen... pas als ze een test heeft gedaan, vertelt ze het Lucas.

De deur van het kantoor vliegt open en een luide stem roept Anouk wakker uit haar dromen. Ze spert haar ogen wijd open en kijkt de vrouw die zonder kloppen binnenstormt, verdwaasd aan. 'Pollie Pieper! Je weet dat...'

Pollie, de onvervangbare keukenprinses, haalt haar schouders op. Zij en Anouk hebben samen op de basisschool gezeten, en dat laat Pollie graag merken. 'Dat ik moet kloppen. Jawel. Is je telefoon soms stuk? Mevrouw Van Dinkel belde naar de keuken, dat is nog nooit gebeurd! Of je tijd hebt om even naar het grote huis te gaan. Ze zitten op je te wachten, als je het mij vraagt.'

Anouk legt de telefoon terug op de haak. Slordigheidje van haar kant. 'Is er brand?' moppert ze. Pollie opent haar mond om haar mening te geven, maar herinnert zich juist op tijd dat Anouk een gloeiende hekel heeft aan haar veronderstellingen. Want meestal kloppen die niet, hoewel Pollie deze keer vrij zeker is van haar zaak.

'Ik zou maar opschieten, als ik het goed heb begrepen komen de leraren van de school voor een gesprek!'

Anouk staat al. 'Jij bent beter dan welke agenda of notitiekalender dan ook!' plaagt ze. Pollie plukt een omslagdoek van een stoel. 'Doe maar om, er staat een koude wind!'

Vals fluitend keert Pollie terug naar haar post. Ze woont bijna in de keuken. En dat is al vanaf haar eerste werkdag in het huis.

Anouk loopt huiverend door de tuin richting het grote huis. Zo wordt dat in de wandeling aangeduid. De twee bewoners, het kinderloze echtpaar Van Dinkel, hebben nooit spijt gehad van het feit dat ze een fors deel van hun kapitaal in het Poorthuis hebben gestoken. Integendeel zelfs! En al is Anouk de directrice, ze hebben toch maar wat graag nog een vinger in de pap. Vandaar dat Anouk nieuwsgierig is naar de reden van de uitnodiging. Iets wat niet kan wachten, dat is duidelijk. Ze schuift de gedachten aan het achterstallige werk van zich af. Een ding tegelijk, dat heeft ze in de loop van de tijd moeten leren.

Onder het begroeide poortje dat toegang geeft tot het grote huis en de bijgebouwen blijft ze even staan. Begin maart, de lente komt er aan. De tuin van het grote huis is het hele jaar door beeldig. Heesters en struiken zijn deskundig gerangschikt en geplant. Veel verschillende kleuren groen maken dat het zelfs hartje winter de moeite waard is om een wandeling in het park te maken. Narcissen openen hun bloemkelken, de sneeuwklokjes en helleborussen hebben het al opgegeven. De zon wordt met de dag sterker en warmer. Langzaam vervolgt Anouk haar weg, zwaait naar een medewerker die een van de bij het huis behorende bungalowtjes heeft gehuurd.

Voor het erkerraam van de villa staat Beatrice van Dinkel op haar te wachten. Anouk versnelt haar pas en is niet verbaasd als de deur al open is voor ze een vinger op de bel kan drukken.

'Welkom, Anouk! Ik heb je vast uit je werk gehaald... hopelijk heb je even tijd. Je weet hoe ik ben: als ik iets in mijn hoofd heb, wil ik dat delen en in dit geval met jou!'

Anouk legt haar omslagdoek op een stoel in de hal. 'Ons kent ons, is het niet?' Mevrouw Van Dinkel trekt Anouk mee, richting serre. 'De thee staat klaar. Even mijn man bellen, hij zit boven in zijn werkkamer.'

'Niet nodig, mijn lief!' Henrik van Dinkel stapt de kamer in, breed lachend naar Anouk. 'Fijn meisje, fijn dat je meteen kon komen. Ga zitten, je zult zoals gebruikelijk niet veel tijd hebben!'

Anouk kiest een rieten stoel uit vanwaar ze uitzicht heeft op het park. 'U slaat de plank zelden mis... inderdaad zit ik tot over de oren in het werk. Zieke kinderen, personeel dat om verschillende redenen uitvalt... ga zo maar door. Ik moet wel even vermelden dat ik om kwart over vier een vergadering heb. Mensen die niet van wachten houden!' Henriks lach buldert door de fraai ingerichte kamer. 'Dan weet ik genoeg. Zeker de schoolmeesters en juffen!'

Anouk drinkt genietend van de warme thee. 'Goed geraden! We heb-

ben een goed contact en dat is van groot belang voor onze kinderen.'
Beatrice heft beide handen op ten teken dat ze nu zelf het woord wil
hebben. Haar ringen – bijna aan iedere vinger een – glinsteren in de
zonnestralen.

'Henrik en ik hebben plannen. Nee, geen vakantieplannen. Ik zie je
denken. We worden oud. Jawel, Anouk!' Anouk verslikt zich bijna in
haar thee. Het begrip oud past immers niet bij deze twee lieve mensen.

'Dat is pas de inleiding. Henrik en ik vinden dat we tevreden mogen
zijn, als we terugkijken op ons leven en zeker op de laatste jaren. Jij
doet het zo goed samen met je team, Anouk, we zijn zelden tot nooit
meer nodig. Je hebt je onafhankelijk weten te maken en je geweldig
in je functie als directrice ontwikkeld!'

Ze hapt even naar adem, Anouk maakt van de pauze gebruik om dit
compliment af te weren. 'Het is teamwerk, zoals u juist opmerkte. In
mijn eentje kan ik niets! Maar ik moet toegeven dat ik wel heb moeten leren om te delegeren. Dat is vaak moeilijk. Maar gaat u door!'

Knabbelend op een brok Zwitserse chocolade zet Anouk zich tot verder luisteren. Het komt erop neer dat de Van Dinkels ervan overtuigd
zijn dat ze zichzelf overbodig hebben gemaakt.

'En, Anouk, na de lange winter waar maar geen eind aan scheen te
komen, hebben we een besluit genomen. Henrik en ik gaan verhuizen en wel naar het zuiden van Europa. Spanje, het wordt waarschijnlijk Spanje. Ik verheug me er zo op... ondanks de griepspuit zijn
Henrik en ik vaak ziek geweest. De dokter noemde het verkoudheid,
maar het voelde als griep. Henrik is op de computer al sinds de beslis-
sing aan het zoeken naar een geschikt huis. Er is genoeg te koop!
Nou, wat vind je ervan?'

Anouk schudt haar hoofd. Alles had ze kunnen verwachten, maar dit
niet.

'Weten jullie het echt zeker... en wat moeten we dan met dit huis?
Verhuren? Vreemden die hier niets te zoeken hebben op ons terrein?'
Henrik schenkt ongevraagd de theekopjes nog maar eens vol.

'Zo hebben wij ook onze vragen, vandaar dat we jouw hulp nodig hebben. Praat er alsjeblieft nog met niemand over... nou ja, Lucas, dat is wat anders. Als je vanavond lekker tegen hem aan ligt in bed, en je overdenkt je dag, dan kun je dit vast niet voor je houden!'

Anouk moet lachen. Leuk toch als mensen je zo goed kennen. Inderdaad hebben Lucas en zij geen geheimen voor elkaar. Sterker nog, zonder de steun van haar man had ze dit toch zware werk nooit volgehouden.

'Spanje... ik zie het voor me, lieve mensen. Een witte villa met een terras dat afloopt naar de zee. En overal fel gekleurde bloemen... tuinmeubels waar je niet meer uit op wilt staan... uitzicht op de zee, waar scheepjes drijven, grote jachten, vissersbootjes! Een blauwe lucht!'

Henrik beweert dat Anouk rijp is voor een reisbureau. 'Maar je tekent het goed. Zoiets hebben Beatrice en ik in gedachten. Het huis blijft ons eigendom; later, na onze dood, komt het op naam van het Poorthuis. Ik moet nog laten onderzoeken wat het voordeligst is. Waar het op aankomt is dat we weten wat we gaan doen. En nu de reden waarom we jou nodig hebben... zal ik het zeggen, lief, of wil jij...' Beatrice maakt een sierlijke beweging met een perfect gemanicuurde hand. Anouk denkt onwillekeurig aan de handen van haar moeder, die dagelijks achter de toonbank van hun bakkerszaak staat. Handen die altijd bezig zijn, zo lang als ze zich kan herinneren. Werken, kinderen verzorgen, klanten helpen en ga zo maar door. En hoewel mam, die ze Moema noemt, haar tweede moeder is, zou ze van de vrouw die haar het leven heeft geschonken onmogelijk meer kunnen houden. Misschien komt het omdat die twee zusters waren, denkt Anouk weleens.

Henrik klapt in zijn handen. 'Anouk! Jij bent zo inventief... vol plannen. Het ene plan is nog niet volvoerd of je komt alweer met een ander op de proppen! Als wij je nu vragen of je wilt nadenken over een nieuwe bestemming voor deze villa, dan zijn we je dankbaar. Want verhuren is geen optie. Jij en Lucas willen vast jullie boerderij niet verruilen voor dit huis,' veronderstelt hij.

Anouk zet grote ogen op. 'Alsjeblieft niet! Lucas zou zich geen raad weten. Dit is toch geen plek voor een dierenarts en bovendien... onze eigen beesten kunnen we niet uit het oog verliezen. Lucas moet niet te ver van de paardenstallen slapen, zeg ik altijd.'

Beatrice en Henrik knikken eenparig. 'Dat weten we, meisje. Kijk, het huis is niet geschikt om als uitbreiding van het Poorthuis te gebruiken. We nemen onze meubels mee. Stel je het huis voor met kinderen... het zou snel uitgeleefd zijn. En toch moeten we een bestemming zien te vinden. Kom op, nu is het jouw beurt!'

Anouk zet haar porseleinen kopje terug op tafel. In gedachten dwaalt ze door de villa. Een leeg huis, zonder meubels. 'Misschien appartementen voor personeel? Iets anders kan ik op bestelling niet bedenken...'

Beatrice trekt een vies gezicht. 'De bungalows zijn voor jouw naaste medewerkers, anderen wonen in het huis zelf en je hebt, meen ik, ook wat mensen van buiten. Appartementen betekent de boel verbouwen. Van een kamer kun je natuurlijk een appartementje maken. Hadden wij zelf ook al bedacht. Nee, het idee staat me niet aan. Je hebt nog even tijd, wie weet kom je op een grandioos idee. Jou kennende...'

Anouk gaat staan. Een klokje dat op de schouw boven de open haard staat, slaat vier zilveren slagen. 'Ik moet echt weg. Hm-hm... jullie beidjes verwachten nogal wat van mij. Maar goed, erover nadenken is het minste wat ik kan doen. Mocht me iets te binnen schieten, dan horen jullie het meteen en ik beloof dat niemand buiten Lucas erover te horen krijgt.'

In de hal slaat ze haar doek over de schouders. Dan dringt het pas goed tot haar door wat er is besproken. 'Wat zal ik jullie missen...'

Beatrice omhelst Anouk met warmte. 'Lieverd, dat weten we toch. En wij zullen alles en vooral jou hier missen. Je komt maar een keer logeren met Lucas. En de kindertjes, vanzelf!' Henrik klopt Anouk op een schouder. Schor zegt hij dat Anouk als een dochter voor hen is geweest. 'Weet je nog hoe we elkaar hebben leren kennen?' Anouk vreest voor een uitgebreid en fraai ingekleurd stuk herinnering. 'Ik ben niets vergeten. Maar echt, ik moet hollen om nog op tijd te komen!'

In de hal van het Poorthuis knalt ze bijna tegen Pollie Pieper op. 'Ik heb ze in de kamer aan de voorkant gepoot. Dat was toch de bedoeling? Nu ben ik op weg om koffie en thee te halen. Enne...' Ze kijkt schalks over een schouder richting Anouk. 'Is het echt waar dat de ouwelui naar Spanje gaan?' Anouk verschiet van kleur. 'Hoe...' begint ze. Pollie Pieper schatert. Dat is haar antwoord.

Anouk haast zich de kleine vergaderruimte aan de voorkant van het huis binnen. De schooldirecteur staat op zodra hij Anouk ontwaart. 'Wij waren aan de vroege kant, dus verontschuldig je niet!' Typisch een opmerking voor hem, vindt Anouk. Jelle Feenstra is nog maar kort geleden benoemd en hij heeft Anouk bekend soms moeite te hebben met de tehuiskinderen. Een eerlijke opmerking, maar het kwam bij Anouk hard aan.

Ellen Hogerhorst is van Anouks leeftijd en vanaf hun kennismaking, twee jaar terug, zijn ze bevriend. Dat kan Anouk niet zeggen van de derde persoon aan de grote tafel. Alec Bongerd is een betweter.

'Dat is lief gezegd, Jelle. Ik werd opgehouden. Je kent het: op sommige dagen komt alles tegelijk! En dan ook nog eens een aanval van waterpokken op het kinderbestand. Mijn eigen kindjes zijn ook al ziek! Maar ze zijn aan de beterende hand.'

Pollie komt, na een bescheiden klopje op de deur, binnen met een volbeladen karretje annex dienblad. Ze zet de kannen op tafel en informeert of ze zal inschenken. 'Je hebt het vast druk, daar in de keuken... Ik doe het zelf wel!' Anouk kijkt de rechte rug na. Hoe kan Pollie weten van de verhuisplannen? Niet dat het haar probleem is, maar ze wil naderhand niet horen dat er gedacht wordt dat zij haar mond voorbij heeft gepraat.

Jelle stelt voor de vergadering met gebed te openen. Anouk zet de kan die ze zojuist ter hand heeft genomen, terug. Het gebed is kort, maar welgemeend. Onlangs merkte hij op: 'Ik heb de leiding op school. Maar de Baas zit boven!'

Koffie, thee, biscuitjes. Alec klapt zijn aantekenboek open. 'Laten we alsjeblieft meteen van start gaan. Wie begint?'

De jongste groep. Ellen heeft groep een en twee. Maar liefst vijf kinderen uit het Poorthuis heeft ze dagelijks onder haar hoede. Met een van hen heeft ze problemen.

'Het zal eens een keer geen Hoekstra zijn!' moppert Alec. 'Echt, Anouk, de club Hoekstra terroriseert de rest!'

Anouks wangen worden vuurrood. Ze is als een moeder wier kinderen een ernstige berisping van buitenaf krijgen. In eerste instantie wil ze ze verdedigen, maar haar nuchtere ik zegt: de leraren hebben gelijk. Want ook in huis zijn de Hoekstra's bijna niet te hanteren. Erger nog, ze bederven het vaak voor de anderen.

Het eerste kwartier wordt uitsluitend over het beruchte viertal gesproken. Het is zo belangrijk dat er één lijn wordt getrokken, thuis en daarbuiten. Een normale straf doet hun niets meer, ze lachen de opvoeders in hun gezicht uit.

Jelle bestudeert nogmaals de staat die hij dacht uit het hoofd te kennen. 'Maar wat zie ik nu, mensen? Hier staat dat de kinderen meer dan eens thuis zijn gehaald, omdat het de ouders zou lukken op het rechte spoor te blijven. Dat mislukte vanwege alcohol en diefstallen. En wie weet wat nog meer. Voor mij is het duidelijk: die stakkers weten niet meer waar ze aan toe zijn. Uit huis, inrichting, terug naar huis, mislukking, weer inrichting en wie weet hoe vaak dat al het geval is geweest. Het ontbreekt dat stel aan geborgenheid. Tjonge, dat is een andere invalshoek.'

Anouk kan niet anders dan dit beamen. 'Je hebt zeker gelijk, Jelle. Maar daarmee is het probleem Hoekstra nog niet opgelost. Alhoewel: het geeft ons meer begrip. We hebben het hier al zo vaak meegemaakt. Moeders die beloften doen, hun kinderen van alles en nog wat voorspiegelen voor als ze weer thuis zijn. Maar vaak is de vrouw in kwestie nog niet sterk genoeg en gemotiveerd om op eigen benen te staan. Er is op dat gebied niet genoeg hulp, vrees ik. Was daar maar een oplossing voor!'

Ellen vindt dat, wanneer er creatief gedacht wordt, er best een manier is te vinden die daarop kan inspelen. 'Hebben jullie al een nieuwe huispsycholoog? Hoogste tijd, zou ik zo denken!'

Er wordt aan gewerkt, belooft Anouk. 'De sollicitaties worden door het bestuur bekeken en daarna vergelijken we hun mening met die van ons. Trouwens... doen jullie nog iets bijzonders op het afscheidsfeest van Ingrid en Jan?'

Tot voor kort was Ingrid de naaste medewerkster van Anouk. Ja, haar man was de psycholoog die de kinderen uit het Poorthuis begeleidde. Ze zijn nog niet erg lang getrouwd en wonen amper een jaar in hun nieuwe huis. Het geval wilde dat Jan samen met Ingrid een geweldig aanbod kreeg: een nieuw kindertehuis zocht een echtpaar dat in staat zou zijn de leiding daarvan op zich te nemen. Jan was meteen enthousiast, Ingrid minder. Ze had zich genesteld in het dorp en haar werk in het Poorthuis was haar lust en haar leven. Het goede salaris plus een erg leuk huis gaven de doorslag. Anouk heeft inmiddels besloten Ingrid niet op stel en sprong te vervangen. Nee, ze hoopt op een toeval. Op een gegeven moment ontdekt ze wel iemand die met Ingrid is te vergelijken.

'Wat doen jullie zelf?' Ellen raapt haar spullen op tafel bijeen en kijkt verwachtingsvol richting Anouk. Het is snel verteld. Het afscheidsfeestje zal in het dorpshuis plaatsvinden. 'Daar is alles voorhanden, we hoeven dus ook geen catering in te huren. De leidsters hebben een plakboek gemaakt, je kent dat wel. Handafdrukjes van de kinderen, een fotootje erbij, een tekening of iets dergelijks aan de andere kant van de pagina. Het belooft leuk te worden. Het personeel heeft iets soortgelijks gemaakt. Ik moet tot mijn schande bekennen dat mijn bladzijde nog niet af is...'

Na afloop van de vergadering blijft het probleem Hoekstra aan Anouk knagen. Ze weet zeker dat ze minstens twee keer thuis zijn gehaald. Misschien zelfs wel drie keer of vaker, ze moet de voorgeschiedenis nodig herlezen. Huiswerk dus, ze loopt meteen naar haar kantoor om de desbetreffende map op te zoeken.

Vanuit de grote huiskamer klinkt een kabaal van jewelste. Etenstijd, nog even en dan zal de rust weerkeren.

Het is de hoogste tijd om naar huis te gaan, Lucas zal niet weten waar ze blijft. In de hal komt ze een gehaaste Pollie tegen, die onder elke arm een leeg dienblad vervoert. 'Hier jij!' beveelt Anouk lachend. En dan, wat ernstiger: 'Hoe weet jij dat de Van Dinkels plannen zouden hebben hier weg te gaan?'

Pollie giebelt. 'Is dat dan een geheim? Nou, dan moeten ze het niet aan de loodgieter en aan de huishoudhulp vertellen... kun je het net zo goed meteen in de krant zetten. Hoezo dan?'

Anouk haalt haar schouders op. 'Het is nog geheim is mij verteld. En misschien doe jij er goed aan dat ook zo te houden, anders krijg ik straks de wind van voren!'

Pollie trekt een zuinig gezicht. Er is toch niets leuker dan een nieuwtje doorvertellen? 'Goed, ik zwijg. Het gaat me ook niks aan. Maarre... ik ben wel nieuwsgierig wie er gaat wonen!'

Tja, dat is Anouk ook. Ze kuiert via een achterpaadje naar haar huis. Zes uur, het is nog licht, heerlijk vindt ze dat. In het weiland dat ze passeert komen de pony's hinnikend op haar af. 'Ha, jongens en meiden!' Ze kriebelt er een over het hoofd en haast zich dan verder.

Ammie staat al voor het keukenraam te dansen. De huid van haar gezichtje is nog geschonden door de waterpokken. 'Mama! Mama!'

Het kind is een en al ritme, ze kronkelt haar smalle lijfje in de vreemdste bochten, springt op en neer, terwijl ze 'mama' roept.

Anouk legt haar spullen op een stoel en opent wijd haar armen. 'Wildeman! Je bezorgt me blauwe plekken!'

Lucas heeft de hulp in de huishouding al weggestuurd en is bezig het door haar klaargemaakte eten te koken. Automatisch draait Anouk de warmtebron wat lager, het kookwater spettert onder een deksel vandaan. 'Er hoeft niet zoveel water op die groenten, het liefst zo weinig mogelijk!'

Lucas trekt haar tegen zich aan. 'Ook goeienavond, mijn meisje. Je moet me maar eens serieus kookles geven. Wie weet heb ik er een talent voor!'

Anouk leunt moe tegen zijn borst. Ze wordt een moment overweldigd door haar liefde voor hem. 'Ik houd van je!' zucht ze.

Ammie blijft springen, nu maakt ze een rondedans om haar ouders heen. Vanuit de kamer komt een gekrijs, alle drie komen ze tegelijk in beweging. Lucas heeft zijn tweejarige zoon in de box gezet, een plek die hij al maanden is ontgroeid. Voor het gemak is de box blijven staan, het is immers een ideale opbergplek voor het rondslingerende speelgoed...

Anouk tilt de kleine jongen, die nog niet koortsvrij is, uit zijn gevangenis. 'Wat heeft papa nou toch gedaan? Jou in de box gezet... terwijl je zo heerlijk in de keuken had kunnen spelen. Laden opentrekken, de knopjes van de wasmachine stukmaken, in de droogtrommel kruipen, met water spelen...'

'Wate!' roept Frits enthousiast. 'Pele met wate!'

Ammie vindt het nodig als tolk op te treden. 'Hij bedoelt: ik wil met water spelen!'

Het eten brandt bijna aan, de tafel is nog niet gedekt en de telefoon gaat al voor de tweede keer. Anouk perst een tegenstribbelende Frits in de kinderstoel die te klein begint te worden. 'Au mama!'

Anouk mompelt: 'Het beeld van het ideale gezinnetje...'

Uiteindelijk smaakt de andijviestamppot heerlijk, er blijft zo goed als niets over. Anouk doet haar uiterste best huis en werk gescheiden te houden, maar oh, wat is dat moeilijk! Lucas heeft best in de gaten dat haar iets dwarszit, maar het zal nog minstens anderhalf uur duren voor ze aan elkaar toekomen en Anouk haar verhaal kan doen.

2

HET AFSCHEIDSFEESTJE VAN HET VERTREKKENDE PERSONEEL WORDT EEN succes, zelfs de kinderen Hoekstra laten zich van hun goede kant zien. Het afscheid op zich is een emotioneel gebeuren, althans voor Anouk en Ingrid.

Er zijn beloften over en weer gedaan, het jonge stel gaat gelukkig het land niet uit.

Aan het eind van de middag worden Ingrid en haar Jan uitgewuifd. Hun auto is volgeladen met cadeaus en bloemen. Het heeft wel iets weg van een bruiloftsfeest, vindt Anouk. Haar ogen zijn vochtig en Ingrid laat haar tranen de vrije loop.

De kinderen joelen, wuiven en dansen op de parkeerplaats voor het dorpshuis.

'Zwaaien!' roept Anouk. En dan zijn ze weg, voorgoed vertrokken uit het dorp. Al snel hebben de leidsters en leiders de kinderen tot de orde geroepen en in een lange rij gaat het terug naar het Poorthuis.

'Idioot, te gek voor woorden... moeten we als kleine kinderen in de rij lopen! Als we klasgenoten tegen komen, worden we er morgen mee gepest. Zeker weten!'

Anouk zucht. Er is geen alternatief. Ze proberen weleens met de oudsten op de gewone manier naar het dorp te lopen, maar meestal worden die tochtjes bedorven door steeds dezelfde kinderen. Schoppen tegen prullenbakken, belletje trekken, vlak voor een auto de straat oversteken en meer van dat soort kunsten. Het maakt de kinderen uit het huis niet geliefd bij de dorpelingen, terwijl het toch ook anders is geweest.

Misschien, zo tobt Anouk, moeten ze meer plannen maken wat betreft de integratie van de kinderen onder hun thuiswonende vriendjes. Het feit is dat ze momenteel behoorlijk lastige klantjes onder hun hoede hebben.

'Ik ga nog even om een boodschap!' zegt ze tegen een leidster. Ze keert de groep de rug toe en blijft luisteren tot ze het kindergekakel niet meer hoort. Daar, de drogist. Ze zoekt de cheffin van de zaak op en vraagt om een zwangerschapstest. 'Alsjeblieft... het is maar een test!' meent Anouk te moeten zeggen.

'Wat dacht je?' reageert de cheffin. 'Dat ik morgenochtend een briefje op de deur zou plakken?' De twee vrouwen kennen elkaar oppervlakkig, ze lachen plichtmatig en even later staat Anouk weer op straat met haar test.

Zou ze even naar Moema gaan? Een blik op haar horloge leert haar dat het de hoogste tijd is om naar huis terug te keren. Vanavond hoopt ze de bestuursvergadering bij te wonen. Er zal beslist worden wie de baan van Jan krijgt. Een nieuwe psycholoog. Zelf heeft ze al een keus uit de sollicitanten gemaakt, maar uiteindelijk beslist het bestuur of het door kan gaan.

Zuchtend moet Anouk voor de zoveelste keer in haar leven toegeven dat bijna alles tijdelijk is. Alles bestaat uit periodes, mensen komen en gaan. Ook kinderen. En telkens kom je met iets meer levenswijsheid uit zo'n periode te voorschijn.

Begin en einde... straks zal ze weten of er een nieuw mensenbegin in haar groeit!

Tot Anouks verrassing komen de Van Dinkels ook op de vergadering. Mevrouw Van Dinkel heeft zelfs voor gebak gezorgd. 'Natuurlijk van onze hofbakker, Frits Verhagen!' zegt ze met een knipoog naar Anouk.

Na het voorlezen van de notulen neemt Henrik het woord. Heel kort maakt hij het gezelschap deelgenoot van hun plannen. Met de restrictie dat het voorlopig nog stilgehouden moet worden.

'Het geeft maar onrust!' valt Beatrice haar man bij.

Daarna is het tijd voor koffie en gebak. Anouk glipt de kamer uit en neemt de bedienende taak op zich. Ze heeft nog geen kans gezien de test uit te voeren, dat moet wachten tot ze naar bed gaat.

In de keuken vindt ze Siem, een medewerker met wie ze erg vertrouwd is. Sinds kort is hij officieel verloofd met haar zus. En dat geeft een band.

Haar zus, Cynthia, wil voor ze in het huwelijk treedt nog wat vrijheid hebben, zo heeft ze haar vertrek naar Frankrijk verklaard. Een half-jaar – of iets langer – volgt ze een studie Frans en door voor een baby te zorgen verdient ze de kost. Na dat halve jaar – of langer – heeft ze gezegd er helemaal voor Siem te zullen zijn.

'Moet jij dat doen, sjouwen met bladen, Anouk? Of had je even geen zin in vergaderen?'

Anouk houdt de doos met gebak onder zijn neus. 'Daar wil jij ook wel wat van hebben. Je raadt de maker!'

Siems mond splijt in tweeën en Anouk denkt: wat ben je toch een leuke knul. Donker van uiterlijk, ogen als kooltjes die plagen kunnen zonder woorden en wat is hij goed met kinderen!

Ze maken nog wat grapjes terwijl Anouk de koffiekannen vult. 'Ik heb gehoord dat de Van Dinkels hier weggaan,' deelt Siem rustig mee als Anouk de suikerklontjes op een schoteltje heeft gedaan.

'Hoe weet jij... ik bedoel: van wie heb je dat nieuws?'

Siem haalt zijn schouders op. 'Je doet alsof het geheim is. Kom nou, zeg, hier weet iedereen het en ik heb het uit het dorp. Gehoord op volleybal!'

Anouk tilt het nogal zwaarbeladen blad op en zegt over haar schou-ders: 'Ik moet toch eens in de dikke Van Dale kijken wat de beteke-nis van het woord 'geheim' is!'

Siem loopt grinnikend achter haar aan. Van boven komen boze kin-dergeluiden, de stem van een leidster probeert het geluid te over-stemmen. 'Ik ga wel even kijken, Anouk. Eerst de deur voor je open-doen!'

De stemming zit er goed in, het gebak doet daar nog een schepje bovenop.

Anouk schuift naast mevrouw Van Dinkel. 'Het zal wennen zijn...' zucht ze. Een beringde hand geeft die van Anouk een troostend kneepje. 'Alles went, meisje. Alles, let op mijn woorden. Je ziet trouwens een beetje witjes. Dat feest was me wat, niet? Mis je Ingrid erg? Misschien moet je een nieuwe assistente zoeken. Jammer dat Katja niet beschikbaar is!'

Anouk rilt bij de gedachte aan haar schoonzus. Met haar heeft ze het nodige al beleefd. Katja is nu niet bepaald een vrouw waar het gemakkelijk mee werken is. Hoewel Beatrice en Henrik dat nooit zullen toegeven: Katja is en blijft hun lieveling, ze is per slot van rekening familie van hen.

'Even niet. Ik wacht af... tot op heden gaat het goed. Laten we eerst afwachten hoe de nieuwe psycholoog is. Ik ben benieuwd op wie het bestuur het oog heeft laten vallen!'

Er is slechts één agendapunt: de nieuwe medewerker.

De voorzitter deelt mee dat een aantal van de sollicitanten om bepaalde redenen meteen is afgevallen. Te jong, niet hoog genoeg opgeleid, te weinig ervaring, te hoge eisen. Anouk bedenkt dat in de ogen van het bestuur er waarschijnlijk niemand goed genoeg is!

Toch wel. Maar eerst moet mevrouw de directrice kenbaar maken op wie haar keus is gevallen. 'Of was het te moeilijk om te kiezen? We hebben er zelf drie genomineerd voor een gesprek.'

Genomineerd, alsof het om een oscar gaat.

'Ik heb er maar een!' zegt Anouk kalm terwijl ze haar klapper opent. 'Mijn eisen zijn de volgende: leeftijd tussen de dertig en veertig, goede staat van dienst, een eerlijke reden om bij ons te willen wer- ken... ik vond de door ons ingewonnen inlichtingen ook verrassend positief en ik moet bekennen dat ik de foto die bij de cv was nogal eh... eh... sympathiek vond!'

Nu wordt ze uitgelachen, ze had niet anders verwacht.

'Het is ook een aardige man, zo te zien!' valt Beatrice haar bij. 'Volgens mij heeft meneer Indisch bloed. Die donkerbruine ogen spreken voor zich, en de gelaatstrekken vind ik Javaans. Weet je nog, Henrik, dat je vroeger een secretaresse had die Javaanse was? Een beeldschoon meisje!'

Henrik schraapt zijn keel. Beatrice ook met haar zijpaadjes!

'We kunnen Anouk meedelen dat wij de heer Philip Dupuis ook op ons lijstje hebben staan. Wij gaan niet voor een knappe kop, dat is vrouwenwerk. Nee, een van ons kent de familie Dupuis uit vroeger tijden – Philip moet nog scholier zijn geweest – en het gezin stond zeer, zeer goed bekend. Dus vandaar dat hij een van de drie is. Verder zijn we tot de conclusie gekomen dat Anouk de eindbeslissing moet nemen, want zij moet met de man in kwestie samenwerken.'

Beatrice heft haar hand met het ringenbestand op. 'Waren er geen vrouwelijke sollicitanten?' wil ze weten.

Zeker wel, maar de twee die er waren stelden eisen waar niet op ingegaan kon worden. Beatrice knikt. En zo gaat Anouk aan het eind van de avond tevreden naar huis.

Lucas is verdiept in wat Anouk een 'paardenkrant' noemt.

'Alles rustig hier?' is zoals gewoonlijk het eerste wat ze vraagt.

'Zeker. De kinderen zijn lief gaan slapen, je moeder heeft gebeld, maar je hoeft vandaag niet terug te bellen. En jij?'

Anouk gaat op zijn schoot zitten en ontspant zich. 'Alles was goed. Trouwens: wat is de definitie van een geheim?'

Ze gaat als eerste naar boven. Het afsluiten is het werk van Lucas. Bovendien gaat hij vaak nog even naar de dieren kijken. In de praktijk zijn altijd wel een paar benches bezet met dierenpatiënten.

Anouk prutst de verpakking van de test open. Nog even, dan weet ze het zeker. Haar gevoel zegt dat ze zwanger is, op de een of andere manier weet ze het gewoon. Maar een mens wil altijd bewijzen, bevestiging.

Ze laat tijdens het wachten het bad vollopen. Voor deze keer een grote kwak badzout, een cadeautje uit Frankrijk van haar zus.

Met een teen probeert ze de temperatuur. Dan is het zover.

Ogen dicht, tot drie tellen.

'Yes!' roept ze luid en dan laat ze zich in het naar jasmijn ruikende badwater glijden. De deur vliegt open, Lucas komt met een verschrikt gezicht poolshoogte nemen.

'Sinds wanneer slaak jij een indianenkreet als je een bad neemt? We hebben twee slapende kinderen, weet je nog?' Huilende kinderen in de nacht is voor hen een nachtmerrie.

Anouk gaat kopje-onder, steekt een voet op ter begroeting. 'Fout!' dolt ze. 'Jij met je twee kinderen... zeg maar gerust DRIE!' en pas als ze een vinger richt op het bewijsmateriaal dat op de grond terecht is gekomen, gaat er een lampje branden bij haar man.

Hij kijkt naar zijn vrouw die in het bad verleidelijk ligt te zijn. Maar dat is het niet wat hem tranen in de ogen bezorgt. Het is overweldigende de liefde die hij voor haar koestert en die hem een emotie bezorgt die hij even niet kan bedwingen. Hij knielt voor het bad en kust de vingers van Anouk, een voor een.

Hun ogen rusten enkele ogenblikken in elkaar, zwijgend contact. Dan is zijn mond op de hare en het scheelt niet veel of het echtpaar Tigchelaar is samen kopje-onder gegaan in de geuren van de jasmijn.

Anouk wil hun geheim een tijdje koesteren als iets wat van haar en Lucas is.

Ze heeft helaas niet op haar moeder gerekend...

Af en toe wandelt ze met Frits in de buggy naar het dorp, even ontsnappen, even de buitenwereld proeven, en vaak vindt ze zichzelf terug in de overvolle maar o, zo knusse woonkamer van haar ouderlijk huis. Sinds de kinderen het huis uit zijn, heeft Marjan Verhagen een passie voor foto's. Waar maar een plekje is, staan of hangen portretlijstjes met inhoud.

Zoals gewoonlijk wordt Anouk warm ontvangen. En wordt ze volgestopt met koekjes en andere lekkernijen.

Maar dit keer verloopt het bezoekje anders.

Even wachten met de thee, de koekjes en de rest. Want Moema heeft iets te vertellen. 'Ga gauw zitten, lieverd, want als je hoort wat ik je te vertellen heb...'

Anouk glimlacht en pelt Fritsje uit zijn jasje. Automatisch schuift ze de spullen op tafel naar het midden. Tot teleurstelling van het jochie met zijn graaihandjes.

'Zie je die foto?' Jazeker, nieuw in het theater. Roelof-Jan, het maatje uit haar kinderjaren. Maar nu de man van Katja. Samen hebben ze in Amerika een bedrijf uit de grond gestampt dat uitsluitend Hollandse koeken produceert. Vooral de lijn-vriendelijke chips doen het goed.

'Nou, die foto kwam vanochtend met de post. En wat staat erachterop? Je raadt het nooit.' De hartelijke bakkersvrouw pulkt de foto uit het lijstje en keert hem om. "Jullie zien ons beiden... leuke foto, trouwens? Raadsel: je ziet twee mensen, maar het zijn er drie!" ' Moema krijgt tranen in haar ogen.

'Begrijp je? Katja is eindelijk zwanger en het heeft er de schijn van dat het dit keer goed gaat! Ik ben zo gelukkig, meisje!'

Anouk moet haar moeder nageven dat ze haar uiterste best heeft gedaan en nog doet, om de toch moeilijke Katja in hun leven te betrekken. Zwanger, eindelijk!

Opeens voelt Anouk een kinderlijke vorm van jaloezie. Ze kan haar eigen nieuws niet voor zich houden. 'Dan krijgt Moema twee kleinkinderen vlak achter elkaar erbij! En dan te bedenken dat er geen plekje meer over is voor nog meer foto's!'

Het duurt even, dan dringt het tot Marjan Verhagen door wat Anouk bedoelt te zeggen. 'Lieverd... jij ook weer zwanger? Weet je het al zeker? En hoe lang... voel je je wel goed?'

Het is heerlijk om een Moema te hebben. Want wie geeft zoveel aandacht en gemeende belangstelling? Anouk laat zich omhelzen en verzekert haar dat 'alles' in orde is. 'Laat het nog maar even onder ons blijven, laten we zeggen tot het een maand of drie is.' Daar is Moema het helemaal mee eens.

Dan wordt het toch tijd voor thee en koekjes. Tot vreugde van de altijd hongerige Frits. 'Wat heb ik gehoord?' roept Moema als de thee op het lichtje staat te trekken. 'Gaan de Van Dinkels hier weg? Dat had ik nooit verwacht. Ik hoorde het in de winkel.'

Anouk kreunt. Geheim...

'Het schijnt geheim te moeten blijven, maar volgens mij weet iedereen in het dorp het al. Nou ja... ik heb er een probleem bij. Misschien kun je me helpen denken. Maar dat moet dan wel echt geheim blijven...'

Anouk informeert of haar moeder een idee heeft voor wat ze met het huis zouden kunnen aanvangen.

'De Van Dinkels zouden toch alle meubels meenemen? Zou je er een pension van kunnen maken, bedoeld voor de ouders van de kinderen die nog niet naar huis terug mogen?'

Anouk zet haar lege kopje met een klap terug op het schoteltje.

'Maar dat is het! Een pension. Weet je, Moema, het komt vaak voor dat kinderen bij ons weggehaald worden voor een proeftijd thuis. Vaak loopt het mis omdat er niet genoeg begeleiding is. Zie je het gebeuren? Met grotere problemen dan vóór hun vertrek komen de kinderen terug. En wij maar weer sleutelen aan gedrag en psyche. Nou, Moema, ik zie het voor me. Laten we het beperken tot de moeders. Na de beoordeling van bijvoorbeeld de maatschappelijk werker of de gezinsvoogd mag moeder de kinderen thuishalen. Wij zouden een overbruggingsperiode kunnen bieden. Vrouwen die zelf meehelpen in het huishouden, voor hun kinderen zorgen, leuke dingen met ze doen, want er is geen grote druk zoals in de eigen omgeving. Gesprekken, natuurlijk schakelen we onze psycholoog in. Bovendien kunnen de vrouwen elkaar steunen. Moema! Het is de moeite waard om te experimenteren. Nu moet ik de Van Dinkels en het bestuur nog over weten te halen.'

Moema stottert dat ze dat aanvankelijk niet eens bedoelde. 'Ik dacht aan extra inkomsten tijdens de zomermaanden. Maar ja, dan haal je vreemd volk over de vloer. Misschien is het een goed idee. Net zoiets als een blijf-van-mijn-lijfhuis.'

Anouk grinnikt. 'Anders. Proefhuis... probeerhuis... dat klinkt allemaal te negatief. Nee, het moet een positieve uitstraling hebben. De benaming, de inrichting, alles en alles. Iets met overbrugging... het

brughuis of zoiets. Nou ja, daar komen we wel uit. Dat is het minste!'
Anouk wil meteen naar huis om het idee met Lucas te overleggen.
Maar ze komt niet weg voor de theepot leeg is. En de koekjesschaal
wordt als vanzelf leeg, dankzij Frits. Anouk zegt zich te schamen, ze
moet echt beter op haar zoons gedrag letten.
Moema loopt met haar mee naar buiten, via de winkel. 'Zwaai maar
naar Gerdien,' moedigt Anouk haar zoon aan. De vrouw achter de
toonbank houdt een koekje omhoog, ze schatert als Frits begerig met
zijn mondje in de lucht hapt. 'Wat groeit hij hard... koekjeseter? Jij
moet je opa maar opvolgen!'
Een stel nieuwe klanten betekent werk aan de winkel voor Moema.
'We bellen gauw, lieverd! Ik leef met je mee!'
Eenmaal buiten haalt Anouk diep adem. Frisse lucht doet haar goed,
tot nog toe kan ze er haar misselijkheidsaanvallen behoorlijk mee
afremmen. Zolang als het duurt!
Eenmaal in de Welgelegenlaan mindert ze haar tempo. Nog even
genieten, samen met Frits die straks benjamin af is. Drie kinderen
heeft ze dan.
Voor haar voeten scharrelt een merel in de dorre bladeren van de lindebomen. Aan weerszijden van de laan staan villa's, die van de Van
Dinkels wint het wat betreft architectuur. Binnenkort hoort het bij
het Poorthuis. Anouk bekijkt de villa opeens met de ogen van een
eigenaar. O, het is een goed plan dat in haar hoofd vorm begint aan
te nemen. Nu moet ze het voor zichzelf al een invulling geven, zodat
ze in staat is het idee juist te verwoorden. Zo weinig mogelijk woorden moet ze gebruiken, dat heeft ze geleerd. Mensen die luisteren
raken snel de draad kwijt als je er telkens onbelangrijkheden bij haalt.
Haar plan moet klip en klaar zijn voor ze ermee voor de dag komt!
Weer een geheim dus!

3

DE GESPREKKEN MET DE DRIE PSYCHOLOGEN BRENGEN ANOUK IN DE
war. Want alle drie hebben ze hun kwaliteiten en eigenlijk doen ze
niet veel voor elkaar onder. Afschuwelijk vindt ze het om twee van de
drie te moeten afwijzen. Dat is en blijft een zwak punt van haar.
Gelukkig kan het schriftelijk en bovendien zal de secretaris van het
bestuur dit op zich nemen.
Aan het eind van de dag zijn alle drie de mannen op gesprek geweest
en vindt Anouk dat ze even in alle rust tot zichzelf moet komen.
Vanavond moet ze haar antwoord doorgeven aan de voorzitter. Dan
moet ze zeker van haar zaak zijn. Op momenten als deze voelt ze de
druk van haar functie zwaar.
Telkens weer ziet ze de donkere ogen van Philip Dupuis. Ogen die
luisteren. Ook al klopt dit van geen kant. Nee, ze moet het anders
formuleren. Aan zijn manier van kijken is te merken dat hij luisteren
kan naar anderen zonder hen in de rede te vallen. Ook weet hij wanneer de ander is uitgesproken. Hij last dan geen hinderlijke zwijg-
pauze in die de andere partij onzeker zou kunnen maken. Bovendien
was Philip de enige die zich niet mooier wilde voordoen dan hij was.
Allemaal pluspunten.
Hij is vrijgezel, dat is ook een pluspunt. Op het terrein is geen huis
dat geschikt is voor een gezin. De bungalows zijn precies goed voor
een persoon. Siem woont al jaren in zijn huisje, tot zijn volle tevredenheid.
Het feit dat Philip niet is gebonden, geeft natuurlijk wel weer problemen met eventueel verliefde leidsters. Die gedachte schuift Anouk
van zich af. Niet vooruitlopen op de dingen. Fantasie.
Tja, dan moet het toch Philip worden.
En dan maar hopen dat hij de juiste keus is.

Lucas ziet wel wat in het idee van Anouk om het huis tot een moe-
derpension te maken. 'Ze zullen een deel van hun inkomsten dienen

in te leveren omdat er gegeten en gedronken moet worden, Anouk. Het gaat niet aan hen als gasten te behandelen. Dat is niet reëel. Naar vermogen bijdragen, zo heet dat. Ik kan me de bovenverdieping van de villa wat dit betreft niet meer goed voor de geest halen. Zijn de kamers niet te groot?'

Anouk vindt van niet. 'Als iemand met drie of vier kinderen komt, dan hebben ze de ruimte echt nodig. De kinderen zouden eventueel in hun eigen bedden kunnen blijven slapen, gewoon in het Poorthuis. Behalve de hele kleine kindertjes. Er moet genoeg tijd voor gesprekken zijn. Zodat we kunnen uitzoeken hoe het met de vrouwen is gesteld. Er dient toezicht te zijn... hoe lossen we dat op? Voor je het weet vliegen ze elkaar in de haren, als ze op hun kinderen lijken!'

Daar heeft Lucas ook niet zo snel een pasklaar antwoord op.

'Zoiets als heel vroeger, toen waren er jeugdherbergen die door een vader en een moeder werden beheerd...!'

Anouk blijft piekeren over een eventuele 'moeder'. Dat moet iemand zijn die niet erg jong is en gezag uitstraalt. Psychologisch geschoold, ervaring, liefde voor de medemens. En ook nog eens op de hoogte van de huidige wetgeving zijn. Ze moet alles weten over uitkeringen en mogelijkheden. Maatschappelijk gevormd zijn. Bestaat er wel zo'n duizendpoot?

Ondanks het feit dat ze er nog niet helemaal uit is, besluit ze de Van Dinkels haar plannen voor te leggen.

'We verwachtten je al. Ik zei tegen Henrik: "Niets voor Anouk om ons zo lang in spanning te laten!" '

Zoals gewoonlijk wordt ze naar de serre gedirigeerd. Henrik vouwt zijn krant zorgvuldig op en begroet Anouk hartelijk. Hij plukt aan zijn keurig gesnoeide snor en zegt dat Beatrice natuurlijk niet meende wat ze zojuist opmerkte. 'Ga toch gauw zitten, je ziet wat bleekjes!'

Met moeite weet Anouk de zinnen zo te formuleren dat ze acceptabel overkomen.

'Ja ja, die telkens terugkerende kinderen zijn een ramp. Ik heb destijds Lucas geholpen met een jochie dat dol was op de pony's. Toen
hij voor de tweede keer hier kwam, ontpopte hij zich als een dieren-
beul. Hij was zelf thuis afgeranseld... Ik ben er nog trots op dat het me
gelukt is dat kind weer te laten sporen. Je maakt wat mee, Anouk!'
Anouk kan haar relaas vervolgen.
De moeders, want die zijn het die in eerste instantie de zorg voor het
gezin toegeschoven krijgen. 'Ik wil de vaders niet discrimineren,
maar vaak zijn zij het die de kost verdienen en bovendien wil ik geen
gemengd gezelschap. Behalve in het weekend. Dan kunnen ze leuke
dingen doen met vrouw en kinderen, maar blijven slapen gaat niet.'
Henrik en Beatrice zijn niet meteen enthousiast. 'Je haalt je heel wat
op je hals, Anouk. Maar ik zie dat je er goed over hebt nagedacht.
Vertel maar verder.'
Henrik spoort haar op zijn eigen warme manier aan.
'Ik tracht het me zo voor te stellen. Een vrouw die ontslagen is uit de
psychiatrie... of vrijgelaten is uit de gevangenis, dat kan ook, of volgens de reclassering af is van de alcohol of drugs. Vol enthousiasme
keert ze huiswaarts, daar moet gewerkt worden. Boodschappen doen,
eten koken, de was. Dan komen de kinderen uit school. Ze schoppen
herrie. Maken ruzie. Moeder is nog niet stabiel genoeg om dat allemaal aan te kunnen en na een paar dagen is ze het beu om haar best
te doen. Toch maar weer dat glas... begrijp me goed, het is een fictief
verslag van hoe het zou kunnen gaan. Nu de andere mogelijkheid:
moeder logeert bij ons. Ze ontbijt met haar kinderen, brengt ze eventueel naar school. Naderhand doet ze 'iets' in huis, want alle bewoners krijgen een taak. Tussen de middag komen de kinderen bij haar,
ook om half vier. Of ze gaat met hen mee naar de sportclub of wat
dan ook. Samen eten, de kinderen gaan onder de douche en in het
Poorthuis naar bed. 's Avonds is er ruimte voor gesprekken. Ik denk
aan onze huispsycholoog.
En aan een duizendpoot die we nog moeten vinden. Een soort moeder die het heft in het huis strak in handen houdt. Na een week of

twee gaat moeder een weekend met de kinderen naar het eigen huis. Zien hoe het gaat. Wat denken jullie ervan?'

Henrik en Beatrice hebben zwijgend zitten luisteren, ze kijken elkaar aan. De een wacht tot de ander gaat spreken. Anouk krijgt het er warm van.

'Die duizendpoot is vast moeilijk te vinden!' vreest Henrik. 'Ze moet hoog opgeleid zijn, heb ik begrepen. Dat betekent een smak geld voor haar salaris. Je zou kunnen proberen een subsidie los te peuteren, want als het een succes blijkt, scheelt het de staat veel geld. Je wilt die moeders dus motiveren en misschien zelfs heropvoeden... een zware taak, meisjelief!'

Anouk probeert zich te ontspannen. Nee nee, ze geeft haar plan niet zomaar op!

Beatrice speelt met haar ringen. 'Zware taak,' herhaalt ze. 'Maar als je de juiste persoon vindt, dan zal die met hart en ziel aan de slag gaan. Er is geen alternatief voor het probleem van telkens terugkerende kinderen. Zet alles eens op papier, Anouk. Henrik heeft zoveel relaties... het moet al erg raar zijn als hij ook hiervoor niet warm zou lopen. Is het niet, schat?'

Anouk glimlacht. Deze twee oudere mensen zijn nog steeds verliefd, het ontroert haar telkens weer.

'Je kunt problemen krijgen met vrouwen die toch op zoek gaan naar drugs of iets dergelijks. Wie controleert dat? Je kunt moeilijk een politieagent aanstellen!'

Anouk veert op. Daar heeft ze zelf ook al aan gedacht. 'Van tevoren moeten de dames een lijst ondertekenen. Als ze zich niet aan de regels houden, worden ze meteen op de trein gezet. Want uiteindelijk gaat het ons om de kinderen, de ouders zijn de noodzakelijke achterban die helaas de fout is ingegaan. Ik neem aan dat er problemen zullen komen. Daarom hebben we sterke mensen met overwicht en gezag nodig.'

Henrik tikt op een knie van Anouk. 'En ze moeten liefdevol zijn. Wat dacht je van een echtpaar?'

Net wat Lucas bedacht had. 'Een vader en een moeder. Hoe vind je dat?'

Henrik stelt voor dat hij en Beatrice er samen goed over zullen nadenken. 'Wie weet hebben wij onder onze kennissen zelfs wel mensen die geschikt zijn. Loop even mee naar boven, dan kunnen we bekijken hoe jij gedacht had het daar in te richten!'

Waar je ook kijkt in huis, overal is een overdaad aan weelde. Kostbare schilderijen, spiegels in prachtige lijsten. De meubels zijn een verhaal apart, alle kamers zijn in een andere kleur ingericht. Ze zijn veel gebruikt door de neven en nichten van het echtpaar.

'Ik probeer de inrichting weg te denken. Ook al blijft de stoffering, toch hangt hier dan nog een chique sfeer. De meubels moeten praktisch zijn, tegen een stootje kunnen.'

Beatrice kijkt Anouk bezorgd aan. 'Je moet niet op een paar centen kijken, Anouk. Degelijkheid kost nu eenmaal geld. Het hier opnieuw inrichten is de laatste daad die we hier vervullen. Niet, Henrik?'

Het wordt zo gemakkelijk gezegd. Anouk kan na alle jaren die ze hier werkzaam is, niet aan de manier van geld uitgeven denken zoals de Van Dinkels dat doen. Hoewel ze nooit ook maar iets over de balk gooien. Het geld dat ze uitgeven is meer dan goed besteed.

'Dat zou erg lief van jullie zijn... wat denken jullie: vijf tot zes moeders? Ze zullen het heerlijk vinden dat ze hun badkamer niet hoeven te delen!'

Henrik wijst naar de zolder. 'Daar ben jij nog nooit geweest, neem ik aan. Maar er zijn mogelijkheden om er een complete verdieping van te maken. Misschien wat aanpassingen, zoals dakkapellen. Afwachten hoe het loopt! Kom, dan gaan we naar beneden. Ik schenk een glaasje in en dan toosten we op Anouks wilde plannen!'

Voor Anouk geen alcohol.

'Ach... is het waar? Jij bent zwanger!' jubelt Beatrice. Anouk kleurt. Ze kan toch moeilijk ontkennen?

'Ik zwijg als het graf,' belooft Beatrice, een opmerking die haar man doet schaterlachen.

Met een glas appelsap kun je heel goed een toost uitbrengen. 'Op de toekomstplannen!'

Tot verbazing van Anouk en ook van het bestuur, wil Philip Dupuis nog een keer komen praten voor hij de baan accepteert. Hij zegt verheugd te zijn met het besluit, maar van enkele puntjes is hij nog niet zeker.
Dit keer is Lucas erbij als Anouk in haar kantoor op Philip wacht. 'Ik vind jouw oordeel over mensen erg belangrijk, Lucas.'
Lucas trekt een verontwaardigd gezicht. 'Daar kom je nu mee aan, terwijl jullie al een besluit hebben genomen!'
Philip komt op het afgesproken tijdstip aanrijden en stopt vlak bij de ingang van het huis. 'Die heeft op de hoek van de straat zitten wachten tot het tijd was,' denkt Anouk hardop.
Lucas heeft zijn aandacht op de man buiten gericht. 'Moet ik jaloers worden, vrouwtje?' plaagt hij.
Philip is inderdaad aantrekkelijk. Lang zonder overdreven fors te zijn, een glimlach die je veelbelovend zou kunnen noemen. Een kalme tred. Onderzoekend bekijkt hij de gevel, dan glijden zijn ogen naar de spelende kinderen.
'Jij... er is er maar een zoals jij, meneer Tigchelaar! Zeg zoiets nooit weer!'
Even later brengt leidster Thea de gast naar het kantoor.
De mannen schudden elkaar de hand en Lucas vertelt meteen in welke hoedanigheid hij zich hier bevindt.
Anouk popelt om te vragen wat Philip nog meer wil weten omtrent het reilen en zeilen van het huis.
Na twee koppen koffie is het zover. Hoe functioneert het personeel? Het bestuur? Is er overleg met de leraren van de scholen? Evaluatie?
Anouk gaat op de punt van haar stoel zitten. Ze komt los en vertelt met enthousiasme hoe het idee is ontstaan om een kindertehuis op te richten. Ze schildert de moeilijke jeugd van de Van Dinkels en hun ontferming over de tehuiskinderen.

En het personeel? Natuurlijk is er weleens wrijving, maar een belang-rijke stelregel is: uitpraten. Meteen met je probleem voor de dag komen. Veel personeelswisseling hebben ze nog niet gehad. 'Dat is op zich een goed teken,' stelt ze vast. En voor ze het weet, gooit ze haar nieuwe plannen eruit. Nu is het Philips beurt om op de punt van zijn stoel te gaan zitten.

Als Anouk, schor van het praten, zwijgt, zegt hij enige ervaring op dit gebied te hebben. 'En dan bedoel ik de begeleiding van gezinnen die weer een nieuw ritme moeten vinden. Je zult wel weten wat het inhoudt, gezinsvoogd te zijn. Ik ben dat door omstandigheden tijde-lijk geweest. Ze – ouders zowel als kinderen – moeten niet op het oude spoor gezet worden, want daar ging het vaak mis. Geloof me, dat is geen kinderwerk. Structuur aanbrengen, dat is het geheim. Sommige mensen zijn open en gooien alles eruit, anderen spelen de goede ouder maar hebben niets geleerd. Vallen snel terug in het oude patroon. Het zijn ook vaak mensen uit een bepaald milieu, begrijp me goed, ik wil niet discrimineren. Maar toch... Het is een fraai plan, maar ik vrees dat er meer bij komt kijken dan jij je nu realiseert!'

Het klinkt niet afwijzend, eerder bezorgd. 'Als we maar een vader en een moeder vonden... mensen die zelfstandig kunnen werken!'

Anouk ontspant zich. Philip, die het ziet, glimlacht haar bemoedi-gend toe.

'Ik zou adviseren: open het huis en ga een paar maanden proefdraai-en. Selecteer voor de eerste keer de mensen zorgvuldig en maak regels. Tja, wie weet wordt het zelfs een doorbraak in de hulpverle-ning!'

Na het intensieve gesprek troont Lucas de nieuwkomer mee naar de boerderij en zijn dierenartsenpraktijk. Anouk stelt voor dat hij blijft eten, zodat ze elkaar op een ontspannen manier beter kunnen leren kennen.

Tevreden begeeft Anouk zich naar de huiskamer, waar de kinderen aan het spelen zijn. Gelukkig is de waterpokken-epidemie verleden tijd.

Op de vloermat rollebolt een kleine jongen, hij kan zich als een elastieken pop omdraaien en kraait van plezier. Anouk denkt aan zijn nog jonge moeder die na een miskraam in de problemen raakte. Ze was nog maar nauwelijks hersteld van haar eerste bevalling toen ze weer zwanger raakte, terwijl ze nog in een postnatale depressie zat. Nu is ze opgenomen in een psychiatrische inrichting, tot wanhoop van haar man die werk heeft waarvoor hij vaak op reis is. Er is geen familie die de baby kan opvangen.

Misschien is het moedertje geschikt om als proefkonijn te functioneren...

Twee kleine meisjes eisen haar aandacht. Of ze ook thee wil drinken? Het serviesje met echte thee staat klaar!

Er heerst een sfeer van harmonie in de kamer, Anouk wenst dat het altijd zo was. Van dit soort momenten kan ze intens genieten.

'Ik wil graag een kopje thee!'

Voor even is ze gewoon een leidster met een groot hart voor kinderen.

4

'En waar hoop jij op te promoveren?'

Heidie Langerak kijkt haar huisgenote zwijgend aan, niet dat ze geen antwoord heeft. Maar ze vindt het moeilijk te verwoorden wat er langzaam in haar hoofd is gaan groeien.

'Je hebt zeker nog niets. Echt iets voor jou, Heidie!'

Heidie en Nita zijn drie jaar samen opgetrokken. Volgens Nita hebben ze lief en leed gedeeld. Heidie was de luisterende, Nita de altijd pratende.

Hun vriendschap was bepaald niet een van gelijkwaardige personen. Heidie is er niet rouwig om dat ze binnenkort verkast. Het flatje, waar ze aanvankelijk zo blij mee waren, begint haar te benauwen.

'Ik heb natuurlijk allang een onderwerp. Ik werd geïnspireerd door mijn stagebegeleidster. Zoals je weet heb ik in verschillende tehuizen mijn licht opgedaan... wat mij trof waren de verschillende manieren van opvang... de sfeer, om kort te gaan de algehele benadering!'

Nita reageert ongeduldig. 'Zeur er niet zo omheen... jij en je kindertehuizen! Een buitenstaander zou denken dat je zelf in zo'n huis bent groot geworden. Terwijl jij uit een hm... hm... welgesteld nest komt.'

Heidie kijkt weg van Nita. Welgesteld, alsof dat alles is in het leven. Haar ouders zijn overleden toen ze nog een hummel was. Een oudtante was zo gewetensvol om het weesje in huis te nemen. Maar dan moest het weesje wel naar tantes pijpen dansen. Af en toe mocht ze uit logeren bij een oom en tante. Ze was dol op het oudere nichtje, Leidie. Leidie en Heidie, afkomstig uit dezelfde familie maar oh, wat een verschil tussen die twee karakters. Beiden zijn vernoemd naar grootmoeder Langerak. Al heel jong wist Leidie dat ze anders genoemd wilde worden. Ze koos voor haar tweede voornaam: Aleida. Het werd meteen 'Leidie'. Heidie volgde haar voorbeeld: opeens vond ze 'Hendrine' een te ouderwetse naam. Wie heet er tegenwoordig nog zo? Leidie verzon de naam 'Heidie'. De familie had het maar te nemen. Heidie dwingt zichzelf 'bij de les' te blijven en kijkt Nita vriendelijk aan.

'Laten we het daar niet over hebben. Ik las in een vakblad dat ik op mijn laatste stageadres oppikte, dat er ergens een huis wordt opengesteld voor vrouwen die de ouderlijke macht over hun kinderen terugkrijgen, voorwaardelijk dus. Vaak loopt dat mis. Als de moeder faalt, wordt alles teruggedraaid en dan zijn de kinderen de dupe. Wel, de initiatiefnemers hopen te bewijzen dat met meer persoonlijke begeleiding moeder en kinderen weer aan elkaar gaan wennen, elkaar respecteren enzovoorts. Dat trok mijn aandacht. Ik geloof dat het een proef is. De vaders spelen nog geen grote rol, die mogen in het weekend meedoen, omdat de vaders vaak voor het gezinsinkomen zorgen. Ik heb naar dat tehuis gebeld en gevraagd of ik er een tijdje mag meedraaien om gegevens te verzamelen voor mijn proefschrift. Zo, nu weet je het meteen...'

Heidie verwacht een negatieve reactie, maar in plaats daarvan barst Nita in lachen uit. Of Heidie niet wat beters kan verzinnen? Ze steekt vervolgens een relaas af dat die tehuizen alleen bedoeld zijn voor kinderen 'uit een je-weet-wel-milieu'!

Heidie heeft absoluut geen zin om haar standpunt tegenover haar huisgenote te verdedigen. Ze haalt haar schouders op. 'Gelukkig is dat jouw zorg niet. Wat ik wilde zeggen: je kunt op zoek gaan naar een nieuwe huisgenote. Want ik ben toch niet van plan hier terug te keren. Ik ben geen zuiderling en zal het ook niet worden. Niet dat ik het hier niet naar mijn zin heb gehad, best wel. Bij tijden dan... bovendien wordt mijn tante nu toch wel erg oud. Ik wil niet te ver van haar af zitten.'

Omdat Nita een vasthoudend type is, keert Heidie haar de rug toe en loopt de kamer uit. 'Ik ga vast spulletjes sorteren die ik mee terug wil nemen.'

Nita bromt dat Heidie opeens erg snel gaat. Eigenlijk is ze wel blij dat er een eind aan hun samenwonen komt. Geleidelijk aan zijn ze uit elkaar gegroeid. Het zij zo.

Heidie heeft niet veel werk met het inpakken van haar bezittingen. Ze verlangt naar een nieuwe impuls, maar tegelijkertijd is ze vuurbang. Het leven kan zo grillig zijn. Je denkt aan je toekomst te bouwen, maar opeens verrijst er als uit het niets een hoge muur.

Ze kan zo verlangen naar rust en regelmaat. Zeker zijn van zichzelf. Nu weer de gezondheid van haar tante Elizabeth. Het liefst had tante dat ze bij haar kwam wonen. Maar alleen al die gedachte maakt haar wanhopig.

Toch is het vreemd... zou er echt leiding in een mensenleven zijn? Zou God werkelijk omzien naar een mensenkind?

Is er een reden waarom er de ene keer een plan getorpedeerd wordt en er een andere keer draden uit je leven op een bepaald ogenblik worden samengevoegd? Heidie weet het niet. Ze is door tante Elizabeth kerkelijk opgevoed, ook naar christelijke scholen gestuurd. Kennis van Gods Woord heeft ze wel, maar eruit leven, zoals sommigen dat kunnen, is haar onbekend.

In een grote, stevige doos uit de supermarkt heeft ze haar kostbaarheden gedaan. Foto's, prulletjes en boeken. Veel foto's heeft ze niet. Die van Leidie is haar het meest dierbaar. Lieve Leidie, haar steun en toeverlaat. Waarom moest ze zo jong sterven? Het leven is oneerlijk, vindt Heidie. Ze is genoodzaakt nog meer dozen te halen, want alleen al haar studiemateriaal eist heel wat ruimte.

Ze ziet uit naar de verhuizing. Eerst een paar dagen naar tante Elizabeth, dat is ze verplicht. Van daaruit kan ze een kennismakingsbezoek aan het Poorthuis brengen. Eigenlijk hoopt ze dat ze in het huis een plekje kan krijgen, zodat ze niet naar kamers hoeft om te zien. Dat zou ideaal zijn.

Nog even afwachten dus.

Misschien, zo droomt ze verder, kan ze in de villa gaan wonen, daar waar de moeders ondergebracht worden. Dan zit ze vlak bij het vuur. Misschien kan ze als vertrouweling functioneren! In ieder geval zitten er mogelijkheden in haar nieuwe plannen.

Als ze nu maar niet weer tegen een muur oploopt!

Een paar dagen later kondigt Nita aan dat ze een nieuwe huisgenote heeft opgeduikeld. Het klikte meteen, dat is boffen. Of Heidie maar zo gauw mogelijk wil eh... verdwijnen?

'Ophoepelen bedoel je waarschijnlijk!' reageert Heidie welgemoed.

Nita is zo beleefd te blozen. 'Ik help je maar wat graag met sjouwen.'

Misschien zal ze Heidie niet erg missen, wel haar auto. Daar heeft ook zij behoorlijk veel plezier van mogen hebben.

Had ze nu zelf ook maar een welgestelde tante!

De auto blijkt, als alles is ingepakt, nauwelijks groot genoeg. 'Raar is dat! Ik kwam met zo goed als niets. En moet je nu zien!'

Er moet duidelijk wat uit. 'Dit mag mijn opvolgster hebben... en dit ook. Dat ruimt lekker op. Wat moet ik met dat kastje... weg ermee. En die grote planten in potten: wat moet ik ermee? Tante Elizabeth zou zeggen...' Heidie trekt haar hoofd terug uit de auto en kijkt met een streng gezicht Nita aan: 'Maar meisje... wat een uitgegroeide rommel. Zet het maar bij de composthoop.'

Samen sjouwen ze de spullen terug in de flat. De 'nieuwe' mag zelf haar kamer schoonmaken. Heidie wil maar een ding: weg.

Tante Elizabeth woont in een villa uit de jaren twintig, en wel op een schitterende lokatie onder de rook van Arnhem. Zodra Heidie voor het huis stopt, bekruipt haar een onaangenaam gevoel. Ze voelt de liefdeloosheid door de geopende ramen naar buiten komen.

Elizabeth Langerak is een zuster van haar – allang overleden – oma van vaders kant. De naam Langerak, vindt tante, moet in ere worden gehouden. Helaas zijn er in haar lijn geen mannelijke Langeraks in leven, buiten een paar neven om. Ze moet het met Heidie doen als enig familielid.

Heidie is van plan zich dit keer niet door tante te laten paaien. Het wordt de hoogste tijd dat ze voor zichzelf opkomt! Veel te lang heeft ze aan de leiband van tante gelopen. Tot ze ging studeren en een eigen weg zocht.

Dat was in het begin zo moeilijk. Want sociale vaardigheden zijn haar thuis niet bijgebracht. Maar Heidie leerde snel, stootte af en toe op een vreselijke manier haar neus. En als er problemen waren, was er niemand die haar kon helpen. Tante Elizabeth kwam niet in aanmerking.

Heidie beeldt zich in dat ze nu zover is dat ze voldoende afstand heeft gecreëerd.

De begroeting is, zoals gewoonlijk, een en al verwijt. Waarom heeft ze zo weinig gebeld, geschreven? De jongelui van tegenwoordig zijn zo nonchalant als het om waardevolle contacten gaat. De normen en waarden...

Heidie denkt: bla-bla...

Ze ziet niet langer met angst in haar ogen tegen tante op.

'Ik zal niet lang blijven, tante Elizabeth. Ik doe onderzoek in tehuizen naar bepaalde verschijnselen, vandaar.'

'Zoiets dacht ik al. Niet van die tehuizen, maar van dat lang of kort blijven. Ik had zo gehoopt dat je me deze zomer gezelschap zou houden!'

Heidie huivert alleen al bij de gedachte. 'Ik hoop dat u iemand anders bereid vindt om een tijdje hier te logeren, het spijt me echt. Ik moet nu doorzetten, half werk wil ik niet leveren!'

Het worden ongezellige dagen, tante en achternicht komen elkaar op geen enkele manier nader. Heidie is opgelucht als ze voor een bezoek aan het Poorthuis haar tante kan verlaten. 'Vanavond ben ik terug, tante!'

Tijdens de rit kan Heidie haar gedachten niet bij haar tante vandaan houden. Dat is altijd zo, telkens dringt tante Elizabeth als een computervirus tussen haar andere gedachten.

Na het behalen van haar gymnasiumdiploma dacht Heidie dat de wereld voor haar openstond. Niets was minder waar. Tante wilde een paar cultuurreizen maken. Ieder jong meisje zou haar benijden!

Maar Heidie wilde wat anders. Vrienden, daar verlangde ze naar. Meningen uitwisselen, kortom, op alle fronten groeien! Na thuiskomst werd tante Elizabeth ernstig ziek, Heidie, trouw als ze is, wilde tante niet aan haar lot overlaten. Zo gingen haar mooiste jaren voorbij. De bezoekjes aan haar nichtje Leidie waren de enige vrolijke onderbrekingen.

Tot er onverwacht een oudere vriendin van Elizabeth opdook. De vriendin kwam niet alleen logeren, het had er de schijn van dat ze voorgoed zou blijven. Helaas vertrok de vriendin na een halfjaar en reisde af naar haar Franse residentie.

Dit was het moment voor Heidie om er tussenuit te breken. Ze begon aan een studie die haar verder de maatschappij in zou brengen. Ver van huis...

Even leek het erop dat ze eindelijk haar treintje op de rails had. Toen gebeurden er nare dingen die ze dacht te kunnen vergeten. Helaas is het een nog dagelijks gevecht...

Waar ze ook aan denkt, telkens stuit ze weer op tante Elizabeth. Waarschijnlijk zal zelfs de dood daar geen verandering in brengen.

Als Heidie een blik op een wegwijzerbord werpt, schrikt ze. Lieve help, ze heeft haar doel zo goed als bereikt! Voor een spoor moet ze stoppen. Een wel heel korte trein mindert vaart en stopt een halve kilometer verder. Heidie laat de auto optrekken, tuurt intensief om zich heen. Hier was het Poorthuis. Zeker weten.

Vanaf de weg moeilijk te zien, de grote villa daarentegen staat op een glooiend gazon te pronken in de lentezon.

Zou ze wel, zou ze niet?

Terugtrekken kan nu nog!

Dat zijn maar gedachten, haar voeten geven gas, haar handen halen het stuur om.

De villa maakt een onbewoonde indruk. Zo te zien zijn de bewoners vertrokken. Daar, rechts van het pad staan de bungalows. Ze zien er vriendelijk uit en Heidie denkt verlangend: 'Zo'n huisje voor jezelf... wat zou ik daar graag wonen, helemaal alleen!'

Er is ruimte voor het parkeren van auto's, op een bordje staat: bezoekers. Wel, dat is ze nu nog.

Heidie stapt uit, kijkt verlangend om zich heen. Nu ze dichter bij het huis is, ziet ze dat er mensen aan het werk zijn. Er staat bovendien een busje van een woninginrichting.

Heidie wandelt met haar tas stijf onder haar arm onder een beukenhaag door. Het geluid van spelende kinderen is oorverdovend. Af en toe een ijselijke gil, de stem van een leidster. Heidie kijkt om, naar het huis, naar de bungalows. Ze kan nog terug...

'Kom je op visite, wie z'n moeder ben je?'

Een mager kind met een schraal gezicht en peenhaar dat in twee vlechtjes is gedraaid, komt pal voor haar staan.

'Ik ben niemands moeder...' Heidie slikt moeilijk. Zou ze echt doorzetten?

'Ik ben er een van Hoekstra. Alette. Hoe heet jij?'

Heidie probeert langs het kind heen te komen. Hoe oud zou ze zijn? Vijf, misschien zes jaar? Een kleine dwingeland, dat ziet ze in een oogopslag.

'Ik heet Heidie. Mag ik er nu langs?'

Het kind slaakt een gilletje. 'Dan heet je net zoals dat kind uit de film. Kleine Heidie... we hebben die op video en dvd. Stom verhaal, hoor!'

Heidie pakt het kind resoluut bij een schoudertje dat griezelig mager aanvoelt. 'Breng jij me naar binnen? Ik ben op zoek naar mevrouw Verhagen.' Het kind schudt het hoofd, de stijve vlechtjes komen mee in beweging. 'Die hebben we hier niet.'

'De directrice, daar moet ik zijn!' probeert Heidie.

Het kind grijpt haar hand en veegt ermee langs haar lekkende neus en even griezelt Heidie van dat contact.

'Dan moet je toch bij Anouk zijn. Zo mogen we haar niet noemen. We moeten juf Anouk zeggen. Ze heet Tigchelaar! Moet je die hebben?'

Hand in hand lopen ze verder het pad op, dat rechtstreeks naar het tot nu toe verscholen huis voert. Ze komen langs een degelijk gebouwde stenen bank. De 'Van Dinkelsbank' staat er op een gegraveerde steen te lezen.

'Die is nieuw, eerst mochten we er niet op zitten, maar nu is het cement hard genoeg, zegt meester Siem.'

Alette trekt de bezoekster de stenen treden van het bordes op. 'Je moet niet schrikken als je Pollie Pieper tegenkomt, hoor. Die kan zo schreeuwen als je zomaar in de keuken komt... daar is ze de baas. Hu, ik ben niks bang voor haar! Mijn broertje wel, maar die is voor alles bang.'

Binnen is het na het stralende zonlicht van buiten even erg donker en Heidie heeft moeite om zich te oriënteren.

'Zal ik op de deur van het kantoor kloppen, dan hoef jij dat niet te doen.' Het kind voegt de daad bij het woord, legt haar oor tegen het hout van de deur om te luisteren. 'Binnen!' klinkt een heldere stem. Anouk Tigchelaar-Verhagen.

Anouk staat verrast op, ze had een jong meisje verwacht, geen vrouw die zo te zien tegen de dertig loopt. De vrouwen geven elkaar een hand, terwijl beiden proberen in enkele seconden een indruk van de ander te krijgen. 'Heidie van Lathem.' De achternaam van haar tante Elizabeth, die alleen in officiële papieren vermeld staat. Langerak van Lathem. Een oude en zeer gerespecteerde naam.

'Welkom! Alet, naar buiten jij!'

Het kind giechelt en Heidie zegt vermaakt: 'Een van Hoekstra.'

'Inderdaad!' Anouk lacht vriendelijk en vraagt zich af of ze deze Heidie ooit eerder heeft ontmoet. Heidie van Lathem... die naam is haar onbekend.

Heidie krijgt een kop thee, een gemakkelijke stoel en dan mag ze haar verhaal doen.

Ze begint onzeker. Er hangt zoveel van af... ze wil opeens dolgraag toestemming om hier een paar maanden of langer te mogen bivakkeren.

Meewerken, onderzoek doen.

Anouk is erg belangstellend. 'Dus je kon niet meteen na je middelbare school aan de studie beginnen. Wat kunnen mensen toch veeleisend zijn. Maar het is je uiteindelijk gelukt. Nu wil ik graag weten hoe je erachter bent gekomen dat we hier met een nieuw project bezig zijn.'

Heidie hoeft de naam van het vakblad maar te noemen, of Anouk knikt begrijpend. Ze is duidelijk trots op wat er in het blad over hen staat.

'Een nieuw project, de overheid doet altijd moeilijk als je voor een project als het onze om subsidie komt. Maar via via is het toch gelukt! We moeten zorgvuldig met onze plannen en de inkomsten omgaan. Wat jou betreft, snijdt het mes aan twee kanten. Jij hebt je onderwerp, wij profiteren van observaties, gesprekken met mensen en meer van dat soort zaken. We zijn heel voorzichtig bezig met het zoeken naar de juiste mensen voor bewoning. En het grootste probleem is dat we nog geen mens hebben gevonden die geschikt is om daar de leiding te nemen. We denken aan een wat ouder persoon... ik vrees dat jij te jong bent voor zo'n baan. Toch?'

De vrouwen kijken elkaar aan alsof ze elkaar willen peilen, gedachten willen lezen en een snelcursus kennismaken willen volgen.

Heidie is verrast door het idee alleen al. Ze haalt haar schouders op. 'Ik heb veel theoretische kennis. Echt gewerkt met vrouwen die jou denken te claimen, heb ik niet. Je bent op zoek naar iemand met levenservaring en de juiste kennis. Dat is moeilijk!'

Anouk slaakt een overdreven zucht.

'We hebben al wel een prima psycholoog. Aan hem stel ik je straks voor. Maar hij heeft meer te doen dan die vrouwen te coachen. Soms denk ik aan een echtpaar: een vader en een moeder, zoals je vroeger in jeugdherbergen had.'

Daar kan Heidie niet over meepraten. Haar vakanties werden in hotels doorgebracht, verblijven waar zelden een kind buiten haarzelf te vinden was. Wat klinkt dat heerlijk: een jeugdherberg.

'Dat was een zijstapje! Nu ter zake. Je schreef dat je graag een half jaartje hier wilde doorbrengen. Eh... je rekent toch op een onderkomen, heb ik begrepen? Tja, er is geen bungalow vrij, dat spijt me voor je. Ik heb zelf geruime tijd een bungalowtje bewoond, het was ideaal.

Vlak bij je werk en toch had je de nodige privacy. Kijk, we hebben nog wel een kamer voor je, maar stel je daar niet te veel van voor. Ze zijn bedoeld voor kinderen. Of... nu laat ik mijn gedachten de vrije loop: zou je een kamer in de villa willen gebruiken?'

Heidie is absoluut niet het meisje met wie Anouk dacht van doen te hebben. Deze Heidie kan ze nog niet zo goed plaatsen. Ze lijkt nerveus, zelfs opgewonden. Terwijl daar toch geen reden voor is.

Heidie zegt alles goed te vinden, een kamer hier of daar, het maakt haar niet uit. Ze is allang blij de ruimte niet met een Nita te hoeven delen.

'Ik heb ook op jullie website gekeken. Vandaar dat ik behoorlijk op de hoogte ben van alles hier... en jullie experiment trekt me ontzettend aan!

Jammer dat je nog geen vaste leider of leidster hebt. Ik wilde dat ik daar de capaciteiten voor had. Ik zou onmiddellijk solliciteren.' Ze weet dat ze in herhaling vervalt, maar dat gaat ongemerkt.

Anouk houdt haar hoofd schuin. 'Capaciteiten, daar alleen gaat het niet om, Heidie. Je moet levenservaring hebben. Maar misschien kun jij samen met Philip – onze nieuwe psycholoog – de kar voor even trekken? Philip is als eerste aan de beurt om een bungalow te betrekken, voorlopig bivakkeert hij op de zolder van de villa. Die trekken we, als alles gaat zoals we willen, bij de opvang. Maar dat is nog toekomstmuziek!'

Anouk is in haar sas met deze jonge vrouw. Jammer dat ze haar geen baan kan aanbieden. Alhoewel... toen ze zwanger was van haar zoon, moest er voor de laatste maanden voor de bevalling ook versterking komen.

Zo kwam de inmiddels vertrokken Ingrid in hun leven.

Voorzichtig gooit ze een balletje op.

'In de naaste toekomst... over een maand of drie, vier, hebben we wel een tijdelijke invalster voor mij nodig. Ik ben zwanger, weet je. En de vorige keer knapte ik na de zesde maand al af, ook al ben ik langer doorgegaan. Misschien dat jij tegen die tijd beschikbaar bent...'

Heidie verschuift op haar stoel. Beschikbaar? Ook al was ze dat niet, dan nog zou ze ervoor zorgen het te worden.

Anouk knikt. 'Ik kan raden wat je denkt. Fijn!' Heidie buigt haar hoofd zodat Anouk haar ogen niet kan zien en ze denkt: dat kun je niet, als je dat wel kon, zou het gedaan zijn met je rust.

Anouk staat kwiek op. 'Kom, dan geef ik je een rondleiding. Ook al heb je het meeste al op de website gezien en gelezen.'

Heidie zegt, na de rondleiding, onder de indruk te zijn. 'Geld, alles draait om geld, Heidie. We hebben aan de familie Van Dinkel alles te danken. Zodoende kunnen we hier veel meer dan anderen. Wij zijn om het kort te zeggen 'particulier'. Tot op zekere hoogte, ik zal je niet met de details lastigvallen. We hebben nog tijd, zullen we de kinderboerderij bezichtigen? Als ik het goed heb, geeft mijn man, Lucas, net de kleine meiden ponyles. Dat is zo mooi om te zien!'

Heidie loopt achter Anouk aan over het smalle pad langs de weilanden. Ze snuift de buitenlucht op. Ze hoort de paarden hinniken en dat doet haar terugdenken aan de tijd dat ze zelf een pony had.

'Die daar, dat is mijn zusje... Aline. Jawel, mijn moeder, tweede moeder moet ik zeggen, kreeg een kindje toen ze dacht in de overgang te zijn! Aline is ongeveer even oud als Ammie. Ze zijn als zusjes opgegroeid. Aline is meer hier dan thuis.'

Heidie blijft staan, houdt zich vast aan een hek. 'Ammie?'

Anouk lacht en zegt met een stem die liefdevol klinkt: 'Anna Marie. Het was voor haar een te moeilijke naam, dus maakte ze er zelf Ammie van. Ach, het klinkt lief, vind ik. Ze doen het goed, zie je dat!'

Vol trots volgt Anouk de verrichtingen van de jonge amazones. Kaarsrecht zitten ze op de ponyruggen. Capjes op, de kleine handen om de teugels.

'Ik durf meer!' schalt de stem van Ammie. Anouk kijkt benauwd. 'Lucas!' roept ze waarschuwend. Lucas maakt een geruststellende beweging met een hand. 'Hij is goed met kinderen en zeker met paarden. Het is zijn lust en zijn leven, weet je.'

Anouk kijkt opzij, naar Heidie. Deze kan haar blik niet van de kinderen afhouden. 'Wat ben jij rijk...' zegt ze zacht. Anouk knikt. Het is niet de goede gelegenheid om te vertellen dat Ammie een vondeling is. Kan altijd later nog en bovendien: er is geen reden voor. Misschien moet ze leren daarover te zwijgen. Voorlopig is het kind zelf nog veel te jong om te begrijpen dat Anouk en Lucas niet haar biologische ouders zijn!

De bezichtiging van de boerderij wordt afgeblazen, Anouk krijgt via haar mobiel een dringende oproep om naar het huis te komen.

'Sorry, je mag nog wel even blijven kijken... de volgende keer stel ik je aan mijn man en de kinderen voor. Kom je zo terug naar kantoor? Dan praten we nog even verder.'

Heidie blijft staren, alsof ze geobsedeerd is door wat ze ziet. Als op een gegeven moment Ammie een duikeling maakt en op de grond terechtkomt, klemt ze haar handen om het ruwe hout van het hek. Het kind zet het op een krijsen.

Lucas blijft kalm, klopt wat modder van haar jasje en zet haar terug op de ponyrug. 'Niks aan de hand, kleine schreeuwer. Je moet doen wat ik zeg, niet op eigen houtje dingen uitproberen. Dan raakt Michelle ook in de war. Streel haar maar over de manen!'

Heidie wendt zich af en loopt traag, alsof ze schoenen van lood aanheeft, terug naar het kantoor.

Buiten hoort ze het al: er gaat een kind vreselijk tekeer. Nieuwsgierig opent ze de zware deur. Midden in de hal staat Anouk, die een mager jochie vasthoudt. Het kost haar duidelijk moeite. 'Als jij gaat bijten, prima, dan bijt ik terug! En nu stil jij!'

Een van de leidsters commandeert de belangstellenden die eromheen staan, terug naar de huiskamer. 'Meester Siem komt dadelijk helpen met het huiswerk. Aan de slag dus!'

Heidie blijft op afstand staan kijken en luisteren. Dit, wat ze nu ziet, is de praktijk.

'Luister, meneer Hoekstra! Ik wil nu, nu meteen, weten waarom jij zo'n herrie schopt!'

Heidie begrijpt: dit is er een van de Hoekstra's. Peenhaar, lichtblauwe ogen en een schrale huid. Sprekend zijn kleine zus.

'Ze heeft gebeld... mijn moeder en ik wil niet!'

Anouk heeft er een hekel aan als ouders te pas en te onpas hun kinderen bellen. Daar zijn goede afspraken over gemaakt. 'Wat wil jij niet?'

Dirk Hoekstra kijkt schuw langs Anouk, richting Heidie. 'Ze zei dat we weer naar huis moeten komen. Wij allemaal. En dat wil ik niet! Dan moet ik...'

Opeens begint het kind hartverscheurend te snikken. Anouk neemt hem in haar armen. Negen jaar, zo jong nog.

'Lieverd, daar is geen sprake van. Dat moet eerst allemaal overlegd worden. Natuurlijk is het fijn als de dokters hebben gezegd dat mama naar huis mag. Dat betekent dat ze heel wat beter is. En sterker. Maar ik denk dat ze nog niet voor jullie alle vier kan zorgen. Jij? Nou dan, daar moet over gepraat worden. En ik beloof je dat er niets gebeurt wat jij niet weet.' Het kind hikt nog wat na.

'Kom, dan gaan we in de keuken wat drinken voor je halen.'

Heidie loopt langzaam terug naar het kantoor. Ze begrijpt best dat kinderen zich hier veilig voelen. Ze krijgen waarschijnlijk meer aandacht dan thuis.

Op het bureau van Anouk staan gezinsfoto's. Ammie als baby, Fritsje als baby. Binnenkort komt er nog een babyfoto naast. Anouk weet niet hoe gelukkig ze is.

'Dat was dat! Storm in een glas water. Nu heb je zelf gezien, Heidie, hoe kinderen kunnen reageren als ze naar huis mogen. Dit is niet altíjd het geval, weet je. Vaak gaat het ook goed. Zo hebben we ook kinderen onder onze hoede gehad, die uiteindelijk naar een pleeggezin gingen. Geloof me, we laten ons regelmatig inlichten over de gang van zaken. Of het goed gaat... Soms volgt er een adoptie. We krijgen ook klantjes die van het ene gezin naar het andere hoppen. Ach, er is zoveel verdriet. Ons doel is de kinderen stuk voor stuk zoveel mee te geven, dat ze een rugzakje met kennis en ervaring meekrijgen als ze ons verlaten. En vaak is dat gelukt...'

Anouk staart voor zich uit, denkt aan de gevallen waarbij het ondanks alle liefde toch mis ging.

'Zullen we de villa gaan bekijken? Boven is een flink aantal kamers beschikbaar. Je hebt nu nog de keus... en van de man op zolder heb je geen last.'

De lente zet met kracht door, de zon is vriendelijk en warm, de vogels in de lindebomen jubelen het uit en wat lijkt het leven mooi op momenten als dit.

'Het is een prachtig huis. Heel wat gerieflijker dan dat van mijn tante. Dat is zo'n bak uit de jaren twintig.'

Het huis is klaar voor de nieuwe bewoners. De inrichting van de gezamenlijke woonkamer is eenvoudig, degelijk en toch gezellig.

'Had je het hier vroeger moeten zien!' Anouk schildert met een paar zinnen de situatie tijdens de periode Van Dinkel. Ze besluit met: 'Mevrouw Van Dinkel stond erop dat we degelijk meubilair aanschaften. Ze zag het voor zich: een uitgeleefd hol met rafels aan de gordijnen en vlekken op de stoelen. Vandaar...'

Heidie knikt, keurt goed wat ze ziet. Het is precies geschikt voor het doel.

'De moeders komen natuurlijk uit allerlei milieus. Zou dat onderling problemen geven?'

Anouk tuit haar lippen, verschikt wat aan een gordijn. 'De hele maatschappij is een mengelmoes van verschillen. Ten tweede zijn ze hier niet op vakantie, maar om te proberen met hulp hun eigen leven weer op te pakken. Zolang ze niet gaan vechten... Drank en drugs zijn allemaal streng verboden. Tja, vandaar dat we een streng persoon met gezag als hoofd moeten zien te vinden...'

Op de bovenverdieping heeft Heidie al snel haar oog op een kamer laten vallen. Balkon op het zuiden, uitzicht op de Welgelegenlaan.

'Dit is een mooie kamer, Anouk. Als ik hier mag logeren... ik kan natuurlijk heel goed huur betalen.'

Anouk glimlacht. 'Als je af en toe bij wilt springen... dan hoef jij geen huur te betalen. Het mes snijdt aan twee kanten. Als je weer komt,

wil ik graag precies weten hoe jij je proefschrift ziet, welke onderwerpen je speciale belangstelling hebben. Wil je een gezin observeren... of kies je voor een algemene beschouwing?'
Heidie denkt aan beide.
'Komt mevrouw Hoekstra in aanmerking voor begeleiding? Dat
gezin lijkt me wel wat... is er ook nog een vader?'
Die is er wel, maar toch ook weer niet. 'Ervandoor met een jonge
meid. Het verhaal hebben we al zo vaak gehoord. Moeder in geldzorgen, gaat drinken uit wanhoop. Kinderen verwaarloosd... het huis
idem dito. Vol goede moed begint ma opnieuw, maar ze kan dat viertal alleen niet aan... ze moet als het ware bijscholing hebben over
opvoeden. Structuur... daar draait alles om, denk ik vaak. Als het weer
misgaat, loopt ze het gevaar dat haar kinderen uit de ouderlijke
macht ontzet worden en dan kan het feest pas goed beginnen!'
Heidie krijgt tranen in haar ogen. 'Ik vind dit zo schrijnend... op deze
manier worden de kinderen criminelen in de dop. Ze hebben geen
kansen!'
Anouk klopt Heidie op haar rug, alsof ze een van de pupillen was.
'Verlies nooit je medegevoel. Liefde voor het verstotene. Zonder dat
en nog een paar dingen, verhard je en ben je eigenlijk ongeschikt om
deze schepseltjes een herkansing te geven.'
Ze begrijpen elkaar.
'Dat was alles?' aarzelt Heidie als ze weer buiten staan. Anouk kijkt
rond, ontdekt dat de nog nieuwe auto bij de oprit van Heidie moet
zijn.
'Natuurlijk niet. Dit was een begin. Wanneer wil je komen?'
Heidie is vlug met antwoorden. Nog voor Anouks vraag is gesteld,
roept ze: 'Zo snel mogelijk! Ik vind het namelijk afschuwelijk om bij
mijn tante in huis te wonen. Ze is niet van deze tijd. Het is voor ons
beiden het beste als we elkaar zo min mogelijk zien, weet je. Nu zal
ik je tegenvallen...'
Anouk stelt haar gerust.
Samen lopen ze op Heidies wagen af. 'Eind van de week? Misschien

weten we dan meer over moeder Hoekstra. Want zij lijkt me een goed geval om mee te beginnen. Samen moeten we dat kunnen rooien... en we hebben Philip ook nog!'

Anouk heeft inmiddels flink geadverteerd, maar de ideale vrouw is nog niet gevonden. 'Maar we geven de hoop niet op!'

Het afscheid is hartelijk en Anouk blijft staan kijken tot Heidie wegrijdt op de verharde weg. Ze toetert een keer, Anouk zwaait ook al zal Heidie dat niet kunnen zien.

Ze kuiert terug naar huis. Aardige vrouw, die Heidie. Soms wat nerveus, misschien is de moeilijke tante daar de oorzaak van. Ze is intelligent, zonder meer. Het juiste type voor hun branche. Alleen kan ze Heidie, voorlopig althans, nergens inplannen.

Maar wat niet is, kan nog komen! Dat heeft ze al vaker mogen ervaren.

5

HEIDIE HEEFT THUIS, BIJ HAAR TANTE ELIZABETH, NOG HEEL WAT HEU-
veltjes te nemen. Tante is er sowieso tegen dat haar nichtje in 'zo'n
soort tehuis' gaat werken. Waarom moet alles beleefd worden? Wil
ze de sfeer proeven en met mensen spreken? Ze zou alles ook van de
theoretische kant kunnen bekijken.
Heidie gaat in de fout door zich met hand en tand te verdedigen. Ze
blijft respectvol naar haar tante toe. Voorzichtig zegt ze wel dat tante
Elizabeth in een andere tijd lijkt te leven.
'Ik wil mijn opgedane pedagogische kennis in praktijk brengen. Wat
ik ga doen als ik afgestudeerd ben, weet ik nog niet. Ik verheug me er
zo op, tante, waarom kunt u niet blij zijn met mij? De directrice... ze
is een schat. Ik kende haar al veel langer, van naam alleen dan... u weet
hoe die dingen in bepaalde kringen gaan. Ze heeft in Limburg in een
tehuis gewerkt, daarna kwam ze in het Poorthuis terecht!' Heidie
haalt gehaast adem, bang als ze is dat tante Elizabeth haar zal afkappen.
'En alles wat daar is ontstaan, hebben ze te danken aan mensen die
loeirijk zijn.' Elizabeth fronst haar wenkbrauwen. Loeirijk.
'Ze hebben zelf in tehuizen gezeten, vandaar. De man, meneer Van
Dinkel, heeft carrière gemaakt en om zijn geld goed te besteden hebben ze dat kindertehuis opgericht. Nu zijn ze naar het buitenland
vertrokken.'
Elizabeth snuift een keer. 'Nieuwe rijken, zo noemde men dat toen ik
een meisje was. Een heel verschil met het milieu dat van oudsher
kapitaalkrachtig was!'
Heidie haat het als haar tante zo spreekt. Ze houdt zichzelf dapper
voor dat ze zich, nu ze volwassen is, niets meer hoeft te laten gezeg-
gen door haar tante. Integendeel, ze zou zelfs dwars tegen haar in
kunnen gaan. Opkomen voor haar eigen mening en verlangens. Maar
dan denkt ze terug aan wat tante Elizabeth voor haar gedaan heeft.
Haar allereerst een thuis gegeven.

Ze kon zonder moeite een geweldige opleiding volgen. Geldzorgen, zoals sommigen van haar leeftijdgenootjes, had ze niet.

Ze dwong zich van jongs af aan de beste cijfers te halen. Alleen om tante te plezieren. Wat overigens nooit is gelukt.

Nieuwe rijken, wat een begrip.

'Nou ja, jij doet toch altijd wat je zelf het beste lijkt. Ik had je graag hier gehad, zodat we nog wat aan elkaar konden hebben. Ik word er ook niet jonger op! Bovendien kan ik je in de beste kringen introduceren. Met het oog op de toekomst... Je zult toch ooit een huwelijk willen sluiten. Alle kans dat je daar in dat gehucht tegen de een of andere eh... onontwikkelde man aanloopt en je je verbeeldt verliefd op hem te worden. Walgelijk, Heidie. Je moet steeds voor ogen houden dat jij hier ooit de vrouw des huizes zult zijn. Dat geeft verplichtingen, kind! Enfin, misschien is deze episode snel afgelopen. Ik verwacht echt, nu je zo dicht in de buurt gaat wonen, dat jij je hier regelmatig laat zien. Of is dat te veel gevraagd?'

'Natuurlijk niet, tante.' Aan het eind van het gesprek verwacht tante Elizabeth, zoals gewoonlijk, dat haar nichtje de loftrompet over tantes goedheid zal steken. Heidie klemt haar kaken op elkaar, ze vertikt het om nog langer tantes eigenschappen met goud in te kleuren.

Teleurgesteld, dat zijn ze beiden. Vooral in elkaar.

Met zorg kiest Heidie enkele persoonlijke spullen uit die ze mee wil nemen naar wat tante 'dat gehucht' noemt. Foto's van haar ouders, van haarzelf toen ze nog heel klein was. En natuurlijk de foto met de lachende Leidie. Ze voelt zich nog schuldig. Leidie, die veel en veel te snel heeft gereden in háár sportwagen. Ze was dol op de snelle auto. 'Plankgas!' riep ze vaak. Alsof er geen snelheidsbeperking bestond. Heidie dwingt haar gedachten naar het hier en nu.

Ze pakt een paar kapotgelezen kinderboeken, een zelf geboetseerd wiegje met daarin een bolletje als gezicht boven een lakentje van klei. En een schilderij van haar moeder, staand naast een vleugel. Ze is gekleed in een lange japon met blote schouders. Tante merkt af en toe hatelijk op dat haar moeder zich inbeeldde dat ze voor operazangeres in de wieg was gelegd...

Heidie scheurt zich los van het verleden. Dat is voorbij, hoe je alles ook wendt of keert. Tante Elizabeth heeft recht op haar eigen mening, ook al vindt Heidie het onnodig dat ze die te pas en te onpas spuit. Nee, Heidie begrijpt maar al te goed dat ze vooruit moet zien, alles en alles wat is geweest achter moet laten en zich moet concentreren op dat wat komt. Als ze is afgestudeerd, zoekt ze een plekje in een team waar ze ervaring kan opdoen. En nog weer later wil ze een eigen praktijk beginnen. Kinderen die vast zijn komen te zitten, begeleiden. Maar wie weet komt ze voor het zover is nog tot andere gedachten.

Voorlopig kijkt ze niet verder dan het Poorthuis!

Anouk, haar man en Philip Dupuis zitten in de gezellige huiskamer van de boerderij met het doel te vergaderen. Over het moederhuis.

Anouk houdt vol dat ze moeder Hoekstra als eerste wil inschrijven. 'Misschien is het wel goed om met één vrouw te beginnen. Als proef. Ik ken die Rietje Hoekstra niet zo erg goed, we hebben haar slechts één keer over de vloer gehad. Volgens zeggen is ze afgekickt van drank en drugs. Maar is ze zo sterk dat ze blijft volhouden?'

Philip vouwt zijn armen achter zijn hoofd en kijkt Anouk rustig aan. 'Als ze gemotiveerd is, wel. Anders kun je het schudden, Anouk. Aan ons de taak om dat in de gaten te houden. Wat vind jij, Lucas?'

Lucas drinkt zijn bierglas leeg en veegt met de rug van zijn hand langs zijn mond. 'Tja, het is aan jullie om te beslissen. Wat ik ervan vind... die kinderen Hoekstra zijn af en toe hopeloos. Hoe zeggen jullie dat ook weer: achter het behang plakken en verhuizen. Ik heb met ze te doen. Dirk en Jessie, de twee oudsten, zijn geweldig met de pony's. In het begin was het me wat. Maar ik boek vooruitgang met hen. Het is een kunst om het goede uit ze naar boven te halen!'

Anouk doet verslag over de jonge vrouw die een studie van hun project wil maken. 'Ze was meteen enthousiast toen ze erover las. Ik heb een goede indruk van haar. Ze is benaderbaar, beschaafd en vriendelijk. Maar beslist geen sukkeltje, hoor! En ze is ouder dan ik dacht. Wel tegen de dertig!'

Er komt een fijn lachrimpeltje om Philips goed gesneden mond. 'Dus bijna aan haar pensioen toe. Hoe oud ben je zelf eigenlijk?'

Anouk lacht hem uit. 'En jij?' geeft ze terug. 'Wat heb je uitgevoerd voor je psychologie ging studeren? Een losbollig leventje geleid?'

Lucas loopt naar de keuken om nog eens verfrissingen te halen. Anouk, weet hij, heeft een speciale manier om iemand geheimen te ontfutselen. Of het nu om een leeftijd gaat of iets belangrijkers. Ze blijft glimlachen en doet alsof haar neus bloedt.

'Zie je mij aan voor een losbol?' Philip leunt wat dieper tegen de rugleuning van zijn stoel en wacht op antwoord.

'Eh... zeker niet. Maar je hebt wel ervaring, dat zie ik aan de manier waarop je met mensen omgaat. Je lijkt ongenaakbaar... en toch ook weer niet. Met je uiterlijk overrompel je de tegenpartij, dat weet je best. Niet dat je een hartenbreker bent... maar het is je uitstraling!'

Anouk raakt verward in haar eigen woorden.

'Wat bedoel je met "ervaring"?' wil Philip weten. Hij pakt een koud glas bier van Lucas aan zonder een oog van Anouk af te houden.

'Wat betreft de omgang met mensen. Er wordt op een bepaalde manier op je gereageerd.'

Lucas slaakt een overdreven zucht. 'Trek het je niet aan, kerel! Die vrouw van mij is doorgaans zo normaal als het maar kan. Maar soms heeft ze van die uitspraken... ze zouden het op de kermis in de waarzeggerstent goed doen!'

'Ze heeft ten dele gelijk. Ik kan ook misbruik van mijn "uitstraling" maken, maar dan breng ik anderen in verwarring. Soms is het in ons beroep belangrijk als anderen, nu doel ik op patiënten of hulpaanvragers, de indruk krijgen dat je hun gedachten kunt lezen... dat is het geheim van zwijgen.'

Anouk voelt zich ongemakkelijk. Lieve help, ze is wel weer bezig.

'Ik wilde alleen... ik was benieuwd naar wat je deed voor je aan je studie begon. Sorry...'

Philip slaat zijn ogen neer en bekijkt zijn glas aan alle kanten. Ten slotte zegt hij: 'Ik heb me verdiept in allerlei vormen van hulp op medisch gebied. En gezocht welk aspect mij het meeste aantrok. Een mens kan van alles en nog wat aanvangen, maar er moet een zeker talent aanwezig zijn. Zo kan ik best doen wat Lucas doet, maar ik heb het talent niet om met dieren en ook nog eens kinderen om te gaan. Ook al ben ik gek op dieren. Maar mij zie je geen dierenarts worden om maar wat te noemen.'

Anouk keert het woord talent om en om. Ze denkt aan het stuk in de Bijbel waar over talenten wordt gesproken. Als je ze in de grond begraaft en er niets mee doet, ben je er niet mee bezig zoals God het bedoeld heeft. Nee, een talent moet ontwikkeld worden. 'Daar heb ik nooit zo over gedacht... mijn ene broer wilde dolgraag ondernemer in de bakkerswereld worden en het is hem gelukt. Mijn jongere broer is geweldig technisch, dat wilde men eerst niet zien en dat werd hem bijna noodlottig. En nu? Hij functioneert als de beste op zijn huidige werkplek. Ik dacht altijd in termen van aanleg, van voorkeur. Maar jij spreekt over talenten en ik geloof dat je gelijk hebt.'

Uiteindelijk komt het gesprek toch weer op de Hoekstra's terecht. 'Probeer het maar, lieverd,' vindt Lucas. 'Als ik jou was, zou ik eens met dat vrouwtje Hoekstra gaan praten. Is ze al thuis?'

Anouk meent te weten dat ze nog bij haar moeder logeert. 'Dat is geen punt, ik kom er zo achter. Je hebt gelijk. Zou het goed zijn als Philip meeging?'

De mannen vinden van niet. 'Dat is een te zware delegatie, Anouk. Waarom neem je je stagaire niet mee? Dan heeft ze meteen een opstapje voor haar proefschrift,' vindt Lucas en Philip zegt dat ook een goed idee te vinden.

'Bovendien, Anouk, heb ik afspraken met de leraren van de school. Ik ben gevraagd een paar dagen mee te draaien om onze pupillen daar gade te slaan. Vooral de Hoekstra-clan...'

Anouk zwijgt, ze is zo vol van allerlei gedachten. Uiteindelijk weet ze de juiste woorden te vinden. 'Ik ben nog steeds bezig met het begrip talent. Ooit las ik een boek – het was een boek dat nog van mijn eigen moeder is geweest – met de titel *Het ene talent*. De hoofdpersoon had geen bijzondere kwaliteiten, maar wist als geen ander medemensen geluk en gezelligheid te geven. Nou, als dat geen talent is... en het idee dat wij hier samenwerken om kinderen te redden van een verkeerd vervolg op hun problematische jeugdjaren. Dat we ze bijsturen, dat er geld is voor hun hobby's. Mensen om naar hen te luisteren. We geven ze voorzover we dat kunnen, geborgenheid. En vergeet niet, dat we ze niet alleen bijbels onderwijs geven, maar erop wijzen dat vanuit die Bijbel een bepaalde levenswijze mogelijk is die je dicht bij Jezus houdt. Ja toch?'

Lucas springt op om zijn vrouw een knuffel te geven. 'Wat houd ik toch van je, meid!'

En Philip kan niets anders doen dan bescheiden de andere kant op kijken.

Heidie is nog maar nauwelijks klaar met het inrichten van de balkonkamer, of er wordt op de deur geklopt. Zonder antwoord af te wachten stapt Anouk binnen. 'Schiet je al op? Oei, wat een mooie schilderijen heb je daar! Echt, toch?'

Ze staart naar de zingende vrouw en informeert, met haar rug naar Heidie toe, of die vrouw geposeerd heeft?

Heidie schuift haar koffer op een kast en zegt: 'Dat was mijn moeder. Ik heb geen herinneringen aan haar. En dat betreur ik tot op de dag van vandaag. Mijn leven lang heb ik het gemis van ouders gevoeld.'

Anouk wendt zich abrupt van het kunstwerk af. 'Knap gedaan!' en vervolgens somt ze haar plannen voor de komende dag op.

'Ik heb contact met Rietje Hoekstra, de moeder van de peenharige kinderen. Ik ga er op bezoek om haar voor te leggen of ze wil proberen bij ons haar nieuwe leven te starten. En omdat ik liever niet alleen ga, vraag ik jou mee te gaan. Kun je me aanvullen als ik iets vergeet. Enne... je kunt haar mooi observeren. Daarna zoeken we de maatschappelijk werker op die haar heeft begeleid. Lijkt me wel slim, niet?'

Heidie sluit de balkondeuren tot op een kier en zet ze vast op een haak.

'Ik wil graag mee. Heel graag, zelfs. Waar woont ze?'

Anouk weet het uit haar hoofd. 'In Arnhem, in een beruchte buurt. Maar dat zegt niet alles. Ze logeert daar bij haar moeder, om op adem te komen. Dat zijn haar eigen woorden. Zullen we dan maar meteen?'

Heidie bekijkt haar kleren, schopt haar schoenen uit en plukt onder uit de kledingkast een paar instappers. 'Nog even mijn haar opnieuw doen. Zoals je ziet heb ik een dikke bos, maar het is zo fijn van structuur als wat!' Anouk kijkt toe hoe Heidie, zonder een blik in de spiegel te slaan, de knippen losmaakt, een borstel gebruikt, waarna ze een paardenstaart van de massa vormt. Handig draait ze die op een soort knot die door spelden wordt vastgehouden. 'Staat je goed!' stelt Anouk vast.

Heidie glimlacht, om haar ogen plooien ondiepe rimpeltjes. Anouk denkt: hopelijk zijn het lachrimpeltjes!

In Heidies wagen rijden ze het dorp uit en al snel bevinden ze zich op een brede doorgaande weg. 'Het is hier mooi... de omgeving ken ik goed. Ik heb toch verteld dat mijn tante in de buurt van Arnhem woont?'

Anouk bedwingt haar nieuwsgierigheid. Als Heidie iets kwijt wil, dan zal ze dat heus uit zichzelf wel doen.

Eenmaal in de stad wordt het even zoeken. 'Ik heb helaas nog geen navigatiesysteem!' lacht Heidie als ze uiteindelijk na navraag bij een benzinepomp de goede kant uit rijden.

De huizen in de wijk waar ze moeten zijn, leunen armelijk tegen elkaar. Op straat slingert veel rommel, de tuintjes zien er niet uit.

'Dat hoeft toch allemaal niet!' vindt Heidie. 'Bijvoorbeeld die troep op straat. Als je hier bent opgegroeid, weet je niet beter. Wat zal het moeilijk zin om je aan zo'n milieu te ontworstelen! Dan moet je bijvoorbeeld erg goed kunnen leren en studeren, zodat je hogerop kunt komen. Of je moet de juiste hulp hebben. Maar ik denk dat de meeste mensen hier murw zijn van hun bestaan. Ze zien geen uitweg. Het is logisch dat sommigen naar drank en drugs grijpen. Even weg uit de misère.'

Anouk wijst op een naambordje dat schuin aan een lantaarnpaal bengelt.

'Die straat is het. Nu het nummer nog...'

Dan antwoordt ze op de vraag van Heidie. 'We moeten nooit oordelen. En dat doen we allemaal veel te snel! Vooral vanuit een veilige stoel. Het is goed dat we het thuisfront van onze kinderen in ogenschouw nemen. Dat hebben we nooit gedaan en nu zie ik dat het een noodzaak is! Meestal krijgen we de kinderen "aangereikt" door de een of andere instantie.'

Als ze bij het goede huisnummer arriveren, rijdt Heidie nog een stukje door.

'Niet nodig dat ze zien in wat voor soort vervoermiddel we komen. Dat neemt hen tegen ons in!'

Anouk begrijpt. Heidie denkt door.

Ze stappen uit, Heidie sluit af en Anouk klemt de map met gegevens tegen zich aan. 'Ik heb er gelukkig op tijd aan gedacht om de schoolfoto's van de kinderen mee te nemen. Hebben we een binnenkomertje!'

Nadat ze heeft aangebeld, fluistert ze Heidie in het oor: 'Mijn oma zei vroeger: als je voor een dubbeltje geboren bent, word je nooit een kwartje.'

De deur knarst open en een mager vrouwtje, slonzig gekleed, glimlacht hen met haar tandeloze mond vriendelijk toe. 'Komt u binnen, dames.' Ze geeft een onverwacht stevige hand en wijst naar de deur van de kamer.

'Mijn dochter verwacht u,' doet ze deftig en dan sukkelt ze zelf naar de keuken van waaruit onaangename geuren van lang gekookte kool en uien het huis in drijven.

Rietje, het evenbeeld van haar dochters maar dan jaren ouder, staat nerveus midden in de kamer. Ze drukt een sigaret uit in een overvolle asbak, veegt haar klamme handen af langs de zijkanten van een zo te zien nieuwe spijkerbroek.

'Ik ben dus de moeder van de kinderen!' Anouk knikt ernstig alsof deze zin alles duidelijk moet maken. 'We hebben elkaar al eens ontmoet, weet u nog?'

'De kleine meid lijkt veel op u,' zegt Heidie als ze haar hand uitsteekt. 'Ik bedoel Alette. Het is een hartelijk kind!'

Rietje glimt, ze ziet dat Heidie het meent.

'Van de anderen hoor ik niks anders dan narigheid,' zucht ze, als ze alle drie zijn gaan zitten. 'Het valt ook niet mee als je zonder vent je kinderen van alles moet bijbrengen en op straat hier leren ze meer dan in de bak, zeg ik maar. Maar wat moet je? Je staat ervoor, of niet dan?'

De deur gaat moeizaam open en de moeder komt binnen met koffie en – heel ontroerend – moorkoppen. 'We motten toch vieren dat ons Rietje terug is?'

Heidie knikt haar warm toe. 'Groot gelijk, dat vieren we graag mee. Ze zien er overheerlijk uit!'

Het schriele vrouwtje gaat zitten nadat ze de koffie en het gebak heeft rondgedeeld. 'Woont u hier met uw tweetjes?' informeert Heidie. De moeder knikt. 'Voor effetjes. Rietje heeft zelf ook een woning, is het niet, Rietje? Maar daar moet nodig de bezem door. Ik kan al die kinderen niet om me heen hebben. Daarom kan ze niet hier wonen!'

Rietje knikt haar moeder lief toe. 'Dat weet ik toch wel, ma. En die twee daar zien dat ook wel!'

Anouk leunt wat achterover, ze is benieuwd of Heidie nog meer vragen wil stellen. Ze is niet beledigd dat Heidie zich niet afvraagt of ze ook voor haar beurt spreekt, terwijl zij toch de directrice is.

'Toe, vertel eens iets over jezelf, Rietje! Je kunt bij ons alles kwijt, het komt niet verder.'

Rietje aarzelt en mompelt iets over dossiers. Dan komt Anouk er toch tussen.

'Dat zijn woorden op papier. Daarmee leren we je toch niet echt kennen. Je kinderen kennen we ondertussen. Daar zijn behoorlijk veel problemen mee. Vooral op school. En die problemen gaan we samen te lijf!'

De moeder moet zich inspannen om niet te gaan huilen. Ze zuigt op haar onderlip, veegt met de rug van haar hand langs haar ogen en mompelt dat het allemaal zo moeilijk is. Heidi pakt haar hand en zegt: 'Het is allemaal scheefgegroeid. Zo zien wij dat! Kijk, als je een reep behang op de muur plakt, je begint bovenaan en het gaat een paar millimeter scheef, dan denk je... ach, dat kleine stukje... Maar kom je onderaan, dan blijkt het toch een heel stuk te schelen. Zo is het ook met Rietje en haar kinderen gegaan.' Heidie schijnt te weten waar ze over spreekt. Anouk knikt haar goedkeurend toe.

'Daar hè je warempel gelijk an!' Ma neemt een grote hap, zo groot dat de slagroom tussen haar lippen door naar buiten komt.

Rietje begint geluidloos te huilen.

Nu is het Anouks beurt om met haar voorstel te komen. 'Dat begrijpen wij heel goed. Het gebeurt vaker dat het allemaal even goed gaat, maar als de kinderen eenmaal thuis zijn, dan worden ze overmoedig en vallen ze terug in het oude gedrag en zie dat maar eens als moeder alleen te klaren. Wij willen niet wachten tot het zover is. Vandaar dat we een overbrugging hebben bedacht.'

De twee vrouwen kijken vol verwachting naar Anouk. Kalm en duidelijk doet ze haar verhaal.

Rietjes bleekblauwe ogen puilen bijna uit hun kassen. 'Meent u dat nou? Het lijkt wel een film... Wat moet ik daar dan wel voor betalen?' Anouk legt uit dat er een kleine vergoeding vereist is. 'We hebben een lijst die jij na hem gelezen te hebben, moet ondertekenen. Geen drank, geen drugs. Geen bezoek van buitenaf zonder overleg. Zo zijn er nog heel wat meer punten. Dat moet wel, om niet voor onver-wachte problemen komen te staan.

Jij moet weten waar je aan toe bent, Rietje, en wij ook. Maar het gaat ons in de eerste plaats om de kinderen. Ze hebben voorlopig strakke begeleiding nodig. Die hulp kunnen we bieden. Maar... ze moeten er ook weer aan wennen dat moeder het ouderlijk gezag wil uitoefenen. Ook daar helpen we mee, Rietje, zodat je niet terugvalt in verkeerd aangewende gewoontes. Vertel eens, lijkt het je wat? In dat geval laat ik wat papieren hier, die je rustig moet doorlezen. We verplichten je tot niets. Alleen moeten de instanties met wie jij te maken hebt, op de hoogte worden gebracht en dat moet je zelf doen. Ze kunnen te allen tijde contact met ons opnemen. We hebben ons best gedaan niets over het hoofd te zien...'

Rietje snuit haar neus en plukt aan haar peenhaar. 'Ik zie me daar al zitten... wie houdt de boel schoon?' Anouk vertelt haastig dat de bewoners – de gasten – zelf hun kamer moeten onderhouden. 'Er is een wasmachine plus droogautomaat. Er moet gekookt worden, om maar wat te noemen. En de benedenverdieping komt voor rekening van alle gasten samen. We maken roosters, dus dat komt wel goed. En het belangrijkste is toch wel dat je weer moet leren om de baas over je viertal te zijn. Daar gaan we je mee helpen, Rietje. We hebben een ontzettend aardige psycholoog...'

Rietje trekt een vies gezicht als ze het woord 'psycholoog' hoort. Anouk en Heidie schieten tegelijk in de lach. 'De onze is echt heel aardig, Rietje. De kinderen zijn gek op hem! Hij heet Philip en Philip wil niets anders dan jou helpen de kar te trekken!'

Rietje en haar moeder kunnen het niet allemaal bevatten. Of er echt geen addertjes onder het gras zitten? Anouk zegt dat het nog een proef is. 'Als het met jou en je kinderen goed gaat, is dat voor ons een succes en een teken dat we door moeten gaan. Het is afschuwelijk om kinderen twee, drie keer terug te krijgen omdat het thuis is misge-gaan!'

Rietje zegt hartstochtelijk, terwijl ze haar zoveelste sigaret opsteekt:

'Die van mij zullen geen criminelen worden. En voor professor hoeven ze ook niet te leren... nee, als ze maar een goed handwerk onder de knie krijgen, dan ben ik tevreden Niet, ma?' Ma knikt heftig. 'Timmerman, schilder, loodgieter... zulke mensen zijn toch altijd nodig?'

'Zo is het!' Anouk gaat staan voor ma de kans krijgt nog een kopje koffie aan te bieden.

Heidie volgt haar voorbeeld. Ma wijst met een duim naar Anouk. En zegt vervolgens tegen Rietje: 'Die daar is in verwachting, meid...'

Anouk wordt rood. 'Dat is nog niet te zien, ik draag nog mijn gewone kleren, hoor!'

Ma giechelt met een hand voor haar mond. 'Ik kan dat aan je gezicht zien. Niks geen hokus pokus. Dat tekent, weet je! Kijk maar es goed in de spiegel. Je zult er wel geen vier hebben, zoals mijn Rietje?'

Anouk schudt haar hoofd en zegt kalm: 'Nog niet. Dit is de derde en hopelijk blijft het daar niet bij.'

De twee vrouwen lopen mee tot aan de voordeur. 'We gaan maar niet de straat op, de mensen zijn toch al zo nieuwsgierig,' verklaart ma, als excuus dat ze 'de dames' niet naar de auto begeleiden.

'Dat gaat ook over. Binnenkort kan Rietje met opgeheven hoofd door de straat wandelen, met aan elke kant twee kinders!'

Dat klinkt ma en Rietje als muziek in de oren!

Pas als ze buiten gehoorsafstand zijn, zegt Anouk innig tevreden: 'Wat denk jij ervan, Heidie? Gaat het ons lukken?'

Heidie zwaait met haar autosleutels. 'We geven het plan geen kans om te mislukken.'

Anouk stapt in en knort tevreden: 'Zo is het, meid. Jij en ik verstaan elkaar!'

En dan gaat het op weg naar de volgende afspraak.

6

POLLIE PIEPER, DE KEUKENPRINSES, VINDT HET MOEDERHUIS MAAR grote onzin. Ze heeft er geen goed woord voor over. Die ontspoorde vrouwen moeten de handen uit de mouwen steken en zich niet door wie dan ook laten intimideren. Niks geen drank, drugs, seks met allerlei mannen. Werken moeten ze, voor hun kinderen zorgen. Zo zit dat en niet anders.

'Je bent hard!' vindt Anouk, nadat Pollie in het huis heeft geholpen de laatste hand aan de inrichting te leggen.

'Ik zeg wat ik vind. Dacht je dat een gewoon mens af en toe ook niet zin had het boeltje erbij neer te gooien? Het hoofd in de schoot te leggen? Nou, ik anders wel. Vier keer ben ik bijna getrouwd geweest, je weet er alles van en telkens kwam ik net op tijd bij mijn verstand. Die kerels deugden geen van allen. Beter alleen en tevreden dan getrouwd met een halve zool!'

Anouk sluit het huis af en zegt met vrouwen als Rietje Hoekstra medelijden te hebben. 'Ze zijn ontspoord, Pollie. En als je eenmaal op de glijbaan zit... vul maar in. We zijn slechts een opstapje terug naar de maatschappij. Alsjeblieft, maak in het dorp geen negatieve reclame voor ons!'

Pollie snuift als antwoord.

Anouk en ook Heidie is tevreden met de instelling van Rietje. Ze is vol goede moed en echt, ze zal geen druppel alcohol meer aanraken. Ze heeft haar lesje geleerd. En drugs? Dat is helemaal taboe. Veel te duur... 'Mijn kinderen zijn mijn alles!'

En Anouk kon niet anders reageren dan: 'Goed zo!' Hoewel ze de nodige twijfels heeft.

Op een lenteachtige ochtend arriveert Rietje, de eerste gast. Anouk vangt haar op en laat haar de villa zien. Rietje is er stil van.

'En hier mag ik dus... logeren. Reken maar dat ik zal helpen de boel op orde te houden!'

Tussen de middag, als de kinderen thuiskomen voor een boterham,

61

wacht moeder Hoekstra hen op in de deuropening van de villa. De twee kleinsten, Jeroen en Alette, stormen in hun moeders armen. Dirk voelt zich opgelaten en Jessies norse houding spreekt voor zich. Hun moeder in deze omgeving, dat is niet te bevatten. Ze ziet er zo netjes uit, dat zijn ze niet gewend. Het witte haar is keurig geknipt en de nieuwe, goedkope kleren geven haar een frisse uitstraling.

De tafel is gedekt.

'We moeten in het huis altijd bidden!' beveelt Alette. Jeroen knikt plechtig.

Rietje begrijpt meteen dat ze aan de twee oudsten een hele kluif zal hebben.

Ze kan wel huilen, het leek zo mooi allemaal. Maar is het mogelijk om de kinderen ander gedrag aan te leren? Is het niet te laat? Hier hebben ze het telkens over structuur, ze doet alsof ze dat begrip kent, maar niets is minder waar.

Barstensvol vragen zoekt ze 's middags Anouk op. Anouk laat haar uitpraten en zegt dat het nu veel te vroeg is om je zorgen te maken. 'We maken een afspraak met Philip. En dan moet je alles nog eens precies vertellen. Eigenlijk zou je het moeten opschrijven, Rietje. Je vergeet anders gauw het een en ander dat toch van belang kan zijn!' Rietje vindt het best, als die andere, Heidie, er ook bij mag zijn.

'We missen nog twee dingen,' klaagt Anouk even later tegen Heidie. 'Een naam voor het huis en een gezaghebbend iemand. Het "moederhuis" is toch geen benaming... Het klinkt als een klooster. En "villa" is te afstandelijk. Ik geloof dat we snel een moeder erbij moeten zien te krijgen, want die Rietje zit daar veel te veel alleen. Ze heeft geen klankbord.'

Heidie belooft diep over een naam voor het huis na te denken. Eigenlijk vindt ze zelf 'het moederhuis' zo raar nog niet.

Omdat ze zelf in de villa een kamer heeft, komt ze gemakkelijk met Rietje in gesprek. Geleidelijk komt heel diens trieste leven in beeld. En een beeld verander je niet zonder meer.

'Het gaat om de motivatie, Rietje!' Ze drinken samen thee, voordat de kinderen thuiskomen. 'Motivatie en structuur.'

'Makkelijk praten!' zucht de ontmoedigde Rietje. 'Wees jij maar wijs, begin maar niet aan kinderen!' Ze is zo met zichzelf bezig, dat ze niet merkt dat Heidie tranen in haar ogen krijgt.

Opeens komt er leven in Rietje: Philip kijkt om de deur en vraagt of de theepot al leeg is. Dat is-ie, maar Rietje snelt naar de keuken om verse te zetten.

Philip laat zich in een rotanstoel zakken. Een van de meubels die de Van Dinkels achtergelaten hebben. Zijn donkere ogen volgen Rietje, die nerveus heen en weer loopt van de keuken naar de kamer en terug.

'Onze eerste gast!' glimlacht hij richting Heidie. Ze knikt en zoekt naar een onderwerp. Vreemd dat mannen als Philip je het gevoel geven geen gesprekspartij voor hem te zijn. Zelf kan hij ook zo akelig lang zwijgen voor hij reageert.

'Het ging nog niet zo best,' zegt Rietje als ze thee voor hem neerzet. 'Ik bedoel tussen de middag. De kinderen – de oudste twee, Jessie en Dirk – waren me echt aan het sarren. Ze schamen zich voor me. Kon ik ze maar weer in de wieg stoppen, ik zou alles anders doen!'

Philip geeft een troostend antwoord. Rietje hangt aan zijn lippen.

'Ik ben van goeie wil, maar die blagen...' Heidie schudt bijna onmerkbaar haar hoofd. Blagen. Zo denkt mama Rietje over haar kroost.

'Vanavond praten we verder, Rietje. Of nog beter: ik kan bij je komen eten, samen met Heidie. Dan observeren wij ongemerkt het gedrag van de kinderen en later praten we erover. Als ze in bed liggen.'

Rietje krijgt een kleur van plezier en ze zegt dat ze goed kan koken. Philip moet weg, hij wil nog even naar de school. 'Daar hebben we ook voeling mee, Rietje. De leraren doen wat ze kunnen om vooral Dirk in het gareel te houden. Straffen alleen is zinloos, de knaap moet weten waar hij mee bezig is en in gaan zien dat hij zichzelf onbemind maakt. We komen er wel uit, Rietje.' Bij de deur gekomen draait hij zich nog even om. 'En vergeet één ding niet, moedertje, je mag kwaad zijn op het gedrag van de kinderen. Maar niet op hen persoonlijk, dat moet je uit elkaar houden. Verkeerd gedrag moet gecorrigeerd worden. Maar maak niet de fout je kinderen te veroordelen!'

Daar moet Rietje lang over nadenken. Heidie helpt haar, door de woorden te herhalen en nogmaals uit te leggen.

Rietje slaat haar ogen ten hemel. 'Dat is me toch een aardige man... net iemand uit een film of zo. Zoals hij kijken kan...'

Heidie verbijt een glimlach en ziet gelijktijdig Anouk op de fiets voorbijkomen. Die gaat vast even naar Moema!

Anouk vindt haar moeder achter de strijkplank. 'Kind, weet je dat ik vroeger alles streek? Jawel. Nog net niet de sokken van je vader... maar voor de rest... dat is tegenwoordig wel anders.'

Anouk kruipt op de bank, trekt een plaid over zich heen. Heerlijk om je thuis even te kunnen inbeelden geen enkele verantwoordelijkheid te dragen. Even weer kind zijn. Een illusie, maar toch.

Moema draaft door over vroeger, de verschillen. Opeens valt ze zichzelf in de rede. Ze heft de strijkbout op als een wapen. 'Vergeet ik warempel je iets belangrijks te vertellen! Mijn hartsvriendin van vroeger komt hier weer wonen. Ze heeft het huis van haar ouders teruggekocht. Ze komt bijna bij jou om de hoek wonen! Tammie, goeie ouwe Tammie Breedveld!'

Anouk heft haar hoofd op. Tante Tammie, later werd het simpelweg Tammie.

'Hoe komt dat zo? Ik heb je nooit meer over haar horen praten. Ze was voor mij echt uit beeld.'

Moema legt uit hoe zulke dingen in z'n werk gaan. 'Je bent bevriend, je verliest elkaar uit het oog, maar niet uit het hart. En dat is echt zo. Ook al hadden we nauwelijks contact, zodra je elkaar benaderde was alles als vanouds. Vertrouwd. Dat heb jij toch net zo met je schoonzus, de zus van Lucas? Zo ongeveer gaat dat in z'n werk. Ze belde, ik wist niet hoe ik het had. Ik dacht dat ze nog steeds ergens in Afrika zat.'

Anouk probeert zich te herinneren wat Tammie in haar leven zoal heeft uitgevoerd, dat is heel wat. Altijd zich inzetten voor anderen. Als kinderarts, als pastoraal werkster. Moema babbelt vrolijk door, Anouk luistert maar met een half oor en geniet van de warme thee. De zo vertrouwde stem met het warme timbre hoort bij de veilige achtergrond van vroeger.

'Ze heeft als directrice in een tehuis voor moeilijke meisjes gewerkt, dat was haar laatste job. Eerst in Duitsland, toen in België. En nu vindt ze zelf dat ze aan een welverdiende rust toe is. Of er moet iets op haar afkomen waar ze geen nee tegen kan zeggen. Zou zij geschikt zijn, Anouk, als moeder voor de villa?' Weer een schijnaanval van de strijkbout die driftig stoom afblaast.

'Daar zeg je wat!' Anouk is ineens klaarwakker. Niks geen 'kind spelen' in Moema's gezellige kamer, ze is en blijft de directrice van het Poorthuis.

'Zou ze dat willen, denk je, Moema? Tammie... ze is natuurlijk ouder geworden. Ze is ouder dan jij toch? Dacht ik al. Een vrouw met overwicht, ervaring met lastige meiden, naar zo iemand zijn we op zoek!' Moema strijkt met zorg de kraag van een overhemd van haar man.

'Ze heeft een warm hart. Begrip voor iedereen. Of ze dat werk nog op zich wil nemen? Hm, ik denk van wel... als ze bij jou kan logeren, is het helemaal mooi. Ze moet namelijk onderdak hebben tot haar eigen huis is gerenoveerd. Dat is nogal uitgewoond, volgens de makelaar. Ik wil haar wel hier hebben, maar ik houd de kamers van Cynthia en Joost toch liever voor hen vrij. Bovendien is het hier in huis altijd onrustig.'

Anouk plukt de theemuts van de pot en blijft rechtop zitten, de plaid schuift ze van zich af. Tammie Breedveld. 'Ze was toch ook een vriendin van mijn moeder? Dacht ik al. Leuk, ze kent de hele familie dus. Zou ze er nog zo slordig uitzien? Haar zonder coupe, afzakkende rokken... als klein kind dacht ik: gelukkig dat mijn moema er netter uitziet. Je zou je schamen als je moeder je van school haalde. Wat zouden de kinderen kijken en vooral zeggen!'

'Ik denk dat Tammie niet veel is veranderd, dat uiterlijk moet je maar voor lief nemen.' Moema haalt zich haar oude vriendin voor ogen, ziet door de buitenkant heen een liefdevol karakter.

'Ze beziet de wereld op een andere manier dan jij en ik. Ze is in sloppenwijken geweest, heeft leed en echte armoe gezien. Mensen die als dieren moeten leven. Dan heb je zelf ook geen oog meer voor Franse *haute couture*, mijn kind. Ik denk dat Tammie beelden met zich meedraagt die ze nooit meer kwijtraakt!'

Anouk drinkt haar kopje leeg en zet het terug op tafel. 'Denk je dat ze dan wel begrip heeft voor onze moedertjes die het zo goed zouden kunnen hebben als ze niet afgedwaald waren? In de ogen van derdewereldmensen, Moema, is iedereen hier toch schandalig welgesteld? Honger heeft niemand...'

Moema trekt de stekker uit het stopcontact. 'Ze heeft de laatste jaren toch ook met succes in Europa gewerkt? Nee, ze zal nooit een uitgehongerd Afrikaans jochie vergelijken met een Hollandse vrouw uit een sloppenwijk. Het is te proberen. Even afwachten tot ze hier is. Weet je wat? Ik bel haar vanavond nog. Als Alientje in bed ligt, heb ik alle tijd. Dan hoor je daarna van mij hoe ze erover denkt. Of ze er sowieso over wil nadenken. Ik kan haar voorstellen het tijdelijk te doen? Dan zit je nergens aan vast!'

Anouk heeft moeite niet enthousiast te worden.

'Een geschenk uit de hemel, Moema!'

Moema haalt haar schouders op. 'Veel dingen komen schijnbaar vanzelf op je pad. Het lijkt toeval. Maar dat betwijfel ik, lieverd. Neem de dingen maar zoals ze op je afkomen.'

Anouk knuffelt Moema, die warm is van het strijken. 'Wat houd ik toch van je, Moema. Jij zou geschikt zijn voor die functie. Je hebt zo'n warm hart... je bent het type mama dat iedereen zou moeten hebben!'

Moema schudt Anouk zacht heen en weer. 'Jij overdrijft weer eens. Ik, een mens vol fouten, ik kan zo ongeduldig zijn... om maar eens wat te noemen!'

Anouk slaat haar omslagdoek om en zegt mensen te kennen die nog

veel ongeduldiger zijn. 'Ik, om maar iemand te noemen!'
In de bakkerij staat een doos gevuld met koekjes en zelfgebakken beschuit klaar. 'Moest van je pa,' lacht Tanja, de winkeljuffrouw. Haar collega Gerdien vult aan: 'En het liefst strooide hij in de lege hoekjes nog chocolaatjes, maar daar hebben wij een stokje voor gestoken!' Opgewekt fietst Anouk terug naar huis. Ze probeert zich de bewuste Tammie voor de geest te halen. Maar wat ze zich voornamelijk herinnert is een te lange, scheefhangende rok van onbestemde kleur. Een vest tot ver over de heupen en daaronder een kakelbont T-shirt. Een vrouw met meer dan een titel.
Het zou geweldig zijn als de taak in het moederhuis overgedragen kon worden aan een daarvoor geschikt persoon!

Diezelfde avond belt een enthousiaste Moema naar Anouk. 'Ze was al zo benieuwd naar het Poorthuis. Maar mijn vraag kwam toch als een donderslag bij heldere hemel. Ze wilde op den duur toch graag iets om handen hebben, zei ze. Ze herinnert zich jou als puber. Nou, ik heb haar even uit de droom geholpen! Morgen komt ze kijken.'
Morgen al! Zonder afspraak. In gedachten loopt Anouk door haar agenda. Wat er ook in moge staan: alles wordt verschoven voor het bezoek van Tammie!

Anouk heeft Heidie zo nieuwsgierig gemaakt naar Tammie, dat deze het niet kan nalaten telkens naar buiten te kijken of de dame in kwestie al in aantocht is. Rietje is bezig in de keuken van de villa. Ze is dolenthousiast over de keukeninrichting en vooral het fornuis vindt ze prachtig.
Schort voor, mouwen opgestroopt, zo heeft Heidie haar achtergelaten.
Zelf is ze bezig met het water geven aan de vele planten die de Van Dinkels hebben achtergelaten. Vooral de serre lijkt wel een groene tuin.

Als ze het geronk van een oude auto hoort, kijkt ze naar buiten en als ze ziet wat voor soort mobiel er stopt, schiet ze in de lach. Een tegenpool van haar eigen wagen... Een hemelsblauw geval, uit de jaren vijftig. Breed, glanzende lak en veel chroom. Nostalgie? Voor sommigen, weet ze, is een Packard uit die tijd een diepe wens.

Ze laat de gieter voor wat hij is en haast zich naar buiten. Ze is Anouk voor.

'Dag mevrouw, u komt vast voor Anouk! Ze zit al op u te wachten.'

Een dame van onbestemde leeftijd stapt bedaard uit, sluit de wagen zorgvuldig af en kijkt ontspannen om zich heen. Ze hijst een afzakkende rok op de juiste plaats en hijst een enorme handtas hoger op haar arm. 'En wie ben jij dan wel?'

Heidie kijkt in de liefste ogen die ze ooit heeft gezien. Er spreekt liefde en warmte voor de medemens uit. Ze is meer dan mollig, maar dat hoort bij haar. Het dikke haar, peper-en-zoutkleurig, is goed geknipt. Ze heeft een grote gebloemde sjaal om haar schouders en aan haar voeten zitten gemakkelijke platte schoenen.

'Ik? Ik ben Heidie, ik loop hier stage. En u bent...' Heidie krijgt een stevige hand die een man niet misstaan zou hebben.

'Noem jij me maar Tammie. En zeg alsjeblieft geen u, daar ben ik allergisch voor. Ja, ik ben een vriendin van heel vroeger van Anouks moeder en ook van haar stiefmama. Meid, als ik om me heen kijk... wat een ambiance. Wat een villa, zeg! Ik vind die kleine huisjes ook enig. Net een klein straatje is het daar. Woon jij daar? Ze zijn zeker voor het personeel?'

Tammie pakt Heidie bij een arm en samen wandelen ze onder het beukenpoortje door.

'Er woont personeel. Ik logeer in de villa-zonder-naam! En ik denk dat we huisgenoten zullen worden.'

Heidies arm krijgt een vertrouwelijk kneepje. 'Geweldig. Ik ben bloednieuwsgierig om te zien wat die kleine Anouk hier heeft bereikt.' Heidie moet lachen om dat 'kleine'.

'Dat wordt schrikken als u – je bedoel ik – haar ziet. Ze is bepaald niet klein uitgevallen!'

Telkens blijft Tammie staan. Bij de Van Dinkelbank, bij het bronzen beeld met spelende kinderen. 'En is dat daar een zwembad? Hoe is het mogelijk? Het is net een kinderparadijs. Tjonge, wat een prachtig huis! Het is zijn naam waardig.'

Bij het bordes laten de vrouwen elkaar los. De voordeur staat op een kier en Heidie geeft er een ferme duw tegen. Vanuit het huis komen kindergeluiden.

De groteren zijn naar school, de peuters zijn onder de hoede van een leidster aan het spelen.

'Tammie!' Anouk wervelt van de brede trap af en spreidt haar armen uit. Tammie lijkt niets veranderd. Ze ziet er vergeleken met haar herinneringen zelfs 'netter' uit. 'Kind, wat ben jij groot geworden. En wat heb je hier veel gepresteerd!'

Anouk kleurt bij die lovende woorden. Lof van Tammie is niet zomaar iets. 'Kom, ik heb het niet alleen gedaan. Als je eens wist hoeveel hardwerkende mensen er hier een taak hebben.'

Heidie vraagt zich af of ze de twee alleen moet laten. Maar Anouk trekt haar mee. 'Kom, dan gaan we gezellig in de kleine salon zitten. Pollie zorgt voor koffie...'

Tammie is verrast. Toch niet Pollie Pieper? En of ze die kent! Zo'n type vergeet je niet.

Het wordt een onvergetelijk uurtje. Herinneringen spelen tijdens de gesprekken een grote rol. Tammie wil voor ze tot een besluit komt, eerst alles zien. Ook de boerderij waar Anouk met Lucas en haar gezin woont.

Het is net zwaan-kleef-aan! Telkens voegt zich iemand aan hun gezelschap toe. Allereerst Lucas, dan een aangenaam verraste Philip. Zo gaat het in optocht naar de villa.

Al bij de deur komt hun een heerlijke baklucht tegemoet. 'Dat is waar ook...' zegt Heidie. 'Rietje is aan het bakken. Ze is verliefd op de keuken!'

Tammie schatert. 'Beter verliefd op de keuken dan op de verkeerde man, wat jij!'

Rietje schrikt van de invasie. Ze denkt meteen dat de hele club het op haar heeft voorzien. Ze poetst met de punt van haar schort langs haar rode wangen en als Tammie de vrees in de fletse ogen ziet, steekt ze hartelijk haar hand uit en zegt: 'Dag mevrouwtje. Heb jij die lekkere lucht gebakken? Wat zeg ik nou... haha, gebakken lucht. Ik bedoel natuurlijk: jij hebt iets lekkers gebakken dat heerlijk ruikt!'

Rietje knikt, ze is opgelucht. Die dame verspreekt zich en schaamt zich niet eens. 'Hoe heet je, lieverd?'

De lieverd zegt Rietje te heten.

'En ik ben Tammie. Gewoon, Tammie. En zeg maar jij, alsjeblieft. Het is een van de vervelende dingen als je ouder wordt. Iedereen denkt dat-ie u tegen je moet zeggen. Het geeft je een oma-gevoel!'

Weer koffie, ditmaal met baksel van Rietje. 'Jullie krijgen maar een klein stukkie...' legt ze verlegen uit. 'Want eigenlijk had ik het voor mijn eigen kinders gemaakt, zie!'

Tammie zegt zich erop te verheugen hen te zien. 'Vier kinderen, wat een rijkdom, Rietje. Zul je dat nooit vergeten? Ieder kind is een gift van de Here!'

Oei, daar is Rietje het lang niet altijd mee eens. Zelf denkt ze nogal negatief over het ontstaan en het baren van kinderen. Ze heeft een heel ander beeld voor ogen dan die merkwaardige Tammie.

'Niet weglopen, Rietje, jij bent hier toch thuis?'

Dat is waar ook. Als er anderen zijn, heeft Rietje steeds het idee dat ze de hulp in huis is.

'Je bent op het moment onze gastvrouw,' zegt Heidie bemoedigend. En Rietje? Rietje vraagt zich af waar ze het aan heeft verdiend dat hier zoveel mensen lief voor haar zijn.

Misschien komt het toch door de vele gebeden die haar ma dagelijks naar boven stuurt!

7

Het is van beide kanten een welgemeend 'ja'. Tammie ziet het als haar taak leidster te worden in het moederhuis. Heidie en Anouk zijn enthousiast.

'Aan zo'n vrouw zou je toch al je zielenroerselen durven toe te vertrouwen?' Anouk is het met haar eens.

'We laten Rietje Hoekstra en haar kroost op haar los. Zien wat er gebeurt!'

Gelukkig heeft de villa veel kamers, Tammie krijgt de grootste. Ze geniet zelf het meest van alle betrokkenen. Het idee dat ze vlak bij haar eigen villa bivakkeert, doet haar genoegen. Nu kan ze een oogje houden op de vorderingen van de renovatie en desnoods wijzigingen doorgeven.

In de villa neemt ze vanaf dag een de leiding op zich. Nee, ze hoort niemand rechtstreeks uit, maar haar onderzoekende blik maakt dat eenieder zich geroepen voelt haar in vertrouwen te nemen.

Philip niet. Hij is tegen haar opgewassen en is graag in haar gezelschap. Samen diepen ze de mogelijkheden uit die hun ten dienste staan ten opzichte van de moeilijke Hoekstraatjes.

Tammie vindt dat er eerst gekeken moet worden welke mogelijkheden de kinderen zelf hebben. 'Je moet altijd zoeken, beste Philip, naar aanknopingspunten. Je kunt niet in het wilde weg theorieën op ze loslaten. Ieder mens, zeker ieder kind, is anders.'

Heidie is ook graag in haar gezelschap. Zo vaak mogelijk spreken ze over het wel en wee van het moederhuis, de kans van slagen, de betrokken kinderen.

Aan Anouk is verteld dat instanties en overkoepelende organen de verrichtingen op de voet volgen. Vooral om te kijken of het een succes wordt, in dat geval zou het de maatschappij veel geld en inspanning kunnen schelen.

De vorderingen bij Rietje en kroost gaan traag, ondanks de nodige inspanningen van de hulpverleners.

Als er tamelijk onverwacht gasten bij komen, blijft Rietje toch alle aandacht opeisen.

Twee heel verschillende vrouwen doen hun intrede.

Connie, die zojuist een miskraam heeft gehad en moeder is van een schattig jochie, Robje, is geestelijk en lichamelijk een wrak. Ze heeft een poging gedaan zichzelf en Robje van het leven te beroven, maar gelukkig is dat niet gelukt. De ongeboren baby echter heeft het drama niet overleefd. Nu ze weer bij zinnen is, knapt deze Connie bijna van schuldgevoel en toch leeft de doodswens nog steeds bij haar, hoe tegenstrijdig het ook is.

De echtgenoot, 'grote' Rob, werkt op een olieplatform en komt voorlopig niet thuis.

De andere vrouw, Bea, wordt al snel Bazige Bea genoemd, BB.

Ze is moeder van een tweeling, door haar man verlaten en net als Rietje door armoe overvallen. Alleen met haar kinderen en een grote schuld, is ze totaal doorgedraaid.

Van haar en Connie wordt verwacht dat ze het wel weer redden terug in de maatschappij. Tammie echter ziet direct dat beide vrouwen nog labiel zijn en bij het eerste probleem terug zullen vallen.

Kortom: voer voor Heidie! Ze praat met de vrouwen, gaat met hen uit wandelen, helpt ze met de verzorging van hun kinderen. En als ze er even niet uitkomt, roept ze Tammie te hulp.

Ook Philip betrekt Heidie in zijn werk, dit om nog meer ervaringen op te doen die ze eventueel voor haar scriptie kan gebruiken.

Zo gaan ze samen naar de school voor observaties. Het klikt goed tussen Heidie en de meesters en juffen. Vooral met de vriendin van Anouk, Ellen Hogerhorst, kan ze lachen om even later weer serieus te zijn. Ellen nodigt haar uit eens langs te komen in haar huisje. De sfeer op school spreekt Heidie aan en af en toe spijt het haar dat ze geen onderwijzeres is geworden.

'Je bent nog jong genoeg, Heidie, om van gedachten te veranderen,' vindt Philip als ze op een warme lentedag samen naar huis fietsen. Ze rijden langzaam, haast hebben ze niet.

'Ik ben ouder dan jij denkt. Nee, ik maak af waar ik aan ben begonnen. Mijn ervaring is dat dingen die je niet afmaakt, je later opbreken.'

Philip spoort haar aan door te praten, maar Heidie vervalt in stilzwijgen.

Als een oester, zo kan ze zwijgen, wat Philip ook probeert. Terwijl hij brandt van verlangen om in haar hart te kijken. Wat leeft daar toch, waar wil ze niet over spreken? Is het haar jeugd die door de hoogmoedige tante werd beïnvloed? Heeft ze als kind iets meegemaakt dat haar nu nog parten speelt? Onlangs lukte het hem een kleine opening te maken in dat pantser van stilzwijgen. Toen was haar reactie: 'Eerst jij. Dan ik.'

Als ze bijna bij de ingang van het Poorthuis zijn, stelt Philip voor nog een eindje verder te rijden. 'Jij en ik komen veel te weinig in de buitenlucht!'

Heidie stemt maar al te graag toe. De aanwezigheid van Philip geeft haar rust, maar soms ook het tegenovergestelde! Ze heeft zichzelf allang bekend dat ze gecharmeerd is van hem. Maar dat zijn ongetwijfeld meer vrouwen.

Wie is zij, Heidie, dat ze anderen vóór zou zijn, een bijzonder plaatsje in zijn leven zou bemachtigen? Nee, Heidie doet haar uiterste best om het te doen vóórkomen alsof ze dik tevreden is met vriendschap. Goede samenwerking tijdens hun arbeid. Leren van elkaar. Maar ondertussen...

Ze rijden een stukje langs het spoor en kijken de korte trein na. De omgeving is bebost, Heidie noch Philip heeft tijd gehad verder dan het dorp te kijken.

Philip stelt voor af te slaan, een verhard pad op te rijden. 'Ik denk dat we dan uiteindelijk weer in de buurt van de grote weg terechtkomen, tenminste als we koers houden.'

Beiden genieten, ook al wordt er niet veel gezegd.

Philip krijgt gelijk, ze vinden als vanzelf de juiste weg en als ze later dan gepland hun fietsen bij de garage van de villa naar binnen rijden, zegt Philip: 'Dat moeten we vaker doen, Heidie!' En dan zegt hij iets wat haar doet blozen.

'Telkens als ik je naam noem, krijg ik visioenen van heidevelden... Heidie op de heide! Weet je dat ze hier ergens in de buurt jaarlijks een heidekoningin kiezen? Iets voor jou?'

Nu zou Heidie vlotjes willen opmerken: 'Als jij de heidekoning wilt zijn?' Maar zoiets durft ze alleen te denken. Nee, zij is geen vrouw voor welke man dan ook. Eigenlijk is ze een vrouw met een verleden, net zo goed als Rietje en de twee anderen.

Philip laat het onderwerp niet zomaar los. Of Heidie wel eens op de Lüneburger heide in Duitsland is geweest? Wel, dan is dat een mooi uitstapje voor de nazomer. 'Dan ben jij klaar met je scriptie en zijn we beiden wel aan een paar dagen rust toe. Heideschapen, heide-feesten, heidehoning en weet ik wat nog meer met het woordje heide ervoor.'

Heidie is blij als de kinderen Hoekstra haar komen roepen. Mama heeft haar nodig. 'Mama huilt, ze wil alleen met Heidie praten, zei ze.'

Alle vier staan ze als één man in de deuropening. Verslagen, en voor-al bang. Van branie is geen sprake meer.

Heidie knikt, loopt meteen door naar boven en klopt aan bij Rietje. Ze vindt een klein hoopje mens, opgerold in een stoel. Heidie schrikt ervan.

'Rietje dan toch... wat scheelt eraan? Zo ken ik je niet! Vertel eens wat eraan schort!' Rietje blijft jammeren. Heel zacht als een ziek hondje.

Heidie herinnert zich nog net op tijd dat ze hier is als hulpverlener. Niet als vriendin of zus. Ze moet afstand houden, anders kan ze niet helpen.

Even laat ze haar huilen, dan bet ze het door tranen gezwollen gezicht met een washandje, dat ze onder de koude kraan heeft gehouden. 'Drink eens een slokje water. Ik ben hier om naar je te luisteren. Je kinderen zijn bang, waarom is dat, Rietje?'

Rietje drinkt gulzig van het water, gooit het half lege glas opeens, met een woedend gebaar, tegen een muur. Het glas breekt in stukken, een spoortje water op het tapijt geeft de gevolgde route aan.

Heidie doet alsof ze niet geschrokken is en zoekt naar woorden. Opeens gilt Rietje het uit: 'Ze hebben groot gelijk dat ze bang zijn! Bang voor hun moeder. Ik moet hier weg, zeg het maar! Ik heb gebruikt... en dat was verboden. Het moest wel, ik werd gek van mijn gedachten!'

Heidie vergeet haar taak als hulpverlener en slaat beide armen om de bevende vrouw heen. 'Kom, Rietje, we zijn hier om je te helpen. Wat heb je gebruikt... drugs? Hoe ben je er dan aan gekomen?'

Rietje vertelt hakkelend dat ze naar de markt in de stad is geweest, met de bus. 'En toen zag ik meteen een koffieshop... voor de zekerheid nam ik wat mee. Echt, ik wilde het niet gebruiken... maar opeens kwam de angst weer opzetten. Voor de toekomst. Het lukt me toch nooit... mijn moeder is te oud en verder heb ik niemand.'

Als was ze een klein meisje, zo behoedzaam troost Heidie haar. Ze voelt de angst, het verdriet. 'Stel je voor dat je thuis was geweest, Rietje. Dan was het een ramp geweest... De kinderen zijn nu ook van slag, maar toch anders dan wanneer ze in hun eigen straat zouden wonen. En er zou niemand zijn aan wie je het allemaal kwijt kon. Nou... dan is het toch vele keren beter dat je bij ons een terugval hebt dan thuis? Daarom ben je hier. Niet om meteen spontaan een gloednieuwe Rietje te worden. Het gaat geleidelijk. Ik weet dat je hebt beloofd niet meer te gebruiken. Maar het feit dat je eerlijk bent en dat je het je aantrekt, bewijst dat je toch op de goede weg bent, niet? Even een uitglijder... Heb je het al tegen Tammie gezegd? Enne... hoe komt het dat de kinderen het gemerkt hebben?'

Hakkelend vertelt Rietje dat Tammie naar haar te verbouwen huis is en dat de kinderen precies weten wanneer mama gedronken of gebruikt heeft. 'Dan ben ik anders. Ze waren het niet meer gewend en nu zijn ze bang dat we naar huis moeten... Ze houden niet van me. Misschien haten ze me wel...'

Rietje huilt weer met gierende uithalen.

Philip komt bedaard binnengestapt, in zijn ene hand een kan koffie en in de andere hand een paar bloemen. 'Kijk eens, Rietje, wat er hier in de border stond te bloeien? Ik weet niet hoe ze heten, maar ze horen echt bij jou!'
Kleine, gele margrietjes met lange stelen. Het zijn er slechts een paar, maar het gaat om het idee.
Rietje lacht door haar tranen heen.
'Zeg het met bloemen!' doet Heidie vrolijk. 'Dat is nog eens wat anders dan een takje heide! Kom, Rietje, er is koffie. Koffie en thee helpen ons vaak over een dood punt heen. Ik pak kopjes, en geef die bloemetjes ook maar, dan zet ik ze in een glas.'
Philip gaat vlak bij Rietje zitten, op de leuning van een stoel. 'Je hoeft niets te vertellen, Rietje. Ik heb het al van de kinderen gehoord. Weet je dat ze veel van je houden?' Hij legt een hand onder haar kin en dwingt haar hem aan te zien.
Heidie denkt: met die donkere ogen van hem biologeert hij de mensen, en kinderen zeker! Een huivering rilt langs haar ruggengraat.
'Koffie, twee koffie. Alsjeblieft, drinken, Rietje!'
Even is het stil in de kamer. Heidie haalt haar eigen kopje en neemt plaats op de tweezitter. Philip knipoogt naar haar.
'Rietje, o Rietje,' plaagt hij. 'Nu heb je een gele kaart. Maar nog geen rode! Die krijg je pas na vier gele kaarten, in dit systeem. Is het niet, Heidie?'
Als ze alle drie lachen weet Heidie dat de crisis voorbij is. Het is een pluspunt dat Rietje zich geneert en bang is weggestuurd te worden. Bang de laatste kans op succes verprutst te hebben.
Kalmpjes verstoort Philip de ontstane stilte. 'Wat leren wij hieruit, Rietje? Dat we, jij en je helpers, de zaak nog wat ernstiger moeten aanpakken. Er nog harder aan moeten werken om je op de been te houden. Zullen we afspreken dat, als jij weer van die domme plannetjes maakt, je mij er eerst bij zult betrekken? Dan gaan we samen naar de markt en kopen we sinaasappels. Of een nieuwe jurk voor jou. Ik noem maar wat! Voorlopig kun je het beste niet te veel zij-

stapjes nemen. En als je dat toch wilt, dan spreken we die eerst door. Dan heb je spelregels om je aan te houden. Tegen je kinderen zeg je toch ook: doorlopen als je naar school gaat, geen kattenkwaad uithalen, op het plein ruzie vermijden en weet ik nog wat meer? Zo weten ze deksels goed waar de grenzen liggen. Die van jou gaan we morgenochtend samen op schrift zetten!'

Heidie voelt zich overbodig, ze schenkt de anderen nog eens koffie in en glipt de kamer uit. Beneden op de onderste traptreden vindt ze de Hoekstra-kinderen.

Ze neemt hen mee naar een zijkamer waar ze niet snel gestoord zullen worden. 'Dat was schrikken voor jullie. Echt, ik begrijp heel goed wat er is gebeurd. Wie wil er het eerst over praten?'

De brutale Jessie, de oudste. Ze barst los dat mama weer net de mama van vroeger was. Ze waren bang voor haar, Dirk begon te schoppen en te trappen. Mama gilde het uit, niet van pijn, want Dirk trapte tegen de muur en niet naar mama. De kleintjes werden bang.

'Ik kan haar op zo'n moment wel... echt, Heidie! Ze denkt dan niet aan ons... waarom kunnen we niet met een gewone moeder in een huis wonen? Ja, ik weet het wel, ze zeggen allemaal dat we uit een achterbuurt komen... dat er van ons ook niks terechtkomt...'

Heidie voelt haar beperkingen op het gebied van de hulpverlening. Het moment is goed gekozen, maar zij staat met de mond vol tanden.

En dan, als geroepen, is daar Tammie. Blozend van de warmte, ze heeft zich druk gemaakt en de afstand naar haar huis te voet afgelegd.

'Mijn Hoekstraatjes! Ach, die kinders toch...' Ze spreidt als groet haar armen wijd uit en de kleine Jeroen duikt gelijk op haar af.

'Ik...' Heidie kucht een keer. 'Werk aan de winkel, Tammie. Rietje heeft drugs gekocht... en nu wankelt het verblijf hier van haar en de kinderen. Maar daar gaat het niet om... De reden van de terugval moeten we zien te weten te komen.'

Tammie streelt het witte kuifje van Jeroen. 'Zulke dingen zijn te verwachten. Het hoort erbij. Denk niet te licht over deze opvang, meisje.

Wijsheid, dat moeten we hebben. Liefde, geduld en vooral wijsheid. Maar kom, ik babbel wel met hen. Jij zult wel iets anders op je programma hebben, denk ik zo.'

Tammie zegt dat er gesproken moet worden over medicatie, in gevallen als dat van Rietje kan dat een goede hulp zijn.

Heidie heeft Anouk beloofd tegen zes uur bij haar te zijn. Ze is uitgenodigd om te komen eten, daarna vertrekken Lucas en Anouk naar de verjaardag van Anouks oma. Heidie past op de kinderen.

Eenmaal aan tafel wordt over de hoofden van de kinderen heen over het voorval in de villa gesproken. Lucas doet er gemakkelijk over, Anouk is teleurgesteld. Het laten ondertekenen van een soort contractje heeft niet gewerkt.

'Nu zeggen we: we zien het door de vingers. Maar dat klopt niet. Rietje is geen kind dat je kamerarrest geeft of verbiedt naar de tv te kijken. Hoe vang je zoiets op als het een volwassen mens betreft?'

Anouk poetst na iedere hap het mondje van haar zoontje schoon. Onvoorstelbaar zoals hij knoeit, telkens puilt er een hapje naar buiten, hij maakt er een spelletje van.

Lucas zegt bedaard dat het feit de regels te hebben overtreden, al een straf op zich is. 'Eerst moet ze zien waar ze de fout ingaat, dan pas kun je de zaak aanpakken. Herkennen. Dan moet ze leren op het cruciale moment halt te houden en zich de gesprekken met de hulpverlener te herinneren. Tja, op zulke ogenblikken moet ze kiezen...'

Anouk schraapt het laatste hapje voor Frits van het bordje met een afbeelding van Bob de Bouwer die een hamer in de aanslag houdt.

'Ga jij maar in het moederhuis werken, misschien heb jij succes!' zegt Anouk somber. Maar Heidie knoopt de woorden van Lucas in haar oren. Hij heeft gelijk. Eerst leren erkennen dat er een fout is. De tweede stap is die te herkennen en dan pas is er een keus mogelijk.

'Laten we eindigen,' stelt Lucas voor. 'Ammie, geef jij papa de kinderbijbel eens aan! Weet je nog waar we gebleven waren?'

'De Here Jezus was helemaal alleen in de mooie tuin en Hij moest huilen, papa. Zijn vrienden lieten Hem alleen... en toen?'

Heidie luistert met gebogen hoofd. Zoals dat kleine ding het kan verwoorden. Vier jaar is ze nog maar. Ze groeit op in een veilige omgeving en ze krijgt liefde, warmte van liefhebbende ouders.

Twee tranen glijden – voor anderen onmerkbaar – over haar gezicht. Lucas sluit met een kinderlijk gebed af en na het 'amen' glijdt Ammie meteen van haar stoel. 'Ik mag toch nog even tv kijken, mam?' Heidie dept met haar servet haar mond en glijdt er steels mee langs haar wangen. 'Zal ik het jochie voor je in bad doen, Anouk?'

Maar al te graag!

Met Frits op haar arm loopt Heidie de trap op. Even alleen zijn. Nou ja, alleen... samen met Frits ben je niet echt alleen. Het kereltje eist alle aandacht op. Het uitkleden is een worsteling, pas in het volgelopen bad bedaart hij wat. Spetteren en spatten, schuim van de handjes blazen. Gillen als Heidie de badeendjes kopje-onder houdt.

Na een halfuur badderen stopt ze Frits in bed, ze zingt voor hem en als ze een gebedje wil uitspreken, krijgt ze gezelschap van Ammie. 'Dat doe ik wel, tante Heidie. Luister maar...'

Heidie kent het kindergebedje niet, maar bidt ernstig mee. 'Nu nog zingen, dat doe ik elke avond voor Frits. En later mag ik mama helpen als de nieuwe baby er is. Voor baby's moet je altijd zingen, weet je dat wel, tante Heidie? Mama zegt: zelfs als ze nog in de buik wonen!'

Het kinderstemmetje is glashelder en hoog. Heidie sluit even haar ogen.

'Je luistert niet!' roept Ammie verontwaardigd.

'Wel waar, als ik mijn ogen dichtdoe, kan ik nog beter luisteren. Want dan zie ik niets, begrijp je?' Prompt probeert Ammie het ook.

'Nou zing ik nog een keer en als je denkt dat je het kunt, mag je meezingen.'

Zo vindt Anouk hen.

'Naar bed, kleine puk. Heidie mag je straks nog voorlezen uit het nieuwe boek van oma. Eerst in bad jij!'

Anouk en Lucas laten hun kroost met een gerust hart achter.

Na gedoucht te zijn, springt Ammie door haar kamertje. Ze laat Heidie al haar schatten zien en als ze met een fotoalbum op de proppen komt, is Heidie verkocht. Ammie kruipt in bed, Heidie moet 'voorlezen' uit het fotoboek. 'Morgen gaat mama wel verder met het boek van oma. Eerst dit.'

Heidie protesteert. 'Hoe kan ik nu voorlezen? Er staat niets in, alleen een paar woordjes onder een foto!'

'Die moet je verzinnen. Dat hoort zo, tante Heidie! Kun je dat niet eens...'

Heidie belooft het te proberen.

Foto's van Ammie toen ze heel, heel klein was. Gehuld in overbekende kleertjes. Anna Marie, staat eronder. Tranen verblinden Heidies ogen voor een paar momenten.

Dan begint ze gemaakt opgewekt. 'Hier is Anna Marie nog heel klein. Nog maar pas na haar geboorte. En ze ziet er zo mooi uit! Ach, wat een lief, lief kindje is ze daar. En daar... mama met Anna Marie, papa met Anna Marie, oma en opa met Anna Marie. En dat is zeker tante Cynthia, ook al met Anna Marie. De hele familie bij elkaar!'

'Je praat wel raar... net of... of... of je voor de televisie een verhaaltje moet vertellen!' Ammie schatert om haar eigen woorden.

Heidie knuffelt het kind. Ze ruikt naar zeep, naar gewassen haartjes. 'Kindje toch...' fluistert ze.

Ammie kijkt haar achterdochtig aan. 'Doorgaan!' commandeert ze.

'En wat zien we daar? Anna Marie bij mama en papa op de trouwdag!'

Ammie slaat boos met beide handjes op haar dekbed. 'Je moet geen Anna Marie zeggen. Ik heet Ammie, dat weet je toch, dommerd?'

Het duurt lang eer het album uit is.

Eindelijk glijdt het kind tevreden onderuit. O, ze moeten nog zingen en bidden.

Opnieuw een duik onder het dekbed. O, de lievelingspop. Die ligt nog beneden. Ze haalt hem zelf wel even! Terug in bed.

'En nu slapen!' commandeert Heidie, ze voelt zich opeens net tante Elizabeth.

'O... eerst nog een plas... en o... ik heb ook dorst!'

Het liedje van verlangen, want slaap heeft het kind nog niet echt. Als ze eindelijk onder de wol ligt en Heidie denkt dat er nu een eind aan het bedritueel is gekomen, dan vergist ze zich. Alsjeblieft... zullen ze samen nog even zingen?

Ammie kent van school hele mooie liedjes. Heidie mag meezingen, als ze dat kan.

Heidie geniet, het is zo speciaal om met dit kindje in de schemerige kamer te zijn. Het licht van het nachtlampje in de vorm van een beertje is net genoeg om het diepe donker te verjagen.

Als het stemmetje eindelijk zwijgt, zegt Heidie ook een liedje te kennen. 'Het is al een oud liedje, ik heb het geleerd van de gouvernante die bij ons in huis woonde. Zal ik het zingen?' Ze voelt dat het kind knikt. 'Wat is een goe... goe... eh...?'

Nog dieper glijdt ze onder het dek, alleen twee oogjes gluren over de rand.

Heidie moet af en toe zoeken naar de goede woorden. 'Sommige kinderen hebben geen papa en mama. Dan komt er een mevrouw, die ze gouvernante of kinderjuffrouw noemen, in huis.'

'Ikke heb wel een mama, hoor! En natuurlijk ook een papa. Nou het versje, tante Heidie?'

'Jezus zegt dat Hij hier van ons verwacht,
dat we zijn als kaarsjes, brandend in de nacht...
en Hij wenst dat ieder tot Zijn ere schijnt.
Jij in jouw klein hoekje...
En ik... in 't mijn...'

Een nu slaperig stemmetje zegt: 'Een bed is ook een hoekje, ja toch?'

Heidie kust Ammie op het ronde voorhoofdje. 'Dag mijn meisje! Slaap lekker!'

Heidie sluipt naar de deur. Eindelijk, rust.

Maar als ze bij de deur is, klinkt een verwonderlijk helder stemmetje dat roept: 'Dag lieve tante Heidie, slaap maar lekker in je eigen hoek-je!'

Het duurt lang, heel erg lang eer Heidie die avond tot rust komt. En als ze nog weer later in haar eigen bed stapt, klinken de woorden nog in haar hoofd na.
'Dag lieve tante Heidie... slaap maar lekker in je eigen hoekje...'
Woorden die als balsem zijn, alleen die paar letters, die verwonden.
Tante.
Nog nooit heeft een woord haar zo bezeerd.

8

HET IS GEEN WONDER DAT HEIDIE NIET IN SLAAP KAN KOMEN. ZE wordt alsmaar meer wakker. Uiteindelijk laat ze zich uit bed glijden, doolt rusteloos door de kamer die door de buitenlantaarns schaars verlicht wordt. Ze blijft voor de balkondeuren staan, die ze bijna altijd een eindje openlaat, want zonder frisse lucht kan ze niet slapen. Het is buiten windstil, geen blaadje ritselt. De bomen staan roerloos, als schildwachten.

Het gekras van een uil verscheurt de stilte. Heidie denkt: jager... wie weet hoe hard een muisje nu voor zijn leventje moet rennen! De natuur is boeiend, maar ook zo onnoemelijk wreed.

Dan schrikt ze op uit haar gepeins. Onder de bomen beweegt een schim. Na even getuurd te hebben, ziet ze dat het een man is, die langzaam voortgaat.

Een inbreker? Ze huivert. Onmogelijk, denkt ze dan nuchter. Een inbreker zou het wel uit zijn hoofd laten om op die manier door het park te lopen. Heel af en toe blijft de man staan, leunt met een hand tegen een boomstam, alsof hij niet verder kan.

Heidie doet voor de zekerheid een stap achteruit. Ze wil niet gezien worden.

De man gaat op een bank zitten, steunt het hoofd in beide handen en dan ziet Heidie dat de persoon zich overgeeft aan zijn emoties. Het is duidelijk dat hij huilt, zijn schouders schokken. Misschien de echtgenoot van een van hun bewoners? Het is niet ondenkbaar!

Het begint zacht te regenen, zonder geluid glijden de druppels als uit het niets omlaag. De man op de bank gaat staan, een standbeeld lijkt hij nu, zo stil staat hij. Dan loopt hij langzaam in de richting van het huis.

Heidie knijpt haar ogen tot spleetjes. Het kan niet missen, het is niemand anders dan Philip die daar gaat. Philip die, net als zij, niet kan slapen. Zelfs naar buiten gaat om rust te vinden.

Zijn hoofd is gebogen, zijn gang traag als van een zieke. Heidie loopt snel naar de deur van haar kamer en legt haar oor te luisteren en ja, na een paar minuten hoort ze hem op de gang haast onhoorbaar naar de bovenste verdieping gaan.

Ze is koud geworden en glijdt terug onder het nog warme dek. Ze denkt: ook jij, Philip. Jij draagt net als ik iets met je mee dat je bijna niet kunt torsen!

Dan komt eindelijk de zo verlangde slaap.

De volgende ochtend is Heidie niet fris.

En dan is het ook nog eens of alles tegenzit. Al vroeg in de ochtend belt tante Elizabeth. Ze dwingt Heidie op haar jaarlijkse 'lente-ontvangst' te komen. Ze nodigt eens per jaar de buren uit de naaste omgeving uit, plus enkele notabelen. En natuurlijk moet haar pupil van de partij zijn. 'Anders gaan de mensen vragen stellen, Heidie. En wat moet ik zeggen? Dat jij je verdiept in de problemen van mensen uit de achterbuurten die nooit zullen veranderen? Als er jou vragen gesteld worden, verzin je maar een smoes, iets waar ik me niet voor hoef te generen. En ik reken op je komst!'

Geen ontkomen aan.

'Ik zal zien of het lukt, tante Elizabeth. Geloof me, ik heb hier ook mijn verplichtingen!'

Mensen als haar tante lappen andermans verplichtingen aan hun elegante laarsjes. Eenmaal beneden treft Heidie een boos jochie aan. Dirk Hoekstra heeft de briefjes met uitnodigingen voor een tienminutengesprek op school verduisterd. Dankzij een telefoontje van Jelle, de directeur van de school, is het aan het licht gekomen. En natuurlijk – hoe kan het ook anders – draaft Rietje door. Ze scheldt haar zoon uit voor alles wat mooi en lelijk is. En Dirk scheldt terug. Jessie staat hem bij. 'Wat dacht jij, mam, als jij op school komt... dan schamen we ons toch te pletter! We hebben al een stempel op... begin jij nu ook nog eens met ons voor de voeten te lopen!'

Heidie merkt dat Tammie even niet in de buurt is en ze besluit het zaakje zelf aan te pakken. Ze dwingt de kinderen te gaan zitten.

'Zo, en nu luisteren jullie naar mij. Sst! Mond houden en kijk me aan! Waarom is mama hier? Om jullie. Ze wil het allemaal anders en veel beter regelen, zodat jullie uit de problemen komen. Zoals jullie nu doen, help je je moeder terug naar af. Jawel, dat begrijpen jullie best, jullie zijn zo slim om die briefjes weg te gooien, dat betekent dat er nagedacht kan worden. Dit gaat jullie als gezin aan. Toe maar! Vergooi verder je kansen maar!'

Heidie haalt diep adem om voort te gaan. Ze wijst op Rietje, die als een bijna dood vogeltje in elkaar gedoken achter een stapel geroosterde boterhammen zit. 'Kijk naar je moeder. Ja? Wat zie je? Een bedroefde vrouw die door haar eigen kinderen afgewezen wordt. Jullie weten maar wat goed hoeveel pijn afwijzen doet...' Komt het over?

Twee handen op haar schouders, ze hoeft niet om te kijken om te weten van wie die zijn. De kinderen buigen als bij afspraak gelijk hun hoofd.

Heidie voelt de warmte van Philips handen door de dunne stof van haar shirtje heen. Doodstil blijft ze staan. Ze ziet hem weer voor zich, alleen en bedroefd in het holst van de nacht.

'Heidie heeft volkomen gelijk. Jullie gooien je eigen glazen in. Als je moeder naar het tien-minutengesprek moet, ga ik mee. Of Heidie hier. Ja? Wij hebben contact met de school en als jullie gedrag – dat van Dirk en Jessie – niet snel verandert, zit er niets anders op dan jullie naar een internaat te sturen en geloof me, daar weten ze van aanpakken!'

Alette glijdt van haar stoel en klemt zich aan haar moeder vast. 'Niet Jeroen en ikke, hè mam? Wij zijn toch meestal lief?'

Rietje dept haar ogen met een papieren servet. Ze haalt haar schouders op en slaat dan haar armen om de twee jongsten heen.

Philip geeft een kneepje in Heidies schouders en laat haar los. 'Hoe laat moet je op school zijn, Rietje?'

Rietje kijkt hem met haar bleke ogen aan. 'Gisteravond om kwart over acht... vandaar dat de directeur belde...'

Philips ogen zijn als vurige kolen. 'Dus jullie dachten slim te zijn? Jullie zijn dom, om het nog netjes uit te drukken. Hier horen jullie op school meer van, denk ik zo. Nu bel ik meester Jelle en maak een nieuwe afspraak!'

Hij draait zich bij de deur om. 'En nu ontbijten!'

Ook Heidie schuift aan tafel. 'Zullen we eerst bidden?'

Ze vraagt zich af of gebed deze kinderen iets zegt, misschien zijn ze al zo afgestompt dat er op geen enkel gebied meer iets te redden valt.

Alette begint druk te kwebbelen en even later komen Connie en BB binnengestapt. Ze zien meteen dat er iets aan de hand is. Ons kent ons.

'Daar hebben we de tweeling van Bea!' roept Heidie, blij met de uitbreiding van het gezelschap.

'We zaten in het huis al aan tafel!' schatert Marja, terwijl ze zusje Karin stijf bij een hand vasthoudt. 'Ja, we waren vergeten dat mammie hier is!'

Mammie wordt warm omhelsd. Ze hebben al een boterham op, maar ze lusten er beiden nog wel een.

Dan komt Tammie binnen, ze begroet het gezelschap hartelijk. 'Ik heb me verslapen, hoe is het mogelijk! Maar goed dat ik niet naar school hoef, zoals jullie. Want dan zou het haasten zijn!'

Even later is ook Philip terug. Hij legt een briefje voor Rietje neer, tilt Alette, die naast Heidie zit, van haar stoel en ploft er zelf op neer, met het kind op schoot. 'Net of we vadertje en moedertje doen... dan was jij de papa, meneer Philip!'

Rietje snerpt: 'Dat zou je wel willen! Laat me niet lachen!'

BB heeft zo haar eigen manier van converseren. Haar toon is, net als die van Rietje, bepaald niet kindvriendelijk en Heidie denkt dat dit van geslacht op geslacht wordt doorgegeven. Ze weten niet beter. Het is de toon die de muziek maakt...

De claxon van het busje dat de kinderen naar school brengt, klinkt vlak voor de deur van de villa. 'Meneer Siem brengt ons!' roept een van de tweeling. Ze zijn stuk voor stuk dol op deze leider, die na vier uur altijd klaarstaat om met huiswerk te helpen.

Een voor een schieten de kinderen als een pijl uit de boog de kamer uit. Zonder groet.

Rietje staart op haar briefje. 'Dus vanavond, dan moet ik naar de school? Voor alle kinderen? Ik zie er zo tegen op... zeker weten dat het klachten regent.'

Bea snauwt dat kinderen niet altijd ongelijk hebben. 'Ik zou mijn ogen maar goed openhouden, mens... ons soort is toch altijd het mikpunt!'

Tammies kalme stem valt midden in de beweringen van Bea en doet haar stoppen. Ze corrigeert de opvatting en Heidie benijdt haar om het overwicht dat ze heeft.

'Kinderen moeten nog groeien, dames. Vergeet dat niet. Lichamelijk maar ook op alle andere gebieden. Wij moeten ze dingen van waarde meegeven, die ze in hun rugzakje kunnen stoppen. Vooral positief over ze blijven denken. Een kind dat zich moeilijk gedraagt, heeft het zelf ook moeilijk. Als we zo dadelijk klaar zijn met onze huishoudelijke taken, praten we verder!'

Heidie gaat naar haar kamer om aan haar verslag te werken. Ze ziet dat Philip het huis verlaat. Het blijft aan haar knagen: wat deed hij vannacht buiten? Misschien heeft hij liefdesverdriet. Dat zou kunnen. In plaats van vlijtig bezig te zijn, tobt ze over haar bovenbuurman.

Later op de ochtend lopen ze elkaar buiten tegen het lijf. Philip pakt haar vast en zegt over de Hoekstra-kinderen te willen praten. Hij voert haar naar de bank in de voortuin, onder een oude boom. Dezelfde bank als waar hij vannacht in zijn eentje bedroefd zat te wezen.

'Ik heb een strategie ontwikkeld omtrent die lastpakjes. Je schrok, geloof ik, van de manier waarop ze met elkaar omgaan... de moeders incluis!'

Heidie knikt. 'Stel dat je ze weet bij te brengen hoe ze zich in onze ogen horen te gedragen. Beheersen, een goede toon, ik noem maar wat. Dan komen ze terug in hun oude buurt waar niemand is veranderd. Als ze niet meedoen met de klas- en buurtgenoten, worden ze met de nek aangekeken. Het is onbegonnen werk om hun zieltjes te polijsten!'

Heidie kan wel huilen. Ze is echt begaan met de kinderen en hun ouders. Philip legt in een troostend gebaar een arm om haar rug, dat zit gemakkelijker dan de harde leuning.

'We moeten ze niet omturnen, ook al zou je dat wel willen. Nee, ze moeten leren zien waar ze mee bezig zijn. Dat kan zelfs een klein kind leren. Verantwoording voor zichzelf en anderen. Zelfrespect bijbrengen. Nog zo'n kreet. Dat gaat met vallen en opstaan. Vanavond ga ik met Rietje mee naar school. Jij ook? Heb je weer een puntje voor je scriptie. Kind en ouders, kind en leiders hier, kind en het schoolpersoneel. Kind en de andere kinderen... je moet je item van alle mogelijke kanten belichten eer je tot een slotsom komt!'

Heidie voelt haar hart bonken, ze hoort nauwelijks wat Philip allemaal te berde brengt.

Hij praat door over de kinderen en hun ouders. De ellende die beide partijen hebben meegemaakt. 'Als je een kind hebt, zorg er dan voor! Het afschuiven op de gemeenschap, zoals we dat hier vaak zien, is een misdaad. Een onvergeeflijke misdaad! Ik vind het een strafbaar feit. Kinderen zijn van de volwassenen afhankelijk, ouders kunnen kanjers van fouten maken, bewust of onbewust. Verkeerde keuzes die een leven lang blijven spoken!'

Heidie krimpt in elkaar. Kanjers van fouten. Onvergeeflijke fouten. Tranen glijden langs haar hete wangen, ze laat ze gaan, Philip kijkt toch recht voor zich uit. Zolang ze zich niet beweegt en de aandacht niet naar zichzelf trekt, merkt hij het niet.

Hij tiert nog even door over de rechten van het kind, geboren of ongeboren.

'Een kind van nu is de volwassene van later! O, ik zou op de markt willen gaan staan om ouders de les te lezen. Hoe bereik je mensen als de Rietjes en de Connies? Niet dus... Seks, drank en drugs... ruzies rechts en links. Dat is hun leven. Uiteindelijk heet het overleven.

Maar... we laten ons niet ontmoedigen, collegaatje. Weet je dat als je mensen met het christendom kunt bereiken, ze beter gemotiveerd kunnen worden? Mits ze opgenomen worden in de juiste gemeenschap... dan hebben ze een achterban, een basis. Maar ik geloof niet dat je kunt dwingen tot geloof. Geen kruistochten... Een mens als onze Tammie, die is in staat haar geloof op anderen over te dragen. We moeten maar afwachten hoe het hier gaat...'

De tranen drogen op, Heidies wangen jeuken. 'Ik moet aan de slag... Ik heb beloofd in het huis te helpen met de peuters. Het... het is een pechdag. Eerst dat telefoontje van mijn tante... brr. Ze houdt jaarlijks een ontvangst voor haar buren. Alleen de beter gesitueerden zijn welkom. Een lentefeestje met alles erop en eraan. Als het mooi weer is, buiten. En natuurlijk moet het nichtje, haar enige familielid, van de partij zijn. Ik zie er zo tegen op!'

Philip gaat staan en rekt zich uit. 'Dan neem je toch iemand mee, mij bijvoorbeeld!'

Ook Heidie gaat staan. Ze kijkt hem vluchtig aan. 'Stel je voor, dan denken ze meteen iets en willen ze alles van je weten...'

'Dat eerste lijkt me wel wat. Maar alles van me weten, dat gaat te ver. Nou?'

Heidie geeft schoorvoetend toe dat het wel verschil zou uitmaken. Samen met Philip, die zojuist in niet mis te verstane woorden heeft gezegd haar – en anderen – te verachten. Verantwoording afschuiven op de gemeenschap... een onvergeeflijke misdaad. Moet ze met hem naar tantes feestje gaan?

'Dus hierbij ben ik uitgenodigd. Wanneer is de fuif?'

Philip steekt zijn handen in zijn zakken, rammelt met wat losse munten, zo te horen. Of misschien is het zijn sleutelbos.

'Volgende week zaterdag.' Haar stem klinkt schor.

'Prima. Dan houd ik die datum vrij!'

Kalm wandelt hij van haar weg, naar de villa. Ze hoort nog net dat zijn zaktelefoon overgaat en even later haast hij zich naar het Poorthuis.

Precies op tijd stopt Philip zijn wagen voor de school. Het is een komen en gaan van ouders. Rietje heeft zich opgedoft en zucht dat ze bang is dat de andere ouders haar na zullen kijken.

'Als je nou een paarse hoed met jonge konijntjes als versiering op je hoofd zou zetten, Rietje, dan zouden ze kijken en het in het dorp rondvertellen. Wees gerust, niemand kent je, je ziet er precies zo uit als alle andere moeders. Kijk niet zo bezorgd!'

Philip pakt Rietje bij een arm en met Heidie achter hen aan gaat het naar de voordeur, die wijd openstaat.

'Bea zegt...' Ze stort het als het ware voor Philips voeten neer. 'Ons soort mensen, zegt Bea, krijgt toch ongelijk. En de kinderen al helemaal...'

Philip zet haar gedachtegang met een paar woorden stil, drijft haar naar een ander spoor.

De juf van de kleinsten, Ellen Hogerhorst, komt hun in de gang tegemoet. Ze begroet hen hartelijk en zegt zonet een kleine pauze te hebben gehad.

'Het is niet netjes van me, mevrouw Hoekstra, maar Alec Bongerd en ik hebben zo gelachen om de streek van Dirk en Jessie! De baas was er minder over te spreken, maar wij vonden het nogal een gewaagd initiatief. Dat belooft wat voor de toekomst! Mensen die niet vindingrijk zijn, hebben pech en daar hebben uw kinderen niet over te klagen!'

Rietje kleurt tot aan haar tenen. Lof over een kind van haar... Ze kan wel juichen.

Philip kijkt de juf welwillend aan. Goeie zet, Ellen! denkt hij. Niet vergeten haar een complimentje te geven!

Natuurlijk is er genoeg – ook negatief – over de twee jongsten te vertellen. Maar Ellen weet het zo te brengen dat het niet vervelend overkomt.

Alette is een druktemaker, en zal nog een jaartje bij de kleuters moeten blijven, is haar mening. Of mevrouw Hoekstra daar bezwaar tegen heeft?

Rietje is de welwillendheid zelf. De juf legt duidelijk de voordelen van nog een jaartje kleuteren uit.

'Het zal de ontwikkeling van die kleine rakker ten goede komen!'

Over Jeroen valt niet veel te zeggen, hij heeft driftbuien, maar dat komt omdat hij nog niet in staat is zich duidelijk uit te drukken. Juf doet rollenspellen met een groepje, waar ook Jeroen in mee mag doen. Ze vertelt hoe hij een politieagent uitbeeldde en dan moeten ze alle vier lachen.

Welgemoed gaat het naar de groep van Alec, waar Dirk vaak voor herrie zorgt.

Heidie bewondert de manier waarop ook deze Alec de nerveuze moeder benadert. Ze ziet Philip goedkeurend knikken. Ja, er is toekomst voor de kinderen Hoekstra. 'Ook al moeten ze getemd en bijgestuurd worden, mevrouw! Laten we niet de fout maken te proberen hen te dresseren!'

Jelle, de directeur, is negatief in zijn beoordelingen, het heeft meteen zijn weerslag op Rietje. Jessie is een – hij gebruikt een minder beschaafd woord – die een grote mond heeft.

'Ze kan gemakkelijk naar de mavo. Maar of ze dat psychisch aankan... ik wil dat nog overleggen met de mensen van het Poorthuis. Per slot van rekening is het nog lente!'

Op de terugweg staat Rietjes mond geen moment stil. De meester en de juf kunnen niet meer stuk, maar die directeur... geen wonder dat Jessie ertegen ingaat! 'En wat als ik met het spul terug naar huis ga? Dan kan niemand controleren of Alette nog een jaar in groep twee blijft of dat ik haar over laat gaan! En Jessie naar de mavo... ik moet nog zien of ze dat wil!'

Zucht. Heidie leunt moe achterover. 'Praat nog maar eens met haar, Rietje,' zegt ze vanaf de achterbank. 'Ze wil toch niet zoals jij terechtkomen? Dat wil jij je kinderen besparen, zei je laatst. Als ze vooruit wil, moet ze een diploma hebben. En haar best doen. Daar draait het om!'

Ze voegt er haastig aan toe dat het schoolpersoneel voeling houdt met de school waar de kinderen thuis staan ingeschreven. Rietje klaagt over pubergedrag, schuift de verantwoordelijkheden graag een deurtje verder.

Maar wie ben ik om haar te veroordelen? tobt Heidie.

En opeens heeft ze het gevoel: ik moet hier weg. Het was een fout plan terug te komen. Ik ga er kapot aan. Vandaag nog zet ik er een streep onder! Terug naar tante Elizabeth...

Bea en Connie hebben beiden bezoek. Het gaat eraantoe zoals in een gewoon huishouden. Het is nog te vroeg, vindt Tammie, om met hen diepe gesprekken aan te gaan. Ze observeert het gezelschap en speelt de lieve huisdame. De man van Connie komt beschaafd over, is dol op zijn vrouw en kleine zoon. De dankbaarheid straalt van hem af. Hij heeft hen beiden nog, bovendien is Connie hier in de beste handen!

Bea heeft haar nieuwe vriend op visite, hij voelt zich onwennig in deze voor hem onbekende omgeving. Bea is hem overduidelijk de baas. BB, ten voeten uit.

Philip houdt het die avond voor gezien en gaat naar zolder, Heidie voelt zich verplicht Tammie te helpen.

Tegen tienen deelt Tammie resoluut maar vriendelijk mee dat het bezoek helaas moet vertrekken. De dames hebben hun rust nodig...

Na het emotionele afscheid hebben Connie en Bea nog behoefte om samen na te praten. Ze zoeken hun eigen kamers op.

Heidie zet de tuindeuren wijd open, de geur van sigaretten blijft lang hangen. Ze hoort Tammie in de keuken bezig. Samen hebben ze de afwas gedaan. Dat wil zeggen: de afwasmachine gevuld en met een vaatdoek hier en daar wat kruimels weggeveegd.

Heidie knipt – op een na – de lampen uit. Het is een stille avond. Vlak voor het raam springen twee konijntjes achter elkaar het veilige duister van de struiken in. Heidie overdenkt hoe ze haar plan het best kan overbrengen, zonder anderen nieuwsgierig te maken. Anouk, Philip... Tammie. Ze zullen vreemd opkijken. Aanvankelijk was

Heidie zo enthousiast, wat heeft de ommekeer bewerkstelligd?
Ze duwt haar hoofd tegen de rugleuning en haar bedroefde hart
neemt de leiding. Ze huilt alsof ze nooit meer zal ophouden. Handen
voor de ogen, tranen druppen tussen de vingers door.
Zo vindt Tammie haar. Heidie had het kunnen weten, ze had met
haar emotionele uitbarsting moeten wachten tot ze alleen was.
'Meisje dan toch... wordt het je te veel? Ik had het zien aankomen!
Hier, mijn zakdoek. Schoon en gestreken.' Tammie komt naast haar
zitten en pakt een hand vast. Heidie snuit haar neus, dept tevergeefs
haar ogen.
'I-ik kan niet meer ophouden...'
Tammie weet raad, ze gaat naar de keuken en komt terug met een
glas waar cognac in zit. 'Ik moest er een slot voor openbreken, maar
hier is je hartversterking! Lieve meid dan toch!'
Heidie drinkt, verslikt zich en onverwacht zijn de tranen op.
'Ik ga weg, Tammie. Misschien ga ik zonder het aan iemand te vertellen. Wil jij dat voor me doen?'
Tammie zoekt naar een wijs antwoord.
'Dat wil ik wel doen, maar dan moet jij me zeggen wat het is dat
jou zo erbarmelijk doet huilen. Geloof me, kindlief, opkroppen is
niet gezond. Het is als een zweer die nooit geneest en telkens
opspeelt. Mij kun je vertrouwen. Zie het maar als een biecht, dat
lucht ook op, wordt beweerd. Wat heeft je juist vandaag zo van streek
gemaakt?'
Heidie denkt er niet over zich bloot te geven. Ze ratelt een verhaal af.
Philip, die krijgt de schuld. Hij liet zich zo negatief uit over de moeders die de verantwoordelijkheid voor hun kind weigeren op zich te
nemen...
Tammie legt haar het zwijgen op.
'Zo, en nu waarom jij je dat zo aantrekt. Alsof het persoonlijk
voor jou was bedoeld. Heb je een abortus achter de rug, net zoals
Bea?'
Heidie houdt haar adem in.

Abortus. Nee, dat heeft ze destijds niet overwogen. Ze heeft een andere oplossing gezocht. Haar weerstand breekt.

'Ik heb een kind. Maar ik heb het niet... Ik werd door een hoogleraar... ja, een hoogleraar...! verkracht. Een Amerikaan die te gast was. Hij dacht dat het vuur wederzijds was, en wist niet van ophouden. Ik weet zeker dat hij dronken was... en toen, Tammie...'

Tammie vult kalm aan: 'Toen merkte je dat je zwanger was. Wat is er met de baby gebeurd?'

Heidie merkt niet dat het nu Tammies beurt is om de adem in te houden. Alles is immers mogelijk? Zelfs een beschaafd meisje als Heidie kan iets onoverkomelijks gedaan hebben.

'Ik wist dat Anouk hier een tehuis was begonnen. Met een leidster die met haar heeft gewerkt, ging ik wekelijks naar de sportschool. Zodra het zichtbaar werd dat ik een kind kreeg, ben ik weggegaan. Zogenaamd naar mijn zieke tante. Ha, stel je voor dat tante Elizabeth het had geweten...'

Ach, de rest is zo simpel. Ze heeft het liefste wat ze ooit heeft bezeten bij Anouk op de stoep te vondeling gelegd. 'Ik wist zeker dat ze dan goed terecht zou komen en zie... ze is er beter aan toe dan ik had durven dromen.'

Tammie neemt Heidie in haar armen, wat ongemakkelijk gaat vanwege de twee stoelen waar ze op zitten. Een frisse luchtstroom van buiten doet beiden huiveren. 'Was er dan niemand bij wie je terechtkon? Was ik maar in je buurt geweest. Je tante?'

Heidie rilt. 'Tante Elizabeth? Die mocht niets weten. Ik heb nog een oom en tante... Ik heb nooit meer contact met hen. Ze zijn erg conservatief. Maar daar was wel Leidie... Mijn nicht. Ik hield zoveel van haar! Ze was in alles mijn grote voorbeeld. Ze wist niets van mijn zwangerschap. Maar toen ik haar vertelde dat ik mijn baby had weggedaan... alsof het een jonge hond of poes was, toen... toen... toen ving ze me op.'

Tammie herademt. 'Dus er was wel iemand die je steunde. Hoe ging het verder?'

Heidie zit als een etalagepop op haar stoel. En ze praat met een stem die uit een automaat lijkt te komen.

'Leidie juichte het toe, ik bedoel dat te vondeling leggen. Maar ik, ik wilde Anna Marie terughalen, hoe dan ook. We kregen ruzie... Voor het eerst echt erge ruzie. Leidie vond dat het kind beter af was bij de adoptiemoeder dan bij mij. Labiel, ze vond mij labiel. Ik moest het allemaal maar zien te vergeten! En toen... we hadden het verschil van mening nog steeds niet echt uitgepraat, toen zei ze even afstand te willen nemen. Ze wilde in Turnhout naar de markt, daar lunchen en ondertussen nadenken. Natuurlijk nam ze mijn auto mee. Ik had destijds een nogal snelle sportwagen. Ja, tante Elizabeth is wat dat soort dingen betreft altijd erg gul geweest.'

Tammie brandt van nieuwsgierigheid. 'En hoe ging het verder?' spoort ze aan.

'Ze verloor de macht over het stuur. Een slecht wegdek, regen, tegenliggers. Ze was op slag dood... En daar kwam nog een groot probleem bij! Men dacht aanvankelijk dat ik het was die de wagen bestuurde. Ze had mijn tasje met autopapieren en rijbewijs meegenomen, zoals gewoonlijk.' Even glimlacht Heidie door haar tranen heen. 'Ik ben dus officieel even dood geweest. Jawel! Het kostte nog moeite om dat recht te zetten. Misschien kwam dat omdat het over de grens is gebeurd. Tante Elizabeth heeft daarin de nodige stappen gezet. Ik was te kapot om ook maar iets te doen. Ik dacht maar aan de baby en aan Leidie. En schuldig dat ik me voelde! Tante Elizabeth kent mijn intense verdriet over het overlijden van Leidie. Maar er was meer... de tijd verstreek en uiteindelijk was ik lichamelijk en psychisch te zwak om stappen te ondernemen.'

Daar kan Tammie inkomen. 'Maar nu zit je hier!?'

'Anna Marie... Ammie is mijn kind, Tammie! En ik houd zielsveel van haar! Maar Anouk... is haar mama! Ik kan het niet verdragen, Tammie. Ik moet weg. Geloof me... hier kan ik niet leven!'

Heidie huilt toch weer, geluidloos, en het hart van Tammie loopt over van medelijden.

'Meisje dan toch... hoe had je je de toekomst gedacht? Wil jij je hier bekendmaken als de moeder van Ammie?' Meer zegt ze niet, maar denken doet ze des te meer.

Ze zal het hart van Anouk breken, dat staat als een paal boven water. Maar heeft Anouk in stilte niet altijd voor een moment als dit gevreesd? Wat is het belangrijkste voor het kind? Hoort ze ten diepste niet bij de eigen moeder? Wat zou de rechter ervan zeggen?

Tammie hoort zichzelf zeggen: 'Je moet je die opmerkingen van Philip niet aantrekken. Die waren niet voor jou persoonlijk bedoeld, lieverd. Huil maar eens lekker uit.'

Tammie kan wel meehuilen. Ze ziet Heidie voor zich, ruim vier jaar terug. Jonger dan nu, ten einde raad. Ze meende toen de beste keus voor haar kindje gemaakt te hebben. Aan zichzelf durfde ze niet te denken.

'Ik dacht ervoor weg te kunnen lopen. Maar toen ik vernam dat hier een project van start ging dat mijn volle belangstelling had, was het besluit snel genomen, Tammie. Ik zou mijn kind zien, ik zou weten hoe het met haar ging. Tammie! Ik weet me geen raad meer! Ik ben ziek van verdriet. Het liefst zou ik Anna Marie willen kidnappen. Maar dat durf ik niet eens. Wat moet ze later wel niet van haar moeder denken... Het is zo'n schat van een meid geworden, ze lijkt sprekend op mijn overleden moeder. En diens mooie stem heeft ze ook geërfd!'

Heidie blijft maar doorratelen, ze is op van de zenuwen. Al het opgekropte verdriet barst naar buiten. De wijzers van de klok draaien door. Het wordt later en later.

Uiteindelijk beslist Tammie dat Heidie naar bed moet. 'Ik zal je een slaaptablet geven. Die gebruik ik als ik in het buitenland ben totdat ik me daar heb aangepast. Je zult diep en goed slapen. Morgen praten jij en ik verder. Je hebt mijn woord: ik spreek er met niemand over. Vertrouw me, Heidie. We zoeken samen naar de allerbeste oplossing. Zullen we dat afspreken?'

Ze helpt Heidie naar boven, wacht tot ze uit de badkamer komt, gekleed in een nachthemdje. Tammie slaat het dek open. 'Je bent morgenochtend voor niemand te spreken. Als er naar je gevraagd wordt, zeg ik dat je ziek bent geworden en rust nodig hebt. Probeer je te ontspannen...'

Heidie glijdt in bed. Als een klein kind wrijft ze met haar vuisten langs haar ogen. 'Tranen heb ik niet meer... en je hoeft niet bang te zijn dat ik uit het raam spring of zoiets. Het is zo raar, Tammie...'

Tammie gaat op de rand van het bed zitten. Nog even, dan doet de pil zijn werk.

'Het is zo raar. Ik dacht altijd: als ik Anna Marie zou zien, dan denk ik meteen terug aan die Amerikaan. Maar nee, ik weet amper meer hoe hij eruitzag. Alleen zijn stem, die zou ik eventueel herkennen. En dan te bedenken dat het arme kind later op zoek zal gaan naar haar ouders... de man weet niet eens dat hij me zwanger heeft gemaakt!'

Heidie voelt haar oogleden zwaar worden. Ze nestelt haar hoofd dieper in het kussen. 'Tammie? Blijf je nog heel even?'

Tammie streelt het vochtige haar van het voorhoofd weg. 'Tot je slaapt. En als je onverhoopt toch wakker mocht worden, dan weet je me te vinden!'

Heidie mompelt nog wat. Tammie buigt zich voorover om te horen wat ze zegt.

'Ik houd van je, Tammie. Je bent net een mama voor me...'

Dan zakt Heidie weg. Tammie zucht ervan. Gelukkig, de eerste uren hoeft ze zich over dit mensenkind geen zorgen meer te maken.

En morgen, morgen is er een nieuwe dag!

9

PHILIP DUPUIS IS DE EERSTE DIE INFORMEERT WAAR HEIDIE TOCH BLIJFT.
'Ziek geworden? Zo opeens? Gisteren was ze nog zo fit als het
spreekwoordelijke hoentje!'
Tammie zegt rustig dat sommige ziektes snel kunnen opkomen. 'O!'
meent Philip te weten. 'Is het van die aard. Tja... lekker in bed blijven,
zou ik zo denken!'
Tammie knikt maar eens ten antwoord.
Aan tafel is het de normale drukte. De moeders roepen commando's naar hun kroost. Alleen de kleine Robje, het kind van Connie, zit
stil als een muisje om zich heen te kijken.
Tammie stelt voor dat ze een plannetje maken om er een middag uit
te breken. 'Ik ben hier in de buurt goed bekend, dat heb je als je er
geboren en getogen bent. Maar wat er tegenwoordig aan leuke doelen voor kinderen is, zou ik niet weten. Een kinderboerderij komt
niet in aanmerking, dieren hebben ze hierachter genoeg. En voor de
kleintjes vind ik die grote speeltuinen niets.'
Jessie en Dirk protesteren.
'We houden rekening met de kleinsten uit de groep. Misschien een
uitstapje naar het bos, picknicken, of een pannenkoekhuis bezoeken?
Het gaat erom dat we samen zijn om te zien hoe jullie het redden
met de kinderen!'
Bea stelt een zwemparadijs voor. 'Zo'n tropisch oord. Daar zijn ze
allemaal gek op!'
Als het busje komt voorrijden, stormen de kinderen naar buiten,
opgewonden bij het idee van een gezellige woensdagmiddag.
De drie moeders ruimen af en wijden zich aan hun taak. Dat laatste
gaat wonderwel goed. Alleen Connie, het vrouwtje dat een miskraam
te verwerken heeft, is wat stilletjes.
Robje hangt aan zijn moeders rokken, het is alsof hij voelt dat mama
ten prooi is aan emoties die haar levenslust vergallen.
Philip heeft werk te doen in het Poorthuis en Tammie zet zich in de

serre, gewapend met pen en papier. Zo dadelijk komen de moeders bij haar zitten om koffie te drinken. En geleidelijk zal Tammie de leiding van het gesprek nemen, om de afgelopen dagen te evalueren.
Ze heeft zelf zo haar vragen omtrent het project. Een ding is duidelijk: de vrouwen kunnen elkaar beter op weg helpen dan welke psycholoog of gezinsvoogd ook. Ze begrijpen elkaars problematiek. Hun situaties zijn niet geheel identiek, maar komen in grote lijnen wel overeen. Ze zijn afhankelijk van de instanties.
Tammie heeft een schema opgesteld. Een bladzijde in haar schrift voor het verleden, een voor het heden en de derde is voor de toekomst. Deze vrouwen moeten leren dat ze conclusies uit hun verleden moeten trekken. Het eigen gedrag en de reacties op gebeurtenissen in kaart zien te brengen.
Straks geeft ze hen alle drie een schrift en een pen. Hoog tijd om serieus aan het werk te gaan!

Ondertussen is Heidie ontwaakt. Ze voelt zich wel uitgerust, maar boven haar ogen zit een doffe pijn.
Liggen piekeren heeft geen zin. Ze wilde immers vertrekken?
Haar eerste gang is naar de badkamer. Na een lange douche voelt ze zich wat beter en in staat de anderen onder ogen te komen.
Ze durft bijna niet in de spiegel te kijken. Wallen onder de ogen, zie je wel. Ze bindt haar donkerblonde haar tot een staart en draait er een wrong van. Een grote knip houdt het vrachtje bij elkaar. Ze gebruikt zelden make-up, maar vandaag is het een must!
Eenmaal beneden in de hal hoort ze de vrouwen praten. Af en toe de bedaarde stem van Tammie, die de anderen het zwijgen oplegt. Rietje kakelt erbovenuit, Connie zal zich wel zelden laten horen. Bea schijnt niet normaal te kunnen spreken, het is snauwen of schreeuwen.
Heidie sluipt het huis uit. Nu moet ze haar taak vervullen en zeggen dat ze ermee stopt.
Weg van Ammie, weg van Philip met zijn strenge uitspraken... en zijn mannelijke aantrekkingskracht.

Ze wordt verscheurd door twijfel. Want haar hart gebiedt haar te blijven, maar het verstand spreekt een andere taal.

Anna Marie. Soms zeggen ze hier ook wel: Anna Maria. Dat klinkt aardig, vindt Heidie. Maar Anna Marie was de naam van haar moeder. En Ammie... die naam zegt haar zelf niets. Een kindernaampje. Langzaam sjokt ze naar het Poorthuis. Hopelijk is Anouk te spreken. Ze moet korte metten maken en ervoor zorgen dat niemand haar aan het twijfelen brengt.

Eenmaal binnen wordt ze verwelkomd door een stel leidsters. 'Geweldig dat je er bent, Heidie... We zitten met de handen in het haar. Anouk heeft zojuist telefoon gekregen dat we zes kinderen uit één gezin moeten opvangen... vannacht is hun huis afgebrand en de ouders zijn omgekomen. We moeten slaapplaatsen maken, want we zitten vol!'

Siem maant hen tot kalmte. 'Dames, dames... jullie zijn net kippenhokbewoners... Rustig! Maar inderdaad, Heidie, we hebben jou hard nodig. Die stakkers, die wezen, moeten worden opgevangen. Anouk vindt jou de meest geschikte persoon daarvoor. Als je tenminste tijd hebt!'

Heidie is ook bewogen met het afschuwelijke leed dat de kinderen heeft getroffen.

'De omgekomen ouders zijn zendelingen die met vakantie in Nederland zijn. Familie is er niet. Alleen een paar hoogbejaarde ooms en tantes. Er waren wel aanbiedingen van anderen, mensen uit hun kerkgenootschap, maar de meneer van de slachtofferhulp die ons belde, wilde niet dat de kinderen gescheiden werden. Vandaar de invasie!'

Anouk komt uit haar kantoor, kijkt verwilderd om zich heen. 'Heidie... geweldig dat je er bent. We hebben allemaal ons vaste werk en de komst van zes kinderen tegelijk gooit de boel ondersteboven.'

Twee leidsters rennen naar boven om opklapbedden klaar te zetten. Een kamer waar spullen opgeslagen liggen, wordt ontruimd. Dat betekent een paar keer de zolder op. Dat zal Siem voor zijn rekening nemen.

Anouk woelt met haar handen door het haar. 'Straks heb ik een vergadering met het bestuur. Heidie, als jij de honneurs wilt waarnemen? En waar is Philip...'

Er is geen sprake van dat Heidie met haar eigen problemen op de proppen kan komen. Bovendien vindt ze een dag of wat uitstel minder belangrijk dan het leed dat de kinderen van de zendelingen is overkomen. Hopelijk hoeven ze vooreerst niet gescheiden te worden!

'Ben je opgeknapt?' Philip legt een hand op Heidies ene schouder. Ze kijkt hem met knipperende ogen aan. Opgeknapt? Ze was toch niet ziek?

'Of verzon onze lieve Tammie een smoesje omdat jij wilde uitslapen?' plaagt hij gemoedelijk.

Nee nee... ze was niet goed te pas.

'Loop even mee!' roept Anouk over een schouder tegen Heidie. 'De kamer inspecteren. Lieve help... die kinderen zijn alles kwijt. Niet alleen hun ouders, maar ook hun spulletjes. Ze zouden in september naar Gambia gaan. Het zal je toch maar overkomen! Ik zei tegen Lucas...' Anouk klemt, als ze boven zijn, haar handen om de balustrade. 'Ik zei tegen Lucas, toen ik het bericht kreeg: "We moeten een afspraak maken met onze beste vrienden voor het geval ons zoiets zou overkomen! Dat zou elk ouderpaar moeten doen!"'

De bedden staan al uitgeklapt, Siem klautert de zoldertrap op en af. 'Philip, help eens een handje!' beveelt hij.

Heidie huivert. 'Het is net zo'n vertrek als je weleens op tv ziet na een ramp. Dan krijgen de mensen zulke bedden van het Rode Kruis en die staan rij aan rij in de een of andere sportzaal. Die grijze dekens zijn helemaal erg, Anouk! Is er niet wat anders?'

Leidster Rianne meent te weten dat er ergens op zolder nog dekbedden liggen. 'Nog uit de beginperiode hier. We vonden ze toen te dun. Maar als we ze over die grijze dekens leggen, lijkt het wat vriendelijker. Overtrekken hebben we genoeg!'

Anouk haalt sidderend adem. Ze weet hoe het komt dat ze overstuur is. De zwangerschap speelt haar parten en ze trekt zich het lot van de kinderen aan. Ze ziet het gebeurde – in gedachten – al in hun situatie gebeuren!

Dan klinkt van beneden een mannenstem die Heidie onbekend is. 'Waar zit iedereen! Anouk, dierbare vriendin van me! Je had bij de deur met open armen op me moeten wachten!'

Met een paar sprongen is de bezitter van de warme stem boven. Hij kijkt stomverbaasd om zich heen. 'Vergadering op bijzondere lokatie?'

Heidie kijkt belangstellend naar de wisselende uitdrukkingen op het knappe mannengezicht. Wie dat nou weer mag zijn... Ze dacht iedereen die bij het Poorthuis betrokken is, te hebben ontmoet.

'Ik kom net uit Spanje, iedereen krijgt de groeten van tante Beatrice en oom Henrik. Het gaat ze goed.'

Anouk wordt door hem bijna platgedrukt. 'Schei toch uit, malle jongen. We hebben een noodgeval. Zo dadelijk komen zes kinderen van een zendelingenechtpaar dat vannacht bij een felle brand om het leven is gekomen. Je mag blijven om ons bij te staan!'

Dan ontdekt de nieuwkomer Heidie. 'Wie hebben we daar? Een nieuwe leidster en ik weet van niks?'

Heidie krijgt een warme begroeting en het vreemde is dat ze niet eens boos kan worden op deze flierefluiter.

'Als niemand me wil voorstellen, doe ik het zelf maar. Ik ben Ewout de Smeding, muziekleraar. Ik kom niet elke week, maar wel zo vaak als ik kan. De Van Dinkels zijn in de verte een oom en tante van me. Zo, en wie ben jij dan wel?'

Philip en Siem komen naar beneden, beiden met armen vol dekbedden. Heidie noemt haar naam, maar neemt niet de moeite te vertellen wat de reden van haar verblijf hier is.

'Nog een nieuweling! Maar wie jij bent, kan ik raden. De nieuwe psycholoog. Anouk verslijt psychologen alsof het broodjes uit haar vaders winkel zijn!'

Anouk houdt het boven voor gezien en laat het aan de meisjes over de kamer bewoonbaar te maken. Met Heidie op haar hielen loopt ze naar beneden. 'Ik verwacht de bestuursleden elk moment. Als ik momenteel ergens geen zin in heb, is het vergaderen. Mijn hoofd staat er niet naar! Kom mee, even zien of Pollie de koffie klaar heeft. Ik ben wel toe aan een bakje. Gelukkig is mijn maag de laatste tijd weer rustig... je weet niet half hoe ellendig je je kunt voelen in de eerste maanden van een zwangerschap!'

O jawel, dat kan Heidie zich heel goed voorstellen. Ze herinnert zich de dagen uit die tijd maar al te goed.

Pollie is ook al uit haar doen. 'We hebben hier al heel wat ellende gezien, kinderen opgevangen die meer hebben meegemaakt dan een ander in een heel leven. Maar dit... Je vraagt je af waarom God zulke dingen laat gebeuren!'

Ze kwakt de koffiemokken op het aanrecht.

Anouk zegt scherp: 'Dat zie je verkeerd, Pollie. God is geen wrede God, maar een Vader. En dat zulke dingen gebeuren is een gevolg van de zondeval. Zie je een God voor je die staat te lachen bij de ellende van een oorlog, een moord, ziekte? Zeg, ik hoef jou toch geen lesje bijbelse geschiedenis te geven, wel? De tranen zullen worden gedroogd... Er is een belofte van een nieuwe hemel en aarde...'

Pollie moppert dat de hele wereld zulke vragen stelt, juist als er een ramp heeft plaatsgevonden. 'En dan zitten wij met de mond vol tanden. Want onze God is toch almachtig...?'

Anouk gaat op een stoel zitten. 'Pollie, ooit zúllen alle tranen worden gedroogd en krijgen we antwoord op al onze vragen. Tot het zover is, moeten wij zelf doen wat we kunnen om het leed te verzachten. En het helpen dragen, zo mogelijk. Lees de boekjes van Corrie ten Boom maar eens na. Wat die heeft meegemaakt, toen ze in het concentratiekamp zat... Ze heeft zelfs de moordenaars van haar zusje kunnen vergeven.'

Heidie zit strak voor zich uit te kijken. Vergeven... Ze heeft de Amerikaan nooit vergeven en nu, nu kan ze zichzelf niet vergeven dat ze Anna Marie heeft afgestaan. En Anouk... Ze voelt bijna iets als haat voor haar. Terwijl ze al die jaren zo goed voor Anna Marie is geweest.

'Drink jij nou eerst je koffie maar eens op.' Pollie kijkt bezorgd naar Anouk. 'En pas op voor je nieuwe kindje. Die is niet blij met een moeder die zo over haar toeren is!'

'Ik ben niet...' begint Anouk.

Dan schalt de bel door het huis, een geluid dat nagalmt. 'Het bestuur en ik ben weg. Pollie...'

Pollie geeft Anouk een duw in de rug. 'Ga jij maar naar de dames en heren. De koffie staat klaar en over vijf minuten klop ik op de deur!' Pollie schudt haar hoofd. 'Zwangere vrouwen...'

Heidie drinkt langzaam haar mok leeg. Die Pollie is me er één. Ze heeft het hart op de tong, maar ze is door en door te vertrouwen.

'Jij ziet ook pips, meissie. Trek je alles hier niet te veel aan. De hele wereld is vol ellende... als je doordenkt zou je er kapot aan gaan. Gelukkig zijn wij de baas niet. En doen kunnen we niks. Nou ja, wat geld overmaken na een ramp. Hier en daar gebeurt wel wat goeds. Dat weet ik best, hoor. Lees me alsjeblieft niet de les! Maar dat dit moest gebeuren... en nog wel kinderen van een man Gods!'

Heidie heeft ook geen pasklaar antwoord. 'Het is verschrikkelijk. Je kunt de kinderen eten en drinken geven, maar ze zullen zich lange tijd ongeborgen voelen. Beide ouders in een klap weg...' Heidie griezelt.

Pollie schenkt haar mok nog maar eens vol.

'Anouk liep door de hal roepend: "Haal Heidie... haal Heidie, háár hebben we nodig!"' Heidie verschiet van kleur. Ze wil hier niet nodig zijn.

Snel begint ze over een ander onderwerp. Wie Ewout de Smeding wel mag zijn?

Opgewekt ontrafelt Pollie zijn antecedenten. 'En muzikaal dat die kerel is... Maar hij heeft ook een eigen bedrijf. En veel geld. Van dat soort is hij. En ondertussen is hij op alle vrouwen hier verliefd geweest! Probeer hem maar niet in je netten te strikken, hij is een allemansvriendje! Houd jij je maar bij Philip, dat is een interessante

man. Zoals hij kan kijken... Je krijgt er kippenvel op je rug van!'
Heidie bloost. Je bij Philip houden! Hoe komt Pollie erbij!
Pollie steekt een vinger op. 'Ik hoor auto's aankomen. Ach, die stakkers. Hoe moet je ze benaderen?'
Heidie drinkt snel haar koffie op.
'Ik weet het niet, Pollie. Je hart laten spreken, denk ik.'
Ze haast zich naar de hal waar Philip bezig is de voordeur te openen.
Hij wenkt Heidie. 'Kom maar, Heidie, dit is mij ook een nummer te groot!'
De leidsters en Siem staan in een hoek bijeen op een kluit. Klaar om in te springen.
Vanuit de muziekkamer klinkt een riedel op de vleugel, alsof een pianostemmer bezig is.
De kinderen schuifelen achter elkaar naar binnen. De kleinste is het meest levendig, de situatie is hem nog lang niet duidelijk. Hij steekt een mollig handje op. 'Mama! Piano, mama!' roept hij luidkeels. Het maakt dat de grootste twee meisjes in tranen uitbarsten.
Heidie opent haar armen, ze zou ze alle zes willen vasthouden om te troosten. 'Ik ben Heidie, kom maar verder, allemaal. Jullie mogen hier logeren!'
Twee begeleiders lopen achter de kinderen aan naar binnen. Ze stellen zich voor en vertellen voor welke instantie ze werkzaam zijn.
Heidie voert het clubje naar de huiskamer, waar het momenteel rustig is.
'Kom maar aan de grote tafel zitten. Wat willen jullie drinken? Kijk, alles staat klaar. Maar ik wil eerst jullie namen weten!'
Alle kinderen hebben bijbelse namen.
David is de jongste. Hij wil niet zitten, maar duikt op het speelgoed af. Een zusje wil hem terugroepen. 'Laat hem maar!' zegt Heidie vriendelijk.
Het is duidelijk dat de kinderen een schok hebben gehad. Ze zitten als verdoofd naast en tegenover elkaar. De leidsters staan er onhandig omheen.

Philip heeft zich met de begeleiders teruggetrokken, om gegevens over de familie en de ramp die hun is overkomen te ontvangen. Heidie probeert zich in te leven. Wat is dat moeilijk! Meeleven, dat lukt wel. Voor even is haar eigen verdriet onbelangrijk. 'Wonen hier veel kinderen?'

Dat is Sam, Heidie schat hem op een jaar of tien, misschien elf. Ze vertelt wat ze zelf weet.

'Sturen ze broertjes en zusjes weleens weg? Ik bedoel dat de een blijft en de ander dan ergens anders heen gaat?'

Heidie zou het niet weten, maar komt hem tegemoet door te beweren dat kinderen uit een gezin bij elkaar horen.

Ze zijn allemaal donker van huid, hebben allemaal dezelfde bruine ogen waar de glans uit is verdwenen. Ze denkt dat het gezin een joodse achtergrond heeft.

Het zijn stuk voor stuk prachtige kinderen. Wie weet zijn er mensen die er een of twee willen adopteren. Afschuwelijk... dan worden ze toch gescheiden.

'Jullie mogen wel even rondkijken, als je wilt. Siem, zullen we met hen naar buiten gaan... of weet jij wat anders?' Siem, tot op heden de enige mannelijke leider, knikt.

'Kinderen die verdriet hebben, zijn gebaat bij het gezelschap van dieren. En die hebben we in overvloed!'

10

DE NIEUWKOMERS HOUDEN HEIDIE DE HELE DAG BEZIG, HAAR EIGEN verdriet en problematiek worden als vanzelf naar de achtergrond verdrongen. Tammie, die even een kijkje in het Poorthuis komt nemen, ziet het meteen. 'Waar werk al niet goed voor is, Heidie! Als je maar niet bezig bent met verdringing! Want dat loopt altijd een keer fout.' Nee, Heidie verdringt niets, daar zorgt het persoontje Ammie wel voor!

's Avonds besluit Heidie bij de zes kinderen Roosenboom op de kamer te gaan slapen. Het is duidelijk te merken dat ze het verblijf in het Poorthuis maar niets vinden. Ze lijken wel aan elkaar vastgekleefd. De een zoekt steun bij de ander. En dat is geen wonder. Heidie loopt even terug naar de villa om haar nachtspullen en toiletartikelen te halen. De drie moeders laten haar niet met rust eer ze alles omtrent het drama vertelt. 'Die kinderen hebben allemaal een trauma... dan hebben die van ons niks te klagen!' stelt Rietje vast. Ze is van plan haar eigen kroost voor te houden dat het allemaal nog erger kan in het leven.

Ook Philip is belangstellend: 'Meen je dat nou? De nacht bij hen doorbrengen. Het is een goed idee. Reken erop dat er een moment komt dat de waarheid ten volle tot hen doordringt... De dood is onherroepelijk. En als het zover is, Heidie, dan moet je me halen. En niet alleen gaan zitten tobben, beloof me dat! Ook al is het midden in de nacht. Ik ben toch al een lichte slaper.'

Heidie heeft op haar lippen om te zeggen dat ze dat al dacht. Gelukkig houdt ze haar opmerking op tijd binnen.

Ze belooft grif Philip in geval van nood te waarschuwen. Maar ze weet van zichzelf dat de nood dan toch wel erg hoog moet zijn!

Rachel en Lea, de twee oudsten, zijn goed van het feit doordrongen dat ze vader en moeder in dit leven niet weer zullen zien. Met tranen in de ogen zegt Rachel, terwijl ze de vierjarige David in z'n pyjama helpt: 'Lea en ik hebben de taak om voor de anderen te zorgen. Dat heeft mama vaak gezegd. Er waren weleens rebellen, die ons wilden aanvallen. Een keer is papa gewond geraakt... maar het liep goed af. Mama zou papa nooit alleen laten. Ze zei dan tegen ons: 'Als er wat gebeurt, dan vluchten jullie met de kleintjes. Sam en Maria zijn al tien, die kunnen best op zichzelf passen, weet je. Maar nu is het net of ze' ook niet ouder dan vier zijn...'

Heidie is diep bewogen met de zes wezen. Ze wil van alles voor ze doen, maar wat ze nodig hebben en waar ze naar verlangen, dat kan ze hun niet geven. De onmisbare ouders.

David en Eva laten zich gewillig in bed stoppen. Ze zijn doodmoe. Anouk heeft hen knuffels van haar eigen kinderen gegeven. Eva was meteen dol op de babybornpop van Ammie, die er twee heeft. En David valt in slaap met een aap die een enorm lange staart heeft. Hij heeft een knuistje om de staart gekneld.

Sam en Maria willen per se dat hun bedden naast elkaar worden geschoven. Ze blijven al liggend elkaar strak aankijken, een spelletje dat ze in onzekere tijden altijd doen, weet Lea te vertellen. 'Dat doen ze tot ze in slaap vallen!'

Heidie trekt de gordijnen dicht. 'Nu wij nog, maar wij hebben geen slaap, Heidie. Wil je een poosje bij ons blijven zitten?'

Dat wil Heidie. Ze nestelen zich aan het hoofdeinde van de bedden, die vanwege de ruimte ook al tegen elkaar aan staan.

'Iedereen is lief, ze willen allemaal dat we gaan praten. Maar dat kun je niet meteen zomaar... Lea en ik zijn zo bang dat we hier moeten blijven tot er een stel ouders zonder kinderen komt. Die willen natuurlijk allemaal de kleintjes... Sam en Maria, da's een tweeling, daar komt ook wel iemand voor. Lea en ik zullen achterblijven zonder dat we kunnen doen wat mama wil... Hoe moet dat nou toch, Heidie? Het was zo erg, die brand... De brand is aangestoken, dat hebben we mensen horen zeggen. Die dachten dat we uit Turkije kwamen en de mensen uit die buurt wilden alleen Nederlanders in die huizen. Lea en ik hebben meteen de kleintjes uit bed gehaald. En toen we buiten waren, mochten we niet meer naar binnen om de anderen te redden. Papa en mama sliepen op de zolder. Het was geen groot huis, weet je...'

Eindelijk komen bij Rachel de tranen. Ze huilt geluidloos. Heidie neemt haar stevig in haar armen. Ze weet zelf wat het is om een moeder te moeten missen. 'Lieverd, dan toch...' De ene avond moet je zelf getroost worden, de andere avond ben jij het die dat werkwoord in praktijk moet brengen.

Lea vervolgt haar verhaal. 'Ik hoor papa nog roepen: "Sam, Maria! Vlug, naar beneden..." Ze rollebolden de trap af en opeens klonk er boven een knal. Toen namen mensen ons mee... raar is dat, daar kan ik me niets meer van herinneren!'

Rachel snikt dat iemand ergens kleren vandaan toverde. 'En op een tafel, bij de overburen geloof ik, stond eten. Een ontbijt. De kleintjes deden net alsof er niets was gebeurd en gingen gewoon aan tafel...'

Lea huivert en ook bij haar komen de tranen. 'En Sam was net gek! Hij riep alsmaar: "Tatuuuu tatuuuuu!" En rende door die onbekende kamer. Maria werd zelfs bang voor hem. En toen kwam er een dokter. Onze papa was ook dokter. In Ethiopië was een heel klein ziekenhuis. Daar werkte hij, maar soms hielp hij mama ook op het schooltje, mama was daar juf, weet je. Waren we daar maar nooit weggegaan!'

Daar zit Heidie dan, met twee meisjes in haar armen. Ze heeft geen woorden van troost, maar wat ze geeft aan liefde en begrip landt bij beiden.

'Nu zijn onze ouders in de hemel bij de Here Jezus. Het kan niet anders, of ze zijn daar blij en zo. Dat hebben ze ons altijd geleerd. Maar hoe kunnen ze nu blij zijn zonder ons?'

Rachel, de oudste, meent een antwoord te hebben. 'Omdat ze weten, ze weten het gewoon, dat wij beiden voor de anderen zorgen. Misschien denken ze wel dat wij ook gauw komen. O, Heidie, waarom doen mensen zulke gemene dingen zoals het in brand steken van een huis?'

Heidie zegt maar niet dat het drama uitgebreid op de tv is geweest. En het laatste woord is daar nog lang niet over gesproken! 'Dat jij hier bij ons blijft slapen, is lief van je, Heidie. Heb jij nog een vader en een moeder?' Heidie vertelt dat zij al heel lang wees is. 'Ik heb bij een tante gewoond die niet altijd even aardig was. Tante Elizabeth. Ze vindt zichzelf erg deftig, weet je. Toen ik een meisje was, moest ik altijd dragen wat zij mooi vond staan en dat was in mijn ogen ouderwets. De kinderen op school plaagden me en vroegen of ik dacht dat ik een prinsesje was. Later ben ik naar een internaat geweest. Een meisjes- kostschool. En dat was ook niet echt prettig. In de vakanties ging ik altijd naar tante terug en dan maakten we een reis en we ontmoetten dan alleen oudere mensen.'

De twee luisteren geboeid. Heidie, ook wees, komt hun nader dan wie ook.

Als het tegen half elf loopt, stelt Heidie voor dat de meisjes even naar het toilet gaan en dan proberen wat te slapen. 'Als je ligt en wakker blijft, rust je toch ook uit!'

Rachel zegt dat eerst David naar het toilet moet worden gedragen. 'Hij plast nog weleens in bed. Maar hij wordt zwaar...'

Heidie tilt het slapende kind uit bed en inderdaad, hij is zwaarder dan hij eruitziet. Zuchtend en steunend doet hij wat van hem ver- wacht wordt.

'Dag mama!' zegt hij slaapdronken tegen Heidie. 'Dag lieverd!' fluistert ze.

Op hun blote voeten trippelen de meisjes over de vloerbedekking, schuiven tussen de lakens en de grijze deken. 'Ook nog een dekbed, ze denken zeker dat we kouwelijk zijn omdat we uit een warm land komen,' zucht Lea.

Dan is het Heidies beurt om zich even terug te trekken en gekleed in haar nachthemd duikt ze in het bed dat er nog maar net bij kon.

Als de kinderen allemaal allang slapen, tobt Heidie nog over het lot dat hun te wachten staat.

Het drama van het gescheiden worden hangt als het zwaard van Damocles boven hun hoofden. Maar misschien komt er een oplossing. De wonderen zijn de wereld nog niet uit!

De volgende ochtend wordt Heidie wreed gewekt door de harde handjes van David. 'Jij moet wakker worden, Heidie de peidie! En ik ben weer droog geweest. Mama zegt...' Dan klapt zijn mondje dicht, de bruine ogen worden groot. 'Ze zijn er niet... Ze zijn dood! Ja toch?' Heidie ziet eerst twee grote druppels over zijn roze wangen glijden. De vacht van de aap wordt als zakdoek gebruikt. De twee druppels worden gevolgd door een ware stroom. Het is goed dat de kinderen huilen, denkt ze.

Een voor een worden ze wakker en na een paar minuten zit de hele familie te snikken. Heidie denkt aan Philip. Wat denkt hij op momenten als dit te kunnen doen?

'Schattebollen van me...' Twee kinderen in haar armen, een hangt tegen haar rug en de 'kleintjes' zitten aan haar voeten. Heidie houdt haar ogen ook niet droog en huilt geluidloos met de anderen mee.

Zo vindt Anouk hen.

Zwijgend blijft ze in de deuropening staan om het tafereeltje gade te slaan. Dit, dit hier zal ze haar leven lang niet meer vergeten. Heidie lijkt wel een kloek met te korte vleugels.

'Lieve schatten, allemaal wakker, zie ik!'

David begroet Anouk met de woorden: 'Onze moeder is dood en onze vader ook!'

Anouk tilt hem op. 'Ik weet het, ik weet het, lieve jongen. Jij bent David? Ik heb een dochtertje dat net zo oud is als jij. Je moet maar eens komen spelen.'

David snikt dat hij Eva al heeft.

Heidie knikt. 'Ze zijn aan elkaar verknocht, ze hadden ginds natuurlijk geen andere blanke kinderen om mee om te gaan.'

Anouk neemt de touwtjes in handen. Ze stuurt de grote meisjes naar de badkamer. 'Na jullie de tweeling en ik neem de kleintjes mee om aan te kleden. Goed... Eva kan het zelf. En David ook, maar als ik help gaat het sneller.'

Heidie neemt een douche en trekt dezelfde bovenkleren aan als de vorige dag. Ze neemt niet de moeite om in de spiegel te kijken. Gelijk met de kinderschaar gaat ze naar beneden. De meeste bewoners zijn al naar hun scholen, in de box ligt een tevreden baby en een paar peuters zijn met poppen en een winkeltje in de weer.

'Jullie hebben het rijk alleen. Heidie, jij zorgt ook vandaag weer voor ze? Geweldig meid, ik zou zonder jou geen raad weten! Heb je enig idee wat je kunt gaan doen? Misschien een eindje wandelen? Of nog beter: breng mijn moeder een bezoekje! Ze mogen van mijn vader vast wel even in de bakkerij. Dat vinden alle kinderen prachtig, weet je!'

Als Anouk de huiskamer heeft verlaten, zegt Rachel griezelig beheerst: 'We hebben geen zin om te wandelen. We willen alleen maar met jou praten.'

'Ja!' vult Lea aan. 'Net als gisteravond. Toen ik wakker werd, was ik alles even vergeten, ik dacht dat we gewoon in dat huis waren. Maar opeens wist ik alles weer!'

Heidie zegt dat het altijd zo gaat.

'Ik neem jullie mee naar de villa, dat is een huis waar een paar vrouwen wonen die een tijdje zonder hun kinderen moesten leven. Omdat ze ziek zijn geweest... dat soort dingen. Nu moeten ze weer aan alles wennen. Het in huis bezig zijn, koken en wassen, met de kinderen omgaan en als dat allemaal goed gaat, kunnen ze terug naar hun eigen huis. Ik heb in de villa ook een kamer. Die zal ik jullie laten zien.'

Ondanks hun gemoedstoestand eten ze alle zes alsof ze uitgehongerd zijn.

'We hebben helemaal niks meer, geen kleren, ons speelgoed is verbrand... Nu zijn we net zigeuners of zwervers!' zucht de tienjarige Maria, die gevoel voor drama heeft. Heidie zegt te denken dat Anouk in de kasten vast wel kleren voor hen heeft liggen. 'Maar misschien is het goed als we straks naar het dorp gaan om iets voor jullie te kopen. Toen ik zo oud was als Rachel wilde ik bijvoorbeeld graag een dagboek.' David houdt zijn aap omhoog. 'Ik heb Jodocus Aap al!'

Later gaat het in optocht naar de villa. Tammie was net van plan hun een bezoekje te brengen en heet hen hartelijk welkom. 'Ik weet het allemaal. En echt, ik heb ook verdriet. Als er iets is wat we kunnen doen, moeten jullie het zeggen, hoor!'

Rachel kijkt haar nadenkend aan. 'Nou... misschien kunnen we hier wonen. Hier zijn niet zoveel kinderen. Vlak bij Heidie!'

Tammie knippert een paar keer met haar ogen. Vlak bij Heidie. Die heeft in korte tijd carrière gemaakt, dat blijkt!

'Er zijn nog kamers over, ook al zijn ze bestemd voor moeders, waarom zou het niet kunnen, Tammie? Ze worden overrompeld door de kinderen uit het huis.'

Tammie stribbelt tegen. 'Vergeet niet dat de kinderen van Rietje, Bea en Connie hier ook komen eten en spelen... Nou ja, dat zijn er maar zeven. Het is te doen. Als Anouk het goedvindt. Ga het haar maar vragen. Ik houd deze kinderen wel even bezig.'

Op dat moment komt Philip binnen met een stapel dossiers onder zijn arm. 'Denk ik: kom, laat ik hier even rustig mijn huiswerk doen... zie ik me daar een kinderschaar! Dag allemaal...'

Heidie glipt langs hem heen. Philip met zijn donkere ogen zou de vader van het stel kunnen zijn, bedenkt ze. Hopelijk kan hij iets voor hen betekenen.

In het huis gekomen hoort ze van Pollie Pieper dat Anouk naar huis is. Met tegenzin loopt Heidie het tussenpaadje af en gelukkig, ze ziet Anouk meteen al. Ze staat met Lucas te praten terwijl ze op een pony wijst die er lusteloos bij staat.

Nergens een Anna Marie te bekennen. Dom van haar, het kleine ding is natuurlijk naar school. Ze is immers al vier jaar!

'Is er iets aan de hand?' roept Anouk haar toe, terwijl Lucas het duidelijk zieke dier uit de wei haalt.

Heidie knikt en informeert wat er met de pony aan de hand is. 'Lucas wil hem onderzoeken. In orde is hij niet... Vertel op, zijn er problemen waar ik mee kan helpen?'

Het is Anouk om het even waar de kinderen de nacht doorbrengen. 'Ik krijg vandaag iemand van de kinderbescherming op bezoek. Ze zijn al bezig met plannen om hen bij pleeggezinnen onder te brengen.'

Heidie verschiet van kleur. 'Nu al? Ze kunnen niet zonder elkaar, echt niet. Het zou een misdaad zijn hen te scheiden. Echt, Anouk, het is nog te vroeg. Zeg maar tegen de mensen van de instanties dat ik wel een paar maanden voor hen wil zorgen. Mits ze hier mogen blijven!'

Anouk zuigt op een nagel en fronst haar wenkbrauwen. 'Je hebt gelijk, maar je weet niet hoeveel macht die lui hebben. Ik zal mijn best doen en anders halen we er Philip bij. Die komt nogal overtuigend over.'

Lucas zwaait naar haar en verdwijnt met het dier in een stal.

Samen met Anouk loopt Heidie terug naar het huis. 'Zeg hun maar niets over de jeugdzorg, Heidie. En mocht je Philip zien, vraag dan of hij even bij me wil komen. Samen staan we sterker!'

Het is alsof Philip een wonder heeft verricht. Hij zit op de grond met alle kinderen om zich heen. Wat hij te vertellen heeft, weet Heidie niet, maar ze hangen aan zijn lippen.

Tammie is in de keuken chocolademelk aan het maken, met hulp van Connie. 'Ik heb van mijn dode baby gedroomd. Er kwam een politiemacht op me af... M.E. erbij. Ze riepen de vreselijkste dingen... Gelukkig hoorde Tammie me huilen!'

Heidie luistert zonder er met haar gedachten bij te zijn. Rietje en Bea hebben samen de bovenverdieping een beurt gegeven en informeren of de koffie al klaar is.

'Het komt eraan!' zegt Tammie vriendelijk. Ze veegt haar vochtige handen af langs haar heupen, voelt dat de rok gedraaid zit. Ze schuift de stof zo dat de sluiting op de goede plek komt te zitten. Haar blouse hangt nonchalant over de rok en is scheef dichtgeknoopt.

Heidie maakt haar erop attent. Tammie grinnikt. 'Wat wil je, haast, haast. Die ene rakker van Rietje, Dirk, maakte me toch een kabaal om niets. Ik ben achter uit mijn keel gaan brommen en daar had meneer niet van terug. Jawel, ik kan donderen als een sergeant eerste klas!'

Con-nie begint te giechelen en stoot Heidie aan. 'Alleen de pet ontbreekt nog!'

Achter elkaar lopen ze met de beladen dienbladen naar de huiskamer. Rietje en Bea zijn al bij de kinderen gaan zitten, ook al geboeid door wat Philip vertelt.

'Koffie en chocolade!' galmt Tammie.

'Straks gaan we verder!' belooft Philip. Hij pakt een kop koffie van Heidie aan en informeert naar de nacht. 'Alles rustig. Maar het ontwaken was emotioneel. Trouwens: Anouk heeft je hulp nodig in verband met de jeugdzorg die meent de kinderen al bij pleeggezinnen onder te moeten brengen!' Heidie weet nog net op tijd haar stem te dempen.

Philip kijkt Heidie strak aan en zegt dat dit de gewone procedure is. 'Wat had jij in gedachten?'

Heidie pleit voor de kinderen, Philip houdt geen oog van haar af. Als ze uitgepraat is en bijna buiten adem, zegt Philip vriendelijk: 'Als ik ooit een pleitbezorger nodig heb, zal ik aan jou denken!'

'Ik heb me opgeworpen als hun persoonlijke begeleidster. Ik voel dat ik het moet doen... alsof het me gezegd is!'

Philip kreunt dat ze niet over stemmetjes uit de hemelse gewesten moet beginnen. 'Want dan halen ze de kinderen hier meteen weg. Maar ik stem wel in met je plan, meisjelief. Als het klikt tussen de kinderen en jou, is het een misdaad hen van je te scheiden. Ik zal mijn best doen.'

Het is Heidie alsof zij beiden verbonden zijn door een onzichtbare band, te midden van de anderen. Philip kijkt zo doordringend, ze zou willen weten of hij het ook zo voelt.

'We halen straks de fietsen uit de schuur en dan maken we met het kroost een tochtje. Tussen de middag eten we ergens pannenkoeken...' Heidie geeft hem een speels duwtje. 'En jij zou Anouk terzijde staan... Nee, ik verzin hier wel iets voor hen. De oudste twee willen praten en nog eens praten. Ik wil met hen naar het dorp om wat persoonlijke spullen te kopen!'

De drie moeders zeggen wel mee te willen. 'We willen helpen... ze krijgen van ons wat leuke dingen.'

Heidie zegt het te waarderen. 'Alles wat even kan afleiden, is medicijn. Verder moeten we het van de tijd hebben. Die heelt alle wonden, zeggen ze!' Ze valt even stil en zegt dan vurig: 'Maar dat is een leugen!' Ze heeft het zo luid gezegd dat de stemmen stilvallen. Heidie heeft het gevoel of ze letterlijk in haar hemd staat. Of ze iets van haar zielenroerselen heeft prijsgegeven. Ze grijpt haar inmiddels lege koffiekop en haast zich de kamer uit met Philip op haar hielen.

In de gang grijpt hij haar pols. 'Wat is er, Heidie?'

Heidie rukt zich los. 'Meneer de psych, jij bent wel de laatste aan wie ik dat zou vertellen. Maar er is niets mis, hoor je me? Niets! N I E T S!' Heidie die uit haar slof schiet, haar stem verheft en bijna snauwt!

Ze rent naar de keuken en hoort nog net, voor ze de deur achter zich dichttrekt, dat Philip kalm zegt: 'Wel dus!'

Zo heeft iedereen een vol ochtendprogramma. Anouk en Philip ontvangen een delegatie en krijgen nog meer nieuwe gegevens over het gezin.

Heidie loopt aan kop van de stoet die door de Welgelegenlaan richting het dorp loopt. De moeders voelen zich belangrijk, ze vergelijken hun situatie met die van de kinderen en niets helpt zo goed tegen problemen als luisteren naar die van een ander.

Rachel en Lea zijn niet weg te slaan van Heidie. Ze hebben haar allebei een arm gegeven. En ze praten, praten, praten.

In het dorp is een winkel van Sinkel waar van alles en nog wat te koop is. De winkelier koopt restpartijen van fabrieken op evenals de voorraad van zaken die failliet zijn. Of zaken die, zo weet Heidie inmiddels, bijvoorbeeld brand- of waterschade hebben gehad.

De jongste kinderen lijken even hun situatie te vergeten. Ze vliegen op het speelgoed af. De winkelier en zijn vrouw zijn nieuwsgierig van aard. Heidie vertelt heel kort wat de reden van hun bezoek is en meteen is het echtpaar bereid hen met korting iets te laten uitzoeken.

De oudste twee gaan op zoek naar een dik schrift dat als dagboek kan dienen. 'Ik heb wel echte dagboeken, meisjes, met een sleuteltje. Kom maar mee. En dan krijg je er van mij een pen bij.'

Eenmaal weer op straat hebben alle kinderen een gevuld plastic tasje in hun handen. 'Ik wil iets van kleding voor ze kopen!' bluft Bea, ze zegt het zo luid dat een passerende fietser omkijkt.

'Die grote meisjes vooral... Leer mij de meisjes kennen. Ik heb er zelf twee!' Ja, Bea heeft een tweeling en dat schept een zekere band met het groepje. Heidie is bang dat de vrouwen, nu ze in een emotionele stemming zijn, te veel geld zullen uitgeven. 'De maand is nog niet om, lieve moedertjes!' probeert ze hun luchtig een hint te geven.

Na nog een uur winkelen is Heidie het beu. De kinderen zijn moe, dat is aan alles te merken.

Een ijsje, ja, er moeten ijsjes komen. De drie moeders kibbelen over wie dat mag betalen. 'Ik ga wel met de pet rond,' beslist Heidie.

Zo komen ze toch nog bij bakker Verhagen terecht. Een ijsje uit de diepvries? Die krijgen ze toch zeker gratis van de zaak!

Bazige Bea legt het ingezamelde geld op de toonbank. 'Doe hier maar snoep voor. Of hebben jullie dat niet?' Rolletjes snoep te over. Ook goed.

Likkend en sabbelend wordt de tocht voortgezet. 'We moeten opschieten!' roept Bea. 'Zo meteen staan onze kinderen op de stoep!' Tammie heeft ondertussen de tafels uitgeklapt op het grootste formaat en gedekt is er ook al.

Het is weer Bea die de leiding denkt te kunnen nemen. 'Handen wassen, kinderen! En leg je tasje ergens neer waar het veilig is!'

Sam en Eva staan hand in hand in de gang als Heidie hen passeert. 'Moeten we in het vervolg naar haar luisteren, Heidie? Heb jij hier niks te zeggen?'

Voor het eerst in vierentwintig uur schiet Heidie spontaan in de lach. 'Wis en drie wel! Kom, doe maar wat ze zei. Geef mij jullie tasjes maar. De kinderen die zo thuiskomen, hebben van die graai-graai-handjes!'

Het is een opgewekte Philip die op tijd is voor de middagboterham. Hij vertelt dat de jeugdzorg hun plan niet verwerpelijk vond, integendeel. 'Maar er moet wel overlegd worden. Zo gaan die dingen. Maar Anouk en ik hebben goede hoop!'

Hij schuift bij Heidie en haar volgelingen aan tafel. 'En vanmiddag gaan we op de fiets. We maken ons lekker moe... dan slapen we vannacht als roosjes!'

Eva klapt in haar handen. 'Dat zegt mammie ook altijd. Ze zegt dan: "Roosenboompjes, jullie moeten nu als roosjes gaan slapen! Zes roosjes aan een boom...!"'

Jessie, de oudste van Rietje, zegt ruw: 'Jullie moeder is toch dood! Die kan niks meer zeggen!'

Heidie denkt: au, dat doet zeer! Heel kort legt Philip een hand op de hare. 'Zo is het nu eenmaal in dit leven, meisje Heidie. Jouw pijn krijgt van de buitenwereld vaker dan je lief is zout in de wond gestrooid!'

Op een moment als dit is het alsof ze elkaar begrijpen, en ook nog eens haarscherp aanvoelen. Wat is het toch dat hen bindt?

'Fietsen!' doet Heidie enthousiast. 'Wat jullie niet kunnen weten is dat de familie Van Dinkel, de mensen die hier in dit huis hebben gewoond, ons een vracht nieuwe fietsen heeft laten brengen! Die gaan we vanmiddag inwijden!'

De kinderen van de moeders protesteren en even is het net een straatdemonstratie tegen vermeend onrecht.

'Stilte en eten!' roept Tammie, die met haar zware stem en staand nog meer indruk maakt.

Hoewel de dag nog niet half voorbij is, voelt Heidie zich oververmoeid. Ze is Philip dankbaar voor zijn hulp.

Na de lunch moeten de schoolkinderen weer op pad. Ze kijken naijverig om naar de zes kinderen met hun door de zon gebruinde huid. Rietje bekt duidelijk hoorbaar dat ze dankbaar mogen zijn. 'Jullie hebben je moeder tenminste nog!'

Met gebogen hoofden lopen de Roosenboompjes achter Heidie aan. 'Eigenlijk hebben Lea en ik geen zin!' zucht Rachel. Heidie legt een arm om de smalle schoudertjes. 'Dat is toch logisch, lieverd. Dat zul je nog wel heel vaak denken, vrees ik. Maar we gaan toch. Jij kunt als niemand anders op David letten. Zonder jouw toeziend oog is hij in staat de vreemdste dingen te doen!' Heidie zegt wat haar het eerst voor de mond komt.

'Dat is zo... Moet je horen wat hij eens heeft uitgespookt... We moesten er later wel om lachen...'

Rachel en Lea vertellen samen, elkaar in de rede vallend, over een bepaald voorval dat beiden nog goed heugt. Ze lachen heel even onbekommerd.

En dan zijn ze bij de schuur waar de nieuwe fietsen staan te blinken.

David, zo besluit Philip, gaat bij hem achterop. En geen gemopper!

Rachel steunt hem door te zeggen dat David als eerste klaagt dat hij moe is en terug wil. 'En als we dan de volgende keer zeggen dat hij niet mee mag, staat hij te krijsen: "Mee! Méé!" Nou, dan nemen we hem mee maar we zijn nog geen tien meter verder of hij zeurt: "Terug... terug..."'

Philip deelt de fietsen uit.

Voor de rit kan beginnen, moeten Heidie en Philip hun eigen fiets nog bij de villa uit de garage halen. En als ze op de lommerrijke Welgelegenlaan rijden, grinnikt Philip naar Heidie dat ze wel een ouderpaar met hun kroost lijken. Hij zegt het zo zacht dat geen van de kinderen het hoort. Heidie remt wat af en gaat achter hem rijden. Een ouderpaar...

'Stoppen voor het spoor, de bomen gaan dicht!' commandeert Philip en als op dat moment David zijn donkere kopje tegen de rug van Philip aan vlijt en hij zijn grote mannenhand beschermend over het hoofdje laat gaan, schieten Heidie alweer de tranen in de ogen.

Wat zou het zestal gebaat zijn bij een vader als Philip!

11

De begrafenis van het echtpaar Roosenboom is ondanks de soberheid, toch een officieel gebeuren. Er zijn afgevaardigden van verschillende instanties die met de zending van doen hebben. Ook zijn er veel leden van de kerk die hen uitzond.

Er is aandacht voor de kinderen, in de kerk is zelfs voor hun onderhoud gecollecteerd. En twee hoogbejaarde tantes, beiden een Roosenboom, zeggen de kinderen alvast hun erfenis toe, buiten het bedrag om dat ze vrijgemaakt hebben om de kinderen, waar dan ook, op weg te helpen.

De kinderen staan aan elkaar gekleefd, zo lijkt het, vooraan en dat maakt diepe indruk op alle aanwezigen. Vooral op de toegestroomde pers.

Zolang de brandstichter of brandstichters nog niet gevonden zijn, is het gebeurde dagelijks op tv en radio.

David interrumpeert voortdurend de sprekers, zowel in de kerk als op het kerkhof. Want papa en mama in die kisten, dat kan toch niet?

Het is wonderlijk zo goed als de kinderen zich houden. Philip en Heidie hadden alles verwacht, maar niet de stoïcijnse kalmte. Volgens Philip komt de klap later alsnog.

Heidie vond het wreed om het zestal mee te nemen, maar Anouk en Philip waren van mening dat het hen zal helpen in de rouwverwerking.

'Zachte heelmeesters maken stinkende wonden, Heidie!'

Toch is Heidie dankbaar als de plechtigheden voorbij zijn. Na thuiskomst gaan de kinderen stilletjes hun gang. Heidie houdt ze onafgebroken in de gaten. De kinderen van Rietje en Bea doen aandoenlijk hun best goede maatjes met het zestal te worden en het schijnt te lukken.

De kleine Robbie van Connie wordt als een speelpop beschouwd, het kind laat met zich sollen.

De moeders zien tevreden toe. Hun kinderen gedragen zich eindelijk zoals ze gedroomd hebben!

Tammie neemt Heidie apart. 'Kom, we moeten hoognodig praten. Jij bent nu al een paar dagen in de weer met die Roosenboompjes en ik denk dat je niet aan jezelf toekomt! Hoe gaat het met je... en met de plannen om te vertrekken?'

Ze zitten samen op de bank voor het huis en slaan van daaruit de spelende kinderen gade. Heidie sluit haar ogen. Ze haalt haar schouders op. 'Ik denk er nog net zo over als toen ik het je vertelde, Tammie. Het is dat die kinderen me nodig hebben. Anouk heeft geen tijd en de leidsters hebben allemaal hun eigen bezigheden. Ik weet niet hoe lang ze hier zullen blijven. Anouk wil ze voorlopig niet scheiden. En het lijkt erop dat de instanties met haar meewerken. Het is ook te erg voor woorden... zoals ze vanmiddag daar stonden... zo flink en sterk. Alleen David, die riep dingen die iedereen wel had willen roepen!'

Tammie legt even een hand op die van Heidie. 'Het leven is niet gemakkelijk. We moeten leren ermee om te gaan. Het gaat niet om dat wat je ervaart, maar om hoe je erop reageert. Aan feiten kun je niets veranderen. Maar je kunt jezelf wel onder handen nemen als je merkt dat je meegezogen wordt door de problemen. Zoals jij nu. Wat zou je willen dat er gebeurde... wat is reëel?'

Heidie volgt met haar blikken de vlucht van een koolwitje dat heftig fladderend op zoek is naar bloeiende planten. 'De klok terugdraaien. Onder ogen zien dat ik een kind heb, tante Elizabeth ermee confronteren. En Leidie, ik wil Leidie weer in het land van de levenden terug. Dat is wat ik zou willen. Maar dat is onmogelijk. Dus volgende optie: Anouk het kind afnemen. Op mijn rechten staan, ook al heb ik die verspeeld. Maar... wat houdt dat in?'

Ze weten beiden al te goed wat dat teweeg zou brengen in het leven van Anouk en Lucas, maar nog meer in het bestaan van Ammie.

Heidie beheerst zich. Ze zou willen roepen: ik moet het zijn die haar helpt met haar huiswerk, haar troost als ze verdriet heeft, haar voorlicht als ze nog wat ouder is, haar door de pubertijd heen helpt en troost als de verliefdheden op niets uitlopen. Erbij zijn als ze de bruid is en nog later mij tot grootmoeder maakt!

Tammie zwijgt met haar mee. Ook zij weet niet wat het beste is. Waarschijnlijk openheid van zaken. En vooral het kind ontzien. Hoe is het om de biologische moeder bij dat gezin te betrekken?

'Ik wil zo graag weg. Maar het is of ik hier met duizenden draden word vastgehouden!'

Ze kijken beiden naar Philip, die voorbijfietst en met brieven in zijn hand naar hen zwaait.

'Die zit ook niet lekker in zijn vel!' stelt Heidie vast. Ze duwt haar gevoelens voor hem uit alle macht weg. Hij heeft haar, zonder het te weten, veroordeeld. Haar gedrag veroordeeld. En hij heeft gelijk... Een beetje moeder zorgt zelf voor haar kindje!

'Hoe kom je daarbij?' Tammie fronst haar wenkbrauwen. Er komen grappige rimpels in haar voorhoofd, ziet Heidie. Ze benijdt de oudere vrouw om haar ongekunstelde charme. Charme die leeftijdloos is. 'Ik heb hem 's nachts weleens door de tuin zien spoken. Een en al onrust. Heeft hij jou nog niet ook als biechtmoeder gebruikt? Dan komt dat vast nog wel. Wie weet wat hij heeft meegemaakt. Een ongelukkige relatie... Het kan van alles zijn. Maar vaststaat dat hij geweldig is in de omgang met kinderen. De leraren op school zijn gek op hem. Ze komen zelfs bij hem met kinderen die gewoon bij hun ouders wonen!'

Tammie wil terugkomen op Heidies eigen zorgen, maar dat lukt haar niet.

Later lopen ze samen door het park terug naar de villa die nog steeds geen naam heeft en in de wandeling het 'moederhuis' blijft heten.

Philip krijgt gelijk: de oudste twee en ook Maria krijgen het voor bedtijd te kwaad. Heidie verzorgt de anderen terwijl Tammie en Philip de verdrietige wezen proberen te troosten.

David slaapt het eerst in, met Jodocus Aap in zijn armen.

Heidie blijft nog wat praten met Sam en Eva. Ze leest Eva voor uit haar favoriete boek en Sam, die meeluistert, doet net alsof hij niets hoort.

Nadat ze zijn ingestopt, informeert Eva of ze, net als de kinderen uit het grote huis, naar school zouden kunnen. 'Het is fijn om te fietsen en te spelen, maar naar een echte school gaan vinden wij zo spannend!'

Heidie belooft erover te zullen spreken. Misschien is het een goed idee.

Later op de avond volgt ze een bespreking met de drie moeders. Ook Anouk komt erbij. En Philip vertelt hoe het in het moederhuis reilt en zeilt.

Anouk is verbaasd te horen dat de vrouwen nog het meest aan het lotgenotencontact hebben. Rietje giechelt: 'We zijn net schoolblagen die hun best doen een goed cijfer te halen. We krijgen vaak van Philip op onze kop dat we iets fout doen. Maar hij zegt het nooit waar de kinderen bij zijn en dat waarderen we echt!'

Heidie kijkt tersluiks naar de man waar ze meer aan denkt dan goed is voor haar. Ze dwingt zichzelf zijn woorden te onthouden. Ze mag niet vergeten dat hij haar tot de waardeloze moeders rekent die de verantwoordelijkheid voor een baby van zich hebben afgeschoven en gelijk heeft hij.

Die gedachte helpt haar de nodige afstand te houden en teleurstelling te voorkomen.

O! Ze merkt goed dat hij belangstelling voor haar heeft en ze vraagt zich af hoe het mogelijk is dat een man met zijn uitstraling, uiterlijk en goede opleiding, geen vriendin heeft. Hij spreekt niet vaak over zichzelf. Eigenlijk weet ze zo goed als niets van hem.

Philip lijkt te voelen dat ze hem observeert en als hij zijn hoofd naar haar toe draait, kruipt Heidie zo diep weg in haar stoel dat ze voor hem uit beeld is.

'Lotgenotencontact! Dat is het. Dat we het zelf niet bedacht hebben! Je hebt tegenwoordig op alle gebieden lotgenotencontacten. Dat het zo goed functioneert had ik niet durven denken! Maar vertel eerlijk, meiden, hoe ervaren jullie de omgang met de kinderen. Verandert er iets... bij jullie zelf of bij de kinderen? Komen de adviezen van Philip en Tammie over?'

Daar willen ze alle drie wel iets over kwijt. Vooral Rietje zegt dat ze zich veel sterker weet. 'Ik ben de moeder, ze hebben naar mij te luisteren. Ik moet niet hoeven schreeuwen of smeken... Soms is het net of ze menselijker worden!'

Dat vinden de onderwijzers ook, weet Philip uit de eerste hand te vertellen.

Anouk kleurt van genoegen. Ze gaan de goede kant op. Het proefproject is nog niet afgerond, maar het heeft er de schijn van dat het een succes wordt. Vanavond nog gaat ze het mailen aan de Van Dinkels!

Geluidloos kruipt Heidie aan het eind van de lange avond in haar bed. Haar hoofd tolt van alle gebeurtenissen. Ze duwt haar gezicht in het kussen, maar dat mag niet baten.

Opeens schiet haar het feestje van tante Elizabeth in de gedachten. Hoe kon ze dat vergeten! Zou Philip er nog aan gedacht hebben? Belofte maakt schuld, Elizabeth zou het haar nooit vergeven als ze niet kwam opdagen.

Net als ze wegzakt, hoort ze de zoldertrap kraken. Philip, de nachtbraker?

Ze luistert met gespitste oren naar de summiere geluiden die van beneden komen. Zie je wel, hij opent de tuindeuren.

Ze glijdt uit bed en sluipt naar het raam. Het is een heldere nacht, de maan is vol. Even is ze in de ban van de schoonheid van de nacht. Dan ziet ze Philip gaan.

Net als de vorige keer zoekt hij de bank op.

Hij zet zijn ellebogen op zijn knieën en steunt zijn hoofd in de handen.

De denker van Rodin, vindt ze. Omdat ze zelf weer klaarwakker is, besluit ze ook naar beneden te gaan. De kinderen slapen vast, hun ademhaling is regelmatig. Hopelijk is hij de afspraak niet vergeten. Ze schiet in haar duster van badstof en trekt de band strak om haar middel. Op blote voeten loopt ze de trap af en eenmaal buiten op het gras, dat nattig aanvoelt, huivert ze van kilte.

'Philip... kun je ook niet slapen na deze drukke dag?'

Philip schrikt en toont een emotie die ze niet van hem gewend is. Hij is altijd beheerst en heeft zichzelf in de hand. Nu niet. Hij springt op en gaat weer zitten en kijkt alsof Heidie hem ergens op betrapt.

Ze gaat zo kalm mogelijk naast hem zitten.

Philip schraapt zijn keel en even later is hij weer zichzelf. 'Inderdaad. Het was een emotioneel gebeuren. Ik denk vaak over de toekomst van die kinderen na. En als vanzelf stuit je op levensvragen. In theorie heb je zo van die vastomlijnde ideeën. Maar de praktijk van het leven staat daar vaak lijnrecht tegenover. Word je niet te koud?'

Heidie schudt haar hoofd. Ze vertelt wat haar straks is te binnen geschoten.

'Had jij er nog aan gedacht?'

Philip moet bekennen dat het hem ook ontschoten was. 'Kunnen we de kinderen aan de anderen overlaten? Ze zullen het ooit toch ook zonder ons moeten stellen, wie weet hoe snel al!'

Heidie krijgt een wild plan. 'Dan nemen we ze toch mee... Ik zou weleens willen weten hoe mijn tante daarop reageert. Die schrikt zich groen en grijs!' Philip lacht zacht mee en schuift iets dichter naar haar toe.

'Het zou een goed excuus kunnen zijn om niet al te lang te blijven. Het is het overdenken waard.'

Heidie denkt na over de mogelijke reactie van haar tante. Misschien is het wel goed om haar eens met de problemen van anderen te confronteren.

'Ze zullen de enige kinderen zijn. Ik zou kunnen zeggen: ik kom met de kinderen of helemaal niet!'

Nog wat dichterbij schuift Philip en voorzichtig legt hij een arm rond haar schouders. Ze legt in een automatisch gebaar haar hoofd op zijn harde schouder. Ze ruikt zijn frisheid, zijn haar is nog vochtig van een douche.

Waarom, o waarom moet ze iedere toenadering afkappen? Ze kan niet met leugens leven. En het is niet te verdragen te moeten horen hoe hij over haar denkt en over wat ze gedaan heeft.

'Heidie...'

Heidie schudt wild haar hoofd. 'Niet doen, niets zeggen... Ik ga weer naar bed, de kinderen zouden wakker kunnen worden en dan moet ik er voor hen zijn... Fijn dat je met me meegaat, bedankt!'

Ze rent op haar blote voeten over het gazon en in een mum van tijd is ze uit Philips gezichtsveld. Hij versombert. Ze moet hem niet. Geen wonder. Een man als hij... Een man die heeft gefaald. Zelfs nu, terwijl ze nog zo goed als niets van hem weet, voelt ze intuïtief aan dat hij geen partij voor haar is.

Eenmaal terug in haar bed trilt Heidie als een rietje. Warm worden lukt maar niet. Ze is uit haar doen. Het had een haartje gescheeld of Philip had haar gekust en ze had niets liever dan dat gewild. Ze kreunt van spijt en verdriet om iets wat niet mag zijn.

'Ik doe het, ik neem ze mee!' besluit Heidie de volgende ochtend. Tammie zegt bezorgd: 'Zou je dat nou wel doen, Heidie?'

Heidie zegt luchtig dat ze zin heeft om te provoceren. Philip laat het gebeuren. Hij was het feestje en de uitnodiging ook vergeten en moet daarom andere afspraken die hij gemaakt heeft, afzeggen.

Gelukkig mogen ze Lucas' auto lenen. Een ruim model met drie rijen zitbanken. De kinderen zijn wel in voor een uitstapje.

Wat voor soort feest is het?

Dat valt moeilijk uit te leggen. En als ze stoppen voor de liefelijk gelegen villa, worden ze alle zes even stil. 'Dat is een deftig huis!' vindt Sam en stoot met Jodocus zijn zusje aan om haar reactie te horen. 'Een heel deftig huis, Sam!'

Maria en hij hebben bijna hetzelfde timbre in hun stem.

Heidie kijkt, opeens bezorgd, naar de rij keurig geparkeerde wagens. Tjonge, wat had ze straks nog een moed. Die is nu ergens diep weggezonken.

Philip ziet haar denken en grijnst van oor tot oor.

Het is net een klein schoolklasje dat naar de voordeur toe wandelt. Heidie is er trots op dat de kinderen er keurig uitzien. Bovendien, vindt ze, zijn het mooie kinderen met hun lichtbruin getinte huid. Ze hebben sprekende ogen en ze zijn prima opgevoed.

De huishoudster van tante Elizabeth opent de deur en doet verschrikt een paar stappen achteruit. Ze vergeet te groeten.

Heidie heeft op haar lippen om te zeggen: 'Verboden voor honden en kinderen.'

'Dag mevrouw Wunderink. Dit hier is een collega en deze kinderen zijn aan onze zorg toevertrouwd. Ik weet zeker dat u voor hen wel iets extra lekkers hebt!'

Met Heidie voorop lopen ze door de hal naar de tuin die een feestelijk aanzien biedt. Alleen al de goed verzorgde plantenbakken zijn de moeite waard om te bekijken.

Elizabeth is gekleed in een lichtblauwe japon en ze draagt een doorzichtige stola over haar schouders. De aanwezige gasten staan met een glas in hun hand om haar heen.

Opeens valt het gezelschap stil. 'Dag tante... Ik heb me toch vrij weten te maken, wetend dat u mijn komst waardeert. Ik heb een vriend meegebracht en de kinderen waar ik momenteel de zorg voor heb. Ik zal ze aan u voorstellen.'

Ze duwt Rachel naar voren en somt op: 'Rachel, Lea, de tweeling Maria en Sam, Eva en de kleine benjamin die David heet. Het zijn de kinderen van het zendingsechtpaar waar u vast wel over in de krant hebt gelezen!' Die laatste opmerking is een wanhoopsinval.

Elizabeth is sprakeloos. Ze staart haar nicht aan alsof ze van een andere planeet komt. Ze houdt de smalle hand van Rachel vast en vergeet 'm los te laten.

De gasten beginnen zacht door elkaar te praten. Een goede kennis van Elizabeth slaakt een kreetje. 'Maar natuurlijk zijn we van dat drama op de hoogte. Wie niet in dit land, zou ik zeggen! Ach ach och...'

Rachel trekt voorzichtig haar hand terug en geeft Lea een por. Alsof ze op audiëntie zijn.

De kinderen worden door de dames en heren ingesloten. Het ene hartelijke woord volgt op het andere. En wat geweldig dat Elizabeth hen heeft uitgenodigd. Wat doet Heidie ook alweer voor werk?

Er arriveren nog meer gasten, allen zonder kinderen. Een ober die meer van een marionet weg heeft dan van een mens, biedt op een zilveren schaal de heerlijkste hapjes aan. 'Als het maar geen vis is, want daar moet ik van spugen!' roept David luidkeels.

Philip zuigt zijn wangen naar binnen in een poging zich te beheersen, wat niet meevalt. Geleidelijk aan komt Elizabeth weer tot zichzelf. Ze richt zich tot Heidie, die er in een zomers, niet veel gedragen jurkje, lief uitziet.

'Je vriend, zei je? Een speciale vriend of...'

Heidie kust haar tante op beide wangen. 'Nee, nee. Hij is meer... of eh... gewoon, een collega.'

Een paar dames branden van nieuwsgierigheid. Hoe is dat toch gekomen, die brand? Hoe zijn de kinderen eronder? En wat een mooie kinderen!

Bijna had Heidie eruitgeflapt: 'Ze zijn in de aanbieding!'

Een nog jonge vrouw die sinds kort in de buurt schijnt te wonen, troont de kinderen mee, verder de tuin in. 'Daar is een doolhof, weten jullie wat dat is?'

Heidie is haar meer dan dankbaar. Ze accepteert een glas en drinkt het leeg zonder te proeven. 'Het is geen limonade, dame!' meent Philip te moeten zeggen. Hij duwt haar in de richting van een bankje. 'Ik weiger trouwens door jou als een "of" gezien te worden. Dat is me te onpersoonlijk!'

Zijn donkere ogen vleien en zeggen haar dat ze de moeite waard is, er leuk uitziet en meer van dat soort dingen.

Heidie grijpt een tweede glas van een dienblad dat voorbijkomt. Ze horen de stemmen van de kinderen die blij klinken, zoals kinderstemmen horen te klinken.

Heidie voelt zich slecht op haar gemak. Ze kijkt strak naar Philips neus om zijn ogen niet te hoeven zien. 'Ik ga weg bij het Poorthuis zodra er een bestemming voor de kinderen is gevonden. Als zij niet waren gekomen, was ik diezelfde dag al weg geweest.'

Daar schrikt Philip toch wel van. 'Kom nou. En je scriptie dan? Het lijkt me niets voor jou om pardoes van plannen te veranderen!'

Heidie schokschoudert.

'Dat gaat je niets aan. Het is puur mijn eigen zaak. Ik... ik weet niet wat ik in de toekomst ga doen. Lak aan een titel.'

Philip kijkt om zich heen. Heidie is in weelde grootgebracht, ze kan het zich waarschijnlijk permitteren om zonder duidelijke reden van plannen te veranderen. Ze verdwijnt dus bijna sluipend uit zijn leven. Kan hij dat laten gebeuren? Ze is een open vrouw, maar zodra hij letterlijk en figuurlijk te dichtbij komt, klapt ze dicht. Als een oes-ter.

David komt aangerend met een 'eng beest' in zijn handjes. 'Wat is dat voor een dier? Zulke zag je in Ethiopië ook maar dan vééééééél groter!'

Philip zegt vriendelijk dat het een klein soort hagedis is. 'Zet hem maar terug op een veilig plekje, jongen. Hij vindt het niet fijn in mensenhanden!'

De gasten blijven nieuwsgierig naar het wel en wee van de kinderschaar.

Als die ouders in een ver land waren omgekomen, hadden ze het kunnen begrijpen. Maar hier, in het vertrouwde vaderland... Of ze de daders al hebben?

Heidie is daar niet goed van op de hoogte. Er zijn wel mensen opgepakt die er zijdelings mee te maken hebben, nu is het hopen dat ze tijdens verhoren doorslaan en namen noemen.

Het bezoek is honderd procent aangenamer dan Heidie had verwacht. Ze maakt zich los van Philip en loopt het huis in. Op haar eigen kamers zoekt ze wat kleding uit die ze nodig heeft nu de dagen warmer worden. Ze komt in de verleiding om voor het raam te gaan staan en Philip vanuit een veilige plek gade te slaan. Een paar mannen staan en zitten bij hem op de plaats waar ze hem heeft achtergelaten. Hij spreekt, gesticuleert met beide handen. Hij is een mensenman, vindt ze. Achter in de tuin ziet ze af en toe een stukje van een van de rennende kinderen. Het voelt alsof het haar eigen kinderen zijn. Ze houdt van hen, net als de anderen in het Poorthuis. Ze zijn beleefd, goed opgevoed en zorgen telkens voor de nodige verrassingen.

Een knappe, jonge vrouw gaat naast Philip zitten en Heidie bijt op haar onderlip van jaloezie. Hij schijnt het leuk te vinden wat ze vertelt.

Ze legt een hand tegen haar hart en ze kan een bezitterig gevoel niet van zich afzetten.

Met pijn wendt ze zich af. Dan peutert ze het geheime laatje van haar bureau open. Daar ligt een mapje met foto's van Anna Marie. Ammie. Ze heeft een rolletje volgeschoten. Een pasgeboren kindje. Ammie, tien dagen oud, twee weken. Dat is alles wat ze nog van het kind heeft. Ze bergt de foto's op in haar handtas. Misschien heeft ze die binnenkort nodig.

Het afscheid is meer dan hartelijk. Elizabeth zegt: 'Ik weet niet wat ik ervan moet zeggen, Heidie. Fijn dat je kon komen. Dat heeft me erg blij gemaakt. En dat onverwachte gezelschap... Ik ben dankbaar dat mijn gasten er positief op hebben gereageerd. Als ik iets voor die kinderen kan doen... ik bedoel financieel... dan moet je het laten weten.' Elizabeth lijkt geschokt. Ze is ruw geconfronteerd met pijn, rouw, leed. Voor het eerst in haar leven voelt Heidie warmte voor haar tante. Ze slaat haar armen om haar heen. 'Wat ben ik blij dat u zoiets zegt. Ik zal het niet vergeten. Er wordt voor hen gezorgd... Ze zijn doodsbang uit elkaar te worden gehaald. Maar wie adopteert er nu zes kinderen?'

Elizabeth kust zelfs de kinderen, stuk voor stuk. Ze mogen nog eens terugkomen. En dan moeten ze vertellen over hun zendingsreizen.

Heidie krijgt een paar bankbiljetten in de hand gedrukt. 'Steek ze op mijn kosten maar eens in het nieuw. Ze zien er netjes uit, daar niet van. Maar of de kleding die ze nu dragen kwalitatief goed is, durf ik te betwijfelen.'

Ook Philip is goedgekeurd, hij mag ook terugkomen. 'Het is lang geleden dat Heidie een vriend heeft meegebracht om aan mij voor te stellen!' Philip kust haar hand en glimlacht. 'Het was me een genoegen!'

Eenmaal buiten zegt David: 'Waarom zegt ze "veur te stellen"? Het is toch 'voor te stellen'?'

'Joh, zo praten erg deftige mensen!' zegt Eva met overtuiging.

De kinderen kruipen gewillig terug op hun plekje in de ruime wagen. 'Het is verleidelijk om er met ons allen vandoor te gaan!' roept Philip, voor zijn doen uitgelaten. 'Heidie! Waar gaan we heen?' Heidie slaat een hand voor haar mond. Op stap. Ze wil het liefst naar huis.

'Ik weet wel een leuke plek!' zegt Philip en start de motor.

De kinderen zijn vol van hun belevenissen. Ze hebben dingen gegeten die hun onbekend waren. En ook het drinken was lekker koud. En al die mensen waren zo aardig tegen hen!

Philip begint te zingen, een bekend maar al oud liedje over een luchtballon en al snel zingt het koor met hem mee.

'We zaten met een zucht,
al boven in de lucht,
we zaten met ons allen in een schui-huit-je.
En niemand kon ons zien!
We hadden pret voor tien,
Lang leve de zeppelihiehien!'

Ook Heidie laat zich horen. Onverwacht krijgt ze een diep geluksgevoel. Maar als Philip afslaat naar kasteel Roozendaal, krijgt ze een vaag vermoeden. Ze wil hem de pret niet ontzeggen, maar zijn idee lijkt haar niets.

'Dat kasteel heet "Roozendaal". Geen boom, maar "daal". Nu moeten jullie eens afwachten wat er gebeurt!'

Nee, de tuin bezichtigen is niets voor hen. Voor vandaag hebben ze tuin genoeg gehad. Ze lopen over de paden en zijn bijna de enige bezoekers.

'Daar, op die steentjes, moeten jullie gaan springen en dan zul je eens wat beleven... dan komen de bedriegertjes jullie plagen!'

Argeloos volgen ze zijn bevel op en na wat heen en weer gespring gebeurt het onverwachte! Uit allerlei kieren en openingen spuit water, het houdt op om elders opnieuw te sproeien. Ze gillen van schrik en pret.

'De bedriegertjes... Waar zitten ze dan... Kunnen ze ons zien?' roept Eva.

'We worden nat... lekker nat! Kom dan ook, Philip!'

Even later dansen Heidie en Philip tussen het kroost en al snel zijn ze net zo nat als de kinderen. Opeens stopt de watertoevoer en nog na gillend van plezier rollebollen ze even later over het gazon.

'Ik ben wat je noemt...' Heidie kijkt ontdaan naar haar jurk die tegen haar lichaam kleeft.

'Nat!' vult Philip aan. Hij kijkt haar plagend aan en omdat ze beseft dat ze net zo goed hier zonder kleding zou kunnen staan, kleurt ze als een pioenroos. Alles plakt en kleeft tegen haar lichaam.

En als Philip dan ook nog eens zegt dat ze net een plaatje is, een mooi plaatje wel te verstaan, kan ze maar een ding doen: de uitgang van het park opzoeken.

De auto wordt nat, gelukkig is Lucas geen Pietje Precies.

'Hoe verzin je zoiets!' klaagt Heidie. Philip kijkt met een scheef lachje opzij. 'Noem het zoals je wilt. Therapie.'

En dan, opeens ernstig: 'Ik heb jou tenminste weer echt zien lachen. Dat doe je veel te weinig. Ooit kom ik erachter wat daar de reden van is!' Heidie zet haar handtas stevig op haar schoot.

Wie kaatst, kan de bal verwachten. O, zo!

'Best, maar na jou, meneer de nachtwandelaar!'

De kinderen blijven lachen en praten, voor even was hun leven weer gewoon zoals het was.

Maar de twee volwassenen hullen zich in zwijgen, tot het Poorthuis in zicht komt.

12

AARZELEND EN MET LICHTE TEGENZIN HEEFT HEIDIE TOCH HAAR VOOR-
bereidingen wat betreft de scriptie weer opgevat. Ze is zo bezig met
het onderwerp en heeft zoveel inspiratie dat het jammer zou zijn alles
in een klap op te geven.

Tammie juicht het plan van harte toe. 'Je bent in de grond van de
zaak een flinke en sterke vrouw, Heidie. Doe wat je moet doen en
misschien is het voor jou 't beste om dan afstand te nemen. Alles in
rust overdenken!'

Het gaat goed met de drie moeders en Rietje krijgt er al zin in om
weer naar huis te gaan. Volgens haar zijn de kinderen geschrokken
van wat de familie Roosenboom is overkomen. Ook de leraren op
school klagen minder over de Hoekstra-clan. Bij hen is de juiste snaar
geraakt.

Bea is nog niet zover. Ze blijft iedereen uit haar eigen omgeving de
schuld geven van haar problemen. Eens heeft Philip – met haar toestemming – een gesprek tussen hen beiden opgenomen. Daarin was
duidelijk te horen hoe geraffineerd ze de ander de zwarte Piet toe-
speelde. Ze schrok er zelf van.

Voor Philip betekende dit toch een stap in de goede richting.

Anouk heeft het zo druk dat ze zich amper met het moederhuis kan
bemoeien. Bovendien speelt haar zwangerschap af en toe een behoor-
lijke rol. Ze is snel moe en ook de hogere zomerse temperatuur
ervaart ze als negatief. Zo komt het dat ze af en toe Heidie vraagt haar
te helpen met de kinderen.

Vreugde en bittere pijn vermengen zich in Heidies gemoed. Ze gaat
steeds meer van de kleine Ammie houden. Dat is wederzijds, weet
Anouk te vertellen.

'Af en toe denk ik: het is Heidie voor en Heidie na... Ik heb niets meer
te vertellen!'

Zulke woorden zijn als een injectie met geluk. Alleen beseft Anouk
dat niet.

De vier jongste kinderen Roosenboom gaan naar school en ze genieten.

Rachel en Lea zouden naar de mavo kunnen gaan, die in het dorp is gevestigd. Maar dat zien ze beiden niet zitten. Bij hen is het gemis van de ouders het sterkst te merken. De andere kinderen hebben bij vlagen verdriet, maar gaan al snel weer over tot de orde van de dag.

De meisjes helpen Heidie als ze op de kinderen van Anouk en Lucas moet passen. Samen doen ze boodschappen of wandelen door het bos. Rachel en Lea praten, Heidie luistert.

Lea is begonnen met het schrijven van gedichten. Het lijkt op Sinterklaasrijm, maar dat krijgt ze van Heidie niet te horen.

Mijn ouders zijn dood.

Het verdriet is groot.

Maar ze zijn bij de Heer.

En toch doet het zeer.

Het is zo ver weg.

Dat is dus de pech.

Nooit zeggen we meer samen:

'Laten we bidden' en 'amen'.

Als op de dag van de muzieklessen Ewout opduikt en op zoek gaat naar Heidie, vindt hij hen na lang zoeken in een van de pannenkoekhuisjes. Kleine prieeltjes die door de kinderen die bijnaam hebben gekregen omdat er af en toe een pannenkoekfeestje wordt gevierd.

'Hier zit je dus met je gevolg!' Hij dolt met Frits, knuffelt Ammie en maakt voor de meisjes een deftige buiging.

Dan gaat hij zitten, met Ammie op schoot. 'Zingen!' commandeert Ammie.

Ewout is verrukt van haar heldere stemmetje. 'Dat wordt nog wat, Heidie! Laat eens horen, Ammie, hoe mooi jij kunt zingen!'

Hij zet een eenvoudig kinderliedje in en gewillig als ze is, zingt Ammie gelijk mee. Heidie krijgt er tranen van in haar ogen. Haar kind, haar dochtertje!

Ewout vertelt dat Anouk nog niets van zanglessen wil weten. 'Toch moet ik haar zover zien te krijgen. Volgens mij heeft het kind goud in haar keeltje!' Ammie moet vreselijk lachen om dat goud. Ze spuugt een keer op de grond en roept: 'Ik zie geen goud, oom Ewout!' Dan richt hij zich tot Rachel en Lea die geen oog van hem afhouden. Of ze muzikaal zijn, informeert hij.

Rachel vertelt lachend dat ze in Ethiopië hebben leren trommelen. 'Dat was leuk. En onze mama heeft ons viool leren spelen. Eigenlijk wilde ze dat we piano leerden spelen, maar dat was onmogelijk.'

Ewout klapt in zijn handen.

'Dan weet ik het goed gemaakt. Jullie gaan met mij mee naar de muziekkamer. We hebben nog wel een paar kleine violen. Kom, Heidie, jou wil ik er ook bij hebben!'

Ewout slingert Frits op zijn schouders en zet een vrolijk marslied in. Ammie loopt met stampende voetjes achter hem aan.

Rachel fluistert in Heidies ene oor: 'Wat een leuke man is die Ewout. Is hij verliefd op je?' Lea begint te giechelen.

'Ik hoop het niet!' zegt Heidie ernstig. Ze vindt Ewout ook sympathiek, maar met zijn gevoel voor humor kan ze niet omgaan.

Eenmaal in de muziekkamer is Frits niet te houden. Hij ramt op de vleugel, mept met twee stokjes op de zijkanten van de drumsteltrommels.

Heidie pakt hem op schoot. Frits moet blijven zitten, anders... Ze kan geen 'anders' verzinnen. Hij is nog zo klein, bedreigingen komen niet over.

'In de buggy, anders moet hij in de buggy, dat zegt mama altijd en dat helpt, hoor Heidie!'

De meisjes kijken verlangend naar de violen, die door Ewout gestemd worden. 'We kunnen het niet erg goed, niet zo goed als papa en mama, hoor, Ewout. We kunnen nog niet van die trillers maken. En dat soort dingen!'

Toch is Ewout verrast als hij hoort hoever ze al gevorderd zijn. Er moet nogal wat aan de techniek worden gesleuteld, hij is een meester in het overbrengen daarvan.

Heidie kijkt geboeid toe. Zolang Ewout aan het lesgeven is, lijkt hij een ander mens. Serieus, geduldig en gedreven.

Na verloop van tijd komen de kinderen die wekelijks muziekles hebben, binnendruppelen. Tot Heidies verbazing is daar ook de oudste van Rietje bij. Jessie verklaart: 'We hebben op school blokfluitles. En dat vind ik leuk. Daarom ben ik meegekomen.'

Ewout begroet haar warm. 'Welkom bij de club!'

Rachel en Lea mogen de instrumenten mee naar de villa nemen, plus een standaard en een paar boeken. 'Goed oefenen, als het kan dagelijks!' beveelt Ewout met een knipoog naar Heidie.

Zo komt het dat Rachel en Lea toch een doel voor ogen hebben. Wat niemand lukte, heeft Ewout voor elkaar gekregen.

En geoefend wordt er. Tammie heeft hun toestemming gegeven in het kantoor te oefenen. Want 'dat kattengejank' vinden de moeders niet om aan te horen. 'Het is toch geweldig!' meent Tammie.

Het is Heidies beurt om samen met Tammie te koken. Ze zitten nooit om een gespreksonderwerp verlegen. Zoals vaker wordt er over de moeders gesproken. 'Rietje verlangt naar haar eigen bedoening. Dan komt er plaats voor een ander. Ik moet je eerlijk zeggen dat ik drie vrouwen genoeg vind, Heidie! De gesprekken zijn intens, er komt veel los. Soms praten we uren achtereen en je moet er niet aan denken dat je moet zeggen: dat was het dan, nu is nummer zoveel aan de beurt. Tot morgen maar weer... Begrijp je wat ik bedoel?'

Heidie zegt dat het voorlopig nog om een proef gaat. 'Maar jij bent geweldig met hen, Tammie. En je schrikt niet als ze vervallen in een ordinair boeventaaltje, om het maar simpel te zeggen. Je houdt ze een spiegel voor...'

Macaroni à la Tammie. Veel snijden en hakken van groenten, een wok vol rul gehakt en kruiden waar Heidie nooit aan gedacht zou hebben.

'Ik denk, Tammie, dat je letterlijk genoeg hebt gemaakt voor een weeshuis!'

Tammie wil per se een korstje op de schotel hebben en schakelt de grill van de oven in. 'Het ruikt fantastisch!' meent Heidie terwijl ze de rommel op het aanrecht begint op te ruimen.

Tammie knikt. Ze is warm geworden van het koken, haar wangen zijn rood en over haar voorhoofd kruipt een straaltje zweet.

'Om op ons vorige onderwerp terug te komen... Rietje is dol op haar vier kinderen, dat is gebleken. Ze kan ze nu goed aan. Natuurlijk neemt ze hen mee, al is het vanzelfsprekend weer op proef. Mocht het misgaan, dan kunnen ze altijd terugkomen, heeft Anouk gezegd. Voor zulke gevallen is er altijd ruimte gereserveerd!'

Geen van beiden heeft gemerkt dat de keukendeur is geopend. Het meisje dat met de hand op de knop klaarstaat om naar binnen te gaan, is buiten hun gezichtsveld.

De kinderen... op proef. Als het misgaat, kunnen ze terugkomen... Er is altijd plaats voor 'zulke gevallen'...

Rachel staat als aan de grond genageld.

Het gaat over hen. Ze heeft het duidelijk gehoord. Vier kinderen, dat zijn David, Eva en de tweeling! Er is een pleeggezin gevonden.

Rachel laat de deurkruk los en haast zich naar Lea die haar viool zorgvuldig teruglegt in de kist. Ze ontspant de strijkstok. Ze voelt zich prettig, raar is dat. Het komt door de muziek. Mama zei vaak dat muziek je boven de dingen van de dag uit tilt. En het blijkt waar te zijn.

Rachel komt binnen, duwt de deur van het kantoor dicht en gaat er met haar rug tegenaan staan.

'Slecht nieuws, Lea! We moeten hier weg. Ze komen vier van ons halen. En dat kunnen we niet toestaan! Ik wil voor de anderen blijven zorgen. Jij toch ook? Kom, dan gaan we naar buiten om een plan te bedenken. Het moet geheim blijven. Ze mogen de kleintjes niet wegpikken!'

Hand in hand hollen ze over het gazon naar de bank onder de boom die heerlijk veel schaduw geeft.

Lea huilt zonder geluid te maken. Rachel geeft haar een por. 'Niet doen, Lea. Wij zijn de oudsten en dus ook de wijsten. We vluchten. Waarheen bedenken we nog wel. Er moeten kleren mee, en ook eten. Vanavond aan tafel moeten we zo veel eten als we op kunnen. Koekjes kun je zo uit de voorraadkast halen. En brood ook. Drinken nog en dan kom je een heel eind.

Denk eens aan wat de mensen in oorlogen moeten doen om veilig te zijn!'

'Je lijkt wel vastgeroest in het Poorthuis!' klaagt Ellen, de juf van school. 'Als ik je wil zien, moet ik een afspraak maken, bijna in drievoud!' Heidie lacht maar wat. Ze kan het goed vinden met Ellen, maar ze delen niet hun meest intieme gedachten. Samen een eind wandelen of fietsen, lekker in de natuur zijn. Daar houden ze beiden van.

Een avondje naar de bioscoop, dat behoort tot de zeldzaamheden. 'Het was een leuke film, dat vond ik tenminste. Dat mag in de krant, want de meeste films vind ik niets aan!' Ellen is het met haar eens. 'Straks, als het zomervakantie is, kunnen we vaker leuke dingen doen. Ik ben dit jaar niet van plan een verre reis te maken, zoals anders. Na thuiskomst heb ik dagen nodig om weer bij te komen. En voor je het weet is de lange vakantie om. Dit jaar wil ik ons eigen landje doorkruisen, het liefst met jou! Of...' – Ellen rijdt haar wagentje de oprit van de moedervilla in – '... misschien met die leuke muziekleraar van jullie. Ewout de Smeding. Kun je niet iets voor me regelen? Desnoods nodig je Philip ook uit als vierde man.'

Heidie glimlacht in het duister. Het is een donkere nacht. Ze opent het portier en zet haar voeten op de grond.

'Ewout schijnt eeuwig en altijd op de verkeerde verliefd te zijn. Je kunt best een poging wagen. Ik zal weleens iets verzinnen. Of... je kunt toch goed pianospelen? Wel, dan ben je absoluut welkom op de dagen dat hij muzieklessen geeft. Probeer het maar uit!'

Ellen gaat grif op het voorstel in.

'Slaap lekker!' wenst Heidie haar toe. Ze kijkt de achterlichtjes na en zucht een keer diep. Best gezellig, zo'n avondje uit. Ware het niet dat haar gedachten telkens een bepaalde kant op willen!

Langzaam loopt ze over het goed verlichte pad naar huis, steekt de sleutel in het slot en sluit de deur weer zorgvuldig. Ketting op de haak.

Langzaam en zonder geluid te maken loopt ze de trap op. Ze is de enige die nog op is. Haar ogen glijden omhoog, naar de zoldertrap. Philip. Onbereikbaar voor haar.

Na het bezoek aan de badkamer loopt ze onhoorbaar naar de grote kamer die de Roosenboompjes toegewezen hebben gekregen. Als was ze hun moeder, zo liefdevol stopt ze hen, voor ze zelf gaat slapen, nog even toe.

Van buiten komt bijna geen licht, de gordijnen zijn stijf gesloten. Maar het nachtlampje in de gang zorgt ervoor dat ze nergens tegenaan loopt, het geeft voldoende licht.

Zo te zien zijn alle zes de kinderen in diepe rust. Ze liggen diep onder het dek. Geen plukje haar steekt erbovenuit, geen ontspannen handje dat buiten boord hangt te zien.

David slaapt het dichtst bij de deur, vanwege zijn nachtelijke plas.

Heidie speurt onraad. Ze voelt met een hand onder het dek, voelt niets anders dan een hoofdkussen. Ze trekt het dekbed weg en tot haar ontzetting is er geen spoor van David te vinden.

Een spelletje van hem? Of...

Geen Eva, geen Maria en Sam. Ook Rachel en Lea doen mee aan het spel. Alle zes hebben ze hun kussen onder het dek gestopt om haar te foppen.

Heidie knipt het grote licht aan en kijkt om zich heen. De bedden zijn net een ravage, de rest van de kamer is in orde. Maar ze mist iets. De stoelen aan het voeteneind zijn leeg. Geen kleren, geen schoenen. Ze kijkt onder de bedden, speurt in de niet gebruikte kamers. Beneden mist ze aan de kapstokken hun zomerjassen. Dat kan maar één ding betekenen.

Heidie vliegt de trap weer op. Met maar één gedachte: Philip wekken. Zonder zich om de slapende mensen te bekommeren rent ze de zoldertrap op. Kloppen is in noodsituaties overbodig. Ze duwt de kamerdeur open en verwacht Philip in bed te zien liggen.

Niets is minder waar. Hij zit ineengedoken op de grond, met gekruiste benen en de armen slap langs zijn lichaam. Om hem heen liggen paperassen kriskras door elkaar. Zodra hij merkt dat hij niet langer alleen is, springt hij met een soepele beweging overeind alsof hij gestoken is. 'Jij! Kun je niet kloppen? Waar zijn je manieren? Je overvalt me en daar heb ik een enorme hekel aan!'

Hij let niet op Heidie, ziet niet dat ze ontdaan is. In plaats daarvan raapt hij schielijk zijn papierwinkeltje bij elkaar en propt de stukken in een map waar hij vervolgens twee dikke elastieken omheen prutst. Heidie hoort amper wat hij zegt.

'De kinderen zijn weggelopen... Kleed je aan en help zoeken!' Weg is ze al weer. Tammie, die weet misschien meer.

Tammie slaapt altijd heel licht, ze staat onder aan de trap op Heidie te wachten. 'Wat is er aan de hand? Is Philip niet goed?'

Heidie knelt haar beide handen om een arm van Tammie, die er in haar nachtpon van flanel lief en ouderwets uitziet. 'De kinderen zijn weg. Alle zes. Is er iets gebeurd? Wat moeten we doen?'

Voor de zekerheid speurt nu ook Tammie de kinderkamer af naar een teken van leven. 'Denk je echt dat ze ervandoor zijn? Waar moeten die stakkers naartoe? Ze hebben niemand... Kom, laten we eerst goed zoeken. Ha, daar is Philip. Zoek jij buiten, Philip? Vergeet niet in de pannenkoekhuisjes te kijken. Dat zijn voor kinderen ideale verstopplekjes!'

Philip mijdt oogcontact met Heidie. Hij propt zijn overhemd slordig in de band van zijn broek, kamt met de vingers van een hand door zijn haar.

'Weten jullie het zeker... liggen ze niet onder hun bed?'

Heidie laat hem zijn gang gaan, ook hij wil de kamer inspecteren. Zelf rent ze naar beneden. Nergens een spoor van de deugnieten.

Ze begrijpt niet dat ze lust hebben ervandoor te gaan, ze hebben het hier zo goed, ze krijgen aandacht, eten en drinken. Rachel en ook Lea zijn oud en wijs genoeg om dat te beseffen.

Tammie komt even later aangekleed beneden. 'Ik prakkiseer me suf, Heidie. De oudste twee waren juist zo in hun sas met de violen! Ze hebben vlijtig in het kantoor geoefend! Hoe halen ze het in hun hoofd?'

Philip loopt langs hen heen met een grote zaklantaarn in zijn hand. Ze zien hem in het licht van de buitenlampen naar de garage lopen. Hij is al snel terug. 'De fietsen zijn ook weg. Het zijn geen kinderen die het avontuur zoeken. Waar zouden ze heen moeten? Ik denk dat we de politie moeten inschakelen en er niet mee moeten wachten tot morgen!'

Tammie loopt naar de keuken, zet een ketel water op en haalt de theepot uit een kast. 'Ik vind dat we eerst Anouk en Lucas dienen in te lichten. Het is hun taak de politie te bellen. Je kunt hen niet passeren, Philip. Wil jij naar hen toe gaan? Dat is beter dan bellen, lijkt me. Ik zet een grote pot thee, misschien heldert thee ons verstand op!'

Heidie kijkt naar buiten en zucht. 'Het begint te regenen, Tammie. Wat moeten die domme kinderen nu, midden in de nacht! Ik voel me schuldig, want ik ga zoveel met ze om, ik had moeten weten dat er iets niet in orde was! Ze hebben zo normaal als wat aan tafel gezeten...'

Tammie zegt ook voor een raadsel te staan.

Niet veel later is de huiskamer vol ongeruste mensen. Lucas heeft inmiddels haastig het grote huis aan een onderzoek onderworpen. Nergens een spoor te vinden.

Tammie schenkt thee en kijkt vol verwachting naar Lucas. 'Wat vind je, Lucas, meteen de politie bellen? Misschien zwerven ze nog hier in de buurt. Anouk?'

Anouk staat het huilen nader dan het lachen. 'Ik vraag me telkens af of ze contact met iemand van buiten hebben gehad. Er gebeuren tegenwoordig zulke rare dingen, je gaat van alles denken, toch?'

Lucas trekt zich terug in het kantoor, waar hij rustiger kan bellen dan in de huiskamer. Heidie vertelt over het enthousiasme van de meisjes wat de muzieklessen betreft. 'Ewout ging zo leuk met hen om. Hij heeft ze geïnspireerd, weet je! En de andere vier gaan met plezier naar school, dat hoorde ik straks nog van hun juf Ellen!'

Philip ontwijkt nog steeds oogcontact met Heidie, ze heeft geen rust om daarover na te denken. Wel weet ze dat hij zich betrapt wist. Misschien heeft hij een geheim, net als zij. Wie weet.

Lucas komt terug en zegt dat er zo snel mogelijk twee agenten zullen komen. 'Dat gaat in de nacht niet zoals overdag. Die lui worden opgepiept en hopelijk bevinden ze zich niet ergens aan de rand van de regio. We kunnen niets anders doen dan hopen en nadenken!'

Heidie neemt de zaklantaarn en besluit op haar eigen houtje buiten te gaan neuzen. Het nietsdoen maakt haar bloednerveus.

Ze ziet het al met grote letters in de krant staan: 'Kinderen van door brand overleden zendelingen ontvluchten het tehuis waar ze sinds hun dood woonachtig zijn...'

Het is ondoenlijk om het hele terrein in de donkere nacht af te zoeken. Bovendien begint het gestaag te regenen.

Er hoeft niet lang op de politie gewacht te worden. Drie wagens rijden achter elkaar het terrein op. Heidie slaakt een zucht van verlichting. Nu staan ze er niet meer alleen voor. Ze haast zich naar binnen. Twee agenten zitten al klaar om ieders mening te noteren. Dat niet alleen, er moeten vragen worden beantwoord. Wanneer zijn ze het laatst gezien? En waar? Hoe gedroegen ze zich?

Tammie zet nog maar eens een pot thee en een kan koffie voor de politiemensen. Ze weet zich goed te beheersen. Althans: uiterlijk. Van binnen ziet het er anders uit.

De drie moeders zijn wakker geworden, maar gelukkig slapen hun kinderen vast. Ze klampen zich aan elkaar vast, ze voelen zich verbonden.

Buiten speuren de andere agenten het terrein af, de stralenbundels van hun lantaarns zijn krachtig en geen plekje wordt vergeten.

Volgens de agent die de leiding heeft, zijn de kinderen volgens een plan te werk gegaan. 'Maar de vraag is: met welk doel? Kennen ze iemand hier in de omgeving? Zijn ze bang gemaakt? Heeft iemand hen – of een van hen – op een vervelende manier benaderd? Alles moeten we weten!'

Heidie kijkt steels naar Philip, die zich weer volkomen hersteld heeft. Hij is weer de zelfbewuste kerel die zich niet door omstandigheden laat beïnvloeden. Hij vraagt Heidie zelfs om een kop koffie voor hem te halen.

'Niets gevonden!' deelt een van de agenten mee, die buiten heeft gezocht. 'Alles uitgekamd. Maar ja, dat zwembad... Zou het mogelijk zijn...'

Anouk schiet uit haar slof. 'Je kunt tot op de bodem kijken... U denkt toch niet dat ze collectief...'

Na een halfuur zijn ze nog niets verder. Na een paar koppen koffie vertrekken twee auto's met de agenten om buiten het terrein op zoek te gaan. Wat in het donker niet zal meevallen. 'Ergens moeten ze toch de nacht doorbrengen?' Anouk drukt zich rillend van angst tegen Lucas aan.

'Probeer kalm te blijven, lieverd. Denk aan de baby!' fluistert hij in haar ene oor.

Niemand denkt aan slapen.

'Heidie...' Philip probeert haar aandacht te trekken. Ze schudt haar hoofd. Ze ziet nog zijn boze hoofd, hoort de harde stem die zo lelijk tegen haar deed. Ze heeft geen zin in verontschuldigingen. Ze kijkt hem kil aan en schudt haar hoofd.

In puzzels is ze nooit erg goed geweest. Hoe zou ze dan ooit het raadsel van de verdwijning van zes kinderen kunnen oplossen?

De kinderen zijn doodmoe, alle zes. Vooral Lea en Rachel die de jongste twee als een zware last achter op de fiets hebben. Na ruim een uur rijden over het gladde dek van een fietspad, zijn ze goed gevorderd op weg naar hun doel. Als het maar niet regende.

Er moet een plekje voor de nacht worden gezocht. David en Eva zijn het gevoel voor avontuur allang kwijt, de anderen zwijgen.

'Ik denk dat we buiten deze plaats wel een boerderij vinden. Kunnen we in het hooi slapen. Dat zie je op films weleens. Of ergens in een hok!'

David begint te klagen.

Hij wil naar huis, naar zijn warme bed. 'Het is niet leuk! Jodocus vindt het akelig!' zegt hij gedecideerd. Rachel, aan het eind van haar Latijn, blaft hem af.

Over de weg naast het fietspad rijdt het verkeer snel voorbij. Niemand schenkt aandacht aan de vier fietsers. Ze hebben geoefend wat ze zullen zeggen als ze worden aangehouden.

'Daar, volkstuintjes, Lea! Zie je dat, er staan ook kleine huisjes bij. Misschien is er een open!'

David wil weten wat volkstuintjes zijn.

'Stil jij!' moppert zijn oudste zus.

Ze stappen af en duwen de fietsen met veel moeite over een droge greppel. Om het stuk grond is gaas aangebracht, dat zich gemakkelijk laat neerduwen. Een paar konijnen schieten rakelings langs hun voeten, pardoes de tuin in, op weg naar worteltjes. Rachel draagt David, Lea loopt voorop. Ze knipt een zaklantaarntje aan, een kleine bundel licht voor haar voeten is genoeg om op het pad te blijven.

Ze voelt aan de knop van het eerste huisje, de deur geeft niet mee. 'Probeer die van dat andere huisje eens, die is groter!' fluistert Rachel. Ze laat David op de grond ploffen, haar armspieren trillen en weigeren dienst.

'Allemaal op slot!' jammert Lea zacht. Sam duwt haar opzij. 'De meeste mensen verstoppen hun sleutel op een veilig plekje. Ze verwachten hier geen dieven... denk ik. Ik ga zoeken, geef me de lantaarn, Lea!'

Maria kent haar broer als geen ander. 'Dat heeft hij uit een stripboek. Zeker weten!'

De kleine jongenshanden voelen langs richels en gleuven, tevergeefs.

Opeens denkt hij het te weten. 'Daar, daar hangt een klomp met een naam erop. Hij hangt te hoog. Voel eens, Rachel, misschien zit hij daarin!'

Rachels vingers woelen tussen de steeltjes van een hanggeranium. 'Hebbes!' Ze kan wel juichen. Het slot van de deur is goed geolied en achter elkaar stappen ze over de drempel. Rachel laat de lantaarn rond schijnen. Wat ze zien, bevalt haar. Er zijn tuinstoelen, kussens en zelfs een paar dekens. 'Kom, dan gaan we wat eten en drinken. Daarna slapen we tot morgen heel vroeg. Heb je de wekker wel meegenomen, Lea?'

Ze maken het zich zo gezellig mogelijk. David is enthousiast als hij een camping-wc aantreft.

Lea is bezorgd: ze mogen geen sporen achterlaten.

Ze leggen de kussens naast elkaar op de grond en alles wat maar even als dek kan dienen, trekken ze over zich heen. Zelfs een geruit tafelkleedje.

Ondanks dat hebben ze het nog koud. De regen klettert zacht op het dak, het is een slaapverwekkend geluid.

De koplampen van het verkeer toveren grillige lichtflitsen langs de muren en het plafond. 'Het is een leuk huisje...' zucht Lea voor ze door de slaap wordt overmand. Rachel vouwt onder het dek haar handen. Ze heeft God de Heer nu wel erg nodig. Hij kent de gevaren die ze tegen kunnen komen, Hij kan hen daarvoor behoeden. Maar toch... toch draagt zij als oudste de verantwoordelijkheid.

'Voor zulke gevallen is er hier altijd plaats...'

Die woorden hameren door haar veel geplaagd hoofdje.

13

Terwijl bij het krieken van de nieuwe dag de zoektocht wordt voortgezet, ontwaken de zes jonge vluchtelingen.

Rachel neemt de leiding zoals gewoonlijk en Lea is de gewillige assistente.

Eerst om de beurt naar het kleine toilet. Dan gezichten opfrissen, een schone onderbroek en sokken aantrekken en de haren kammen.

Ondertussen maken de beide oudste kinderen een boterhammetje klaar. Brood met kaas, een bekertje melk. Er is voor iedereen nog een appel. Daarmee is de voorraad proviand op.

De jongsten treuzelen, Rachel wordt driftig en deelt bevelen uit. Ze moeten maken dat ze wegkomen, zonder sporen achter te laten.

Lea vindt dat ze beter naar buiten kunnen gaan, dan ruimt zij alles snel op. 'Doe maar, Rachel. En laat ze niet zichtbaar op het fietspad gaan staan... Je weet nooit hoever ze gaan zoeken!'

Handig veegt ze met een stoffer de kruimels naar de deur. 'Voor de vogeltjes...' mompelt ze tegen zichzelf.

Het kleed, dat verkreukeld is, vlijt ze zorgvuldig over de tafel. Kussens terug op hun plaats. Ze kijkt speurend om zich heen. Ze is het toilet vergeten. Met een stuk toiletpapier poetst ze de rand zo schoon mogelijk en voor de zekerheid duwt ze een paar seconden op een luchtverfrisser. Op het mini-aanrechtje ontdekt ze nog een paar kruimels. Dan slaakt ze een zucht van verlichting. Snel naar buiten, de deur op slot en de sleutel terug in de bloempot. 'Dank je wel, lief huisje!' fluistert ze.

Met een hart dat even overloopt van dankbaarheid haast ze zich over de paadjes naar de omheining waar ze, zodra ze aan de andere kant staat, het slappe gaas zo goed en kwaad als het kan omhoogduwt.

'Kom nou maar!' Rachel zegt het gehaast. Het is druk op het fietspad. Het zijn voornamelijk scholieren die hen passeren en dat komt goed uit! Nu zullen ze niet al te erg opvallen.

Na nog wat gemopper en gezeur zit de familie eindelijk op de fiets.

Ze gaan niet zo snel als de tieners die de vaart er goed in hebben. Nee, opvallen, dat doen ze niet echt.

'Hoe lang nog?' zeurt David.

Niemand neemt de moeite om te antwoorden. 'Weet jij de weg nog?' informeert Lea bij haar oudste zus. 'Heel goed. Echt waar. Ik let altijd goed op als we ergens heen gaan. Net als papa dat deed...'

De scholieren waaieren uit elkaar, de meesten van hen slaan rechtsaf, anderen rijden door.

'Hier moeten we afslaan!' zegt Rachel gedecideerd. De straat waar ze nu rijden is rustig, er is geen fietspad. Aan weerszijden staan huizen, de een al mooier dan de andere.

'Nu weet ik waar we heen gaan, Sam!' zegt Maria. 'Naar die tante van het feestje. Weet je wel? Toen we ook naar de tuin van een kasteel geweest zijn en we nat werden gespoten.'

'De bedriegertjes!' zegt Sam somber. 'Mensen zijn ook bedriegertjes, Maria!'

Inderdaad, daar staat het huis in zijn ouderwetse glorie. Ze stappen af en opeens voelt Rachel zich onzeker worden. 'Lea, we doen net of we gewoon op bezoek komen. Anders belt ze gelijk naar Heidie!'

Tante Elizabeth, een andere mogelijkheid zien ze niet. 'Heidie vindt haar tante niet echt aardig, maar tegen ons was ze best lief! En al die andere gasten ook.'

Rachel controleert de jongsten: zitten de kleren wel goed? Geen vuile snuitjes? 'Veeg je voeten eens langs het gras af, ook de zijkanten, David. Er zitten kluiten modder aan je schoenen!'

De anderen volgen het voorbeeld, ze schrapen hun schoenen aan alle kanten schoon terwijl hun handen steun bij elkaar zoeken.

'Eropaf!' zegt Lea, die op haar horloge kijkt hoe laat het is. Eigenlijk is het te vroeg, het is nog lang geen visitetijd.

'En als ze vraagt waar Heidie is?' kreunt Maria. Ze is bang en onzeker. Wat als ze worden teruggestuurd?

Waar is Heidie? 'Haar banden zijn lek en ze is naar de fietsenmaker...' Liegen, dat hebben ze niet geleerd. 'We zeggen dat we gewoon een tochtje hebben gemaakt en dat we de weg kwijt waren... o nee, dat is jokken! We...'

Rachel weet het. 'We ontdekten dat we hier in de buurt terechtkwamen en omdat we dorst hadden, dachten we dat we best even bij die tante op bezoek konden gaan... ja?'

Aangenomen.

De fietsen worden bij de ingang tegen een strak gesnoeide heg gezet. Achter elkaar lopen ze traag het pad naar de voordeur op. Rachel trekt aan de ouderwetse bel die hoorbaar door het huis galmt. Het duurt even, dan wordt de deur geopend door een dame met een schort voor. Mevrouw Wunderink, de huishoudster.

'Wat krijgen we nu? Jullie zijn die kinderen... de kinderen van Heidie! Wat komen jullie doen?'

Rachel zegt het lesje op, trekt haar liefste snuitje. 'Dus dachten we dat we wel even bij tante Elizabeth op bezoek konden gaan!'

De vrouw gaat een stap opzij, inspecteert de schoenen en automatisch schuiven twaalf voeten heen en weer op de mat.

'Kom dan maar in de keuken. Mevrouw zit nog aan het ontbijt. Ik zal zeggen dat jullie er zijn.' Eerst mogen ze aan een grote tafel gaan zitten, krijgen een glas frisdrank en een plak cake.

'Ik ben zo terug,' zegt de huishoudster en ze sluit de deur geruisloos achter zich.

De cake smaakt naar meer. Rachel veegt zorgelijk de mond van David schoon. Eva, die met haar acht jaar doorgaans flink lijkt, begint zacht te huilen. 'Ik ben zo bang, Rachel. Je gaat toch echt niet bij me weg?'

Rachel probeert haar gerust te stellen. Maar in gedachten roept ze om haar moeder. Mama... help ons toch!

De deur gaat open, alle blikken richten zich op de vrouw die binnenkomt. Tante Elizabeth. Ze kijkt verbijsterd naar het groepje. 'Nee maar... waar is Heidie? Jullie zijn toch niet alleen gekomen?'

Rachel gaat staan en doet haar best niet een leugentje toe te voegen. 'We waren in de buurt, ziet u... en ook een beetje moe, want...'

Opeens breekt haar stem. Bij Elizabeth, de altijd zo stijve en ongenaakbare vrouw, is een snaar gaan trillen waarvan ze het bestaan niet kende. Ze is met ontferming bewogen.

'Jullie zijn moe en dat is geen wonder. Ik ben blij met bezoek, vanmorgen toen ik wakker werd, zag ik tegen de lange, lege dag op. Maar dat begrijpen jullie nog niet...'

O, toch wel. Deze kinderen begrijpen meer dan volwassenen vermoeden.

'Echt, ik vind het gezellig. En als je soms wilt bellen, Rachel, om te vertellen dat jullie veilig zijn overgekomen...'

Vijf van de zes kinderen verschieten van kleur. David niet, hem ontgaat de reikwijdte van het verzoek.

'Ja... ja.' Rachel begint ervan te stotteren. Ze kan natuurlijk net doen alsof ze belt.

'Komen jullie maar mee naar de kamer. We gaan er een leuke dag van maken. Zouden jullie het leuk vinden om naar de bedriegertjes te gaan?'

'Nee... nee.' Liever niet weer.

'Dan gaan we naar de stad. We kopen leuke dingen voor jullie en dan gaan we ergens eten. Ja? En vanavond breng ik jullie met de auto naar huis, de fietsen komen later wel. Ik wil weleens zien waar Heidie werkt. Nu moet je bellen, Rachel! In het boek naast de telefoon staat het adres en het nummer van het huis waar Heidie woont!'

Rachel bedenkt dat het geen kwaad kan als ze meedeelt dat ze veilig zijn. Ze hoeft niet te vertellen waar! Ze vindt het nogal slim van zichzelf.

Niet Heidie, maar Rietje neemt de telefoon aan. Wat, wie... de kinderen? Rachel... Waar ze zitten? Alles goed... Ze gilt: 'Heidie! Kom gauw!'

Heidie roffelt de trap af, grijpt de telefoon uit Rietjes handen, maar ze hoort slechts een driftig getuut.

'Afgebroken. Maar we hebben nummermelding...'

Een paar seconden staat ze sprakeloos met de telefoon in haar hand.

Philip komt naast haar staan en leest mee. Het nummer zegt hem niets.

Heidie ontspant zich en wordt zo slap in haar benen, dat ze bang is te zullen vallen. 'Ze zitten bij tante Elizabeth... de rakkers... de... de...' Rietje rent door het huis om het goede nieuws rond te bazuinen en Heidie kan niet anders dan tegen Philip aan zakken. Hij houdt haar stevig vast, ze voelt zijn adem in haar hals. 'Ik... sorry, het komt door het gebrek aan slaap...'

Philip kust haar hals, het is een spontaan gebaar, in gedachten heeft hij dat al zo vaak gedaan. O, als er nu eens niets tussen hen in stond... Als hij een vrij man was zonder een geweten.

Opeens komen Heidies krachten terug en staat ze weer stevig op haar benen. Zonder nog acht te slaan op Philip haast ze zich naar de voordeur. 'Anouk, die zal blij zijn...' mompelt ze bijna onverstaanbaar.

Philip laat ze in verwarring achter.

Er wordt getelefoneerd, het goede bericht doet zoekende mensen van koers veranderen. Maar de vraag blijft: wat was de reden van de vlucht?

Ondertussen hebben de zes kinderen de dag van hun leven. Elizabeth leeft zich uit. Ze troont hen mee naar het warenhuis, waar ze nieuwe kleren mogen uitzoeken. Maakt niet uit wat. Dan is het tijd voor de speelgoedafdeling. Daar kijken ze hun ogen uit. 'Het is net een sprookje!' zucht Lea opgelucht. Rachel bestraft haar. 'Kom nou, bij sprookjes is het altijd: ze leefden nog lang en gelukkig. Nou... het is maar afwachten of wij dat na kunnen zeggen. Ik ben zo bang als wat... vanavond moeten we weer vluchten, voor ze ons terug kan brengen!' Lunchen in het restaurant. Elizabeth geniet. Ze ergert zich niet aan volle, smakkende mondjes, aan geknoei met chocomel. Er is iets in haar ontwaakt dat haar zelf het meest verbaast. Een moederlijk gevoel. Alles is anders dan vroeger met de zwijgzame Heidie die alles maar liet gebeuren.

Of lag dat aan haarzelf?

Ondertussen is de dag al een eind gevorderd. Wat de kinderen nu nog leuk zouden vinden?

Daar heeft Sam wel een antwoord op. 'We zouden met papa en mammie eens naar de bioscoop gaan. Maar het is er nooit van gekomen!'

Zo komt Elizabeth op een voorzomermiddag in een donkere bioscoopzaal te zitten, haar ogen gericht op de avonturen van een tweeling die met behulp van een oude automotor een heuse speedboot weten te maken.

David leunt met zijn donkere kopje tegen haar arm, duim in de mond en Jodocus in zijn kleine handen. Aan de andere kant zit Eva die, moe geworden, ook voor haar hoofd een menselijk steuntje zoekt.

Zodra de film uit is, slaken ze een diepe zucht. Van tevredenheid. Voor even was alle narigheid vergeten!

De kofferbak ligt propvol met de geschenken en tasjes met de oude kleren.

'Het was onvergetelijk fijn, tante Elizabeth. We danken u van harte!' zegt Rachel op een ouwelijk toontje, uit naam van allen.

Elizabeth rijdt de auto tot voor de oprit, straks heeft ze hem weer nodig om de kinderen thuis te brengen. Maar zie, er is bezoek. Ze herkent meteen de auto van haar nichtje. Heidie haalt dus de kinderen zelf op. Jammer hoor!

Niet alleen Heidie, maar ook Philip komt haar tegemoet gerend. 'Tante Elizabeth... Waar zaten jullie de hele dag?'

Heidie is nog steeds zichzelf niet. De schrik zit haar nog letterlijk in de benen. Philip houdt zich op de achtergrond.

Heidie omhelst de kinderen, deelt zoenen en knuffels uit. 'Wat zien jullie er schitterend uit!' David hangt aan haar ene arm en jubelt steeds dezelfde woorden. 'Film... de echte bioscoop... film...'

Heidie kijkt Elizabeth recht aan en zegt: 'Ze waren gevlucht, tante. Waarom is ons een raadsel. We hebben de hele nacht en ochtend gezocht, gezocht... met de politie. Nu wil ik weten hoe dit allemaal is gekomen!'

Elizabeth zwijgt, kijkt de kinderen verwijtend aan. 'We hebben niet gejokt, tante Elizabeth. Maar we wisten niet waar we naartoe konden. Hoe... hoe komt Heidie hier? Hebt u ons verraden?'

Algehele verwarring. Philip neemt de leiding en stuurt het groepje naar binnen. 'Allemaal in de keuken gaan zitten, en vertellen. Alles willen we weten!' Hij blijft vriendelijk, beheerst.

Elizabeth zet pakken frisdrank op tafel en schone glazen. Ze is ook nieuwsgierig naar de kern van de zaak. Ondanks de reden, wat die ook moge zijn, heeft ze een geweldige dag gehad.

Rachel doet zoals gewoonlijk voor allen het woord. Ja, ze heeft per ongeluk iets afgeluisterd, echt niet expres. En toen ze begreep dat de kinderen al snel uit elkaar gehaald zouden worden, kozen ze eieren voor hun geld. Een plan was snel gemaakt. Ze hebben 'gewoon' overnacht in een volkstuintje, waar leuke huisjes stonden.

De rest van het verhaal heeft geen betoog meer nodig.

Nu wil Heidie weten wat Rachel heeft gehoord. Die aarzelt, ze voelt zich verraden. 'Hoe kon jij weten waar we waren?' Ze durft Heidie niet recht aan te kijken. Heidie slaat een arm om de gebogen schoudertjes. 'Lieverd, de telefoons hebben tegenwoordig een systeem dat nummerherkenning heet. Ik kon zo aflezen dat er vanaf het huis van mijn tante was gebeld. En toen hadden we jullie snel te pakken, alleen waren de vogeltjes gevlogen. Samen met mijn tante!'

Dan ontkomt Rachel er niet meer aan. Ze hakkelt en stottert het er met moeite uit. 'En toen zeiden jullie... in zulke gevallen... is er hier altijd plaats.'

Heidie kan wel huilen. Een opmerking die niet op hen sloeg. 'Hoe kon je dat denken, meisje? Meisje dan toch... Ik had toch beloofd dat jullie voorlopig niet gescheiden zouden worden? Ken je me zo slecht?'

Rachel buigt haar hoofd. Hoe kan ze haar angst verwoorden? Het is een gevoel dat zich niet laat verjagen, ondanks de lieve woorden. Je zult zien dat het er toch van komt. Wanneer dan ook.

De huishoudster jaagt het gezelschap de keuken uit. Ze is rood van agitatie. Mevrouw is in het geheel zichzelf niet meer. Ze ziet er niet uit. Het haar in de war, geen make-up, en ja, zelfs vlekken op haar kleding!

'Ik moet koken. Blijft iedereen eten?' Philip biedt haar zijn diensten aan en beweert dat hij een prima kok is. 'Toen ik pas medicijnen studeerde, woonde ik met zes studenten in een huis. We hielden het schoon, echt waar. En ik bleek een talent voor koken te hebben. Nou, dat heb ik geweten.' De struise huishoudster laat zich door hem inpakken.

Heidie kijkt verwonderd om. Medicijnen? Volgens haar had hij psychologie gestudeerd. Toch eens navragen. Misschien is het een verspreking.

In de tuin is het heerlijk vertoeven! Even alleen zijn: er is zoveel om over na te denken...

14

DE KINDEREN ROOSENBOOM WORDEN THUIS ONTVANGEN ALSOF HUN ik-weet-niet-wat is overkomen. De twee oudsten blijven argwanend. Er is hun zoveel ontnomen, wie geeft hun de verzekering dat het daarbij blijft?

De jongste vier gaan de volgende dag naar school alsof er niets is gebeurd. Rachel en Lea hervatten hun vioollessen en oefenen zo lang dat hun armspieren ervan trillen.

Alle zes zijn ze ervan overtuigd dat tante Elizabeth een schattebout is. Heidie heeft het gevoel alsof ze overgelopen zijn naar een vijandelijk kamp. Hoewel: zelf is ze ook verbaasd over de zachte kant van tante Elizabeth, die zij als kind nooit heeft mogen leren kennen.

Anouk heeft aan Heidie gevraagd of ze bij de eerstkomende vergadering met het bestuur ook aanwezig wil zijn. Per slot van rekening heeft zij de drie moeders en hun kinderen geobserveerd, en aantekeningen over hun onderling gedrag gemaakt.

En nog heeft Heidie niet de moed om te breken met alles wat met het Poorthuis te maken heeft. Om vooral Philip te ontlopen, stelt ze Rietje, Bea en Connie voor er samen een dagje op uit te gaan. 'Ergens wandelen, een leuk restaurantje opzoeken en vooral van gedachten wisselen!'

De drie moeders zijn wel in voor een verandering. Ze zijn alle drie op de bescheiden vrouw gesteld geraakt en in haar bijzijn hoeven ze geen moeite te doen om zich groot te houden.

Tammie biedt aan hen gezelschap te houden. Niet nodig, vindt Heidie. 'Dan kun jij lekker in je eigen huis wat rondscharrelen! Naderhand krijg je uitgebreid verslag, Tammie. Ik wil, juist buiten de omgeving van de villa, proberen te ontdekken hoever we met hen zijn gevorderd. En of we wel zijn gevorderd...'

Gekleed in hun beste spullen stappen de moeders in de auto van Heidie.

'Je hebt het wel voor elkaar, Heidie, anders had je niet zo'n fijne slee!'

Heidie zegt dat de auto van Tammie pas een slee is. Rietje snuift. 'Een Elvis Presley-auto. Er zitten zelfs scheurtjes in het leer van de bekleding.'

Heidie heeft voor een natuurpark gekozen, een kilometer of twintig van huis. 'Jullie hebben toch wel schoenen met platte zolen aan?' doet ze quasi ongerust. 'We gaan lopen op ruw terrein!'

De moeders giechelen als schoolmeisjes. En Heidie speelt vrolijk mee.

Tot haar teleurstelling mogen ze met de auto niet verder dan een paar kilometer het gebied in. De borden zijn overduidelijk. Te veel mensen op een te klein stuk bosgebied. 'Nou, dan lopen we toch?'

Het is nu, op een doordeweekse dag, rustig. De wandelaars die ze tegenkomen zijn 'echte' lopers met rugzakken om en aan hun voeten stevige schoenen. Maar ook jonge ouders met kleine kinderen, die nog niet aan vaste schooltijden zijn gebonden en vakantie vieren.

De zon schijnt warm op hun ruggen, zwijgend lopen ze over de witte paden die dwars over de heide slingeren. Na een klein uurtje houden de dames het voor gezien. 'Alsjeblieft, laten we rusten!' Dat is Connie, degene met het minste uithoudingsvermogen.

Een goed plekje, daar hoeven ze niet naar te zoeken. Het is overal even heerlijk. Heidie deelt pakjes sap en chips uit. 'Net een schoolreisje!' vindt Rietje. Nieuw onderwerp, ze halen stuk voor stuk herinneringen op.

'En nu hebben we zelf kinderen die op schoolreis gaan! Het kost tegenwoordig nogal wat...' Heidie luistert en geniet van de zon op haar armen en benen.

'Zien jullie ertegen op om weer naar huis te gaan?' vist ze, alsof het een argeloze vraag is.

Rietje humt een paar keer. 'Weet je wat het is, beste Heidie? Jullie willen ons ombouwen tot eh... mensen die uit een hogere kring komen. Gezeur over normen en waarden, dat soort dingen. Waar wij vandaan komen, daar heersen andere wetten. En ongelukkig zijn we er niet onder. Behalve als het misloopt, je in de bak belandt of doordraait zodat ze je opbergen en je kinderen afpakken. Ineens bemoeit iedereen zich met je... Als je schulden hebt gemaakt, puur uit onmacht... dan weet de overheid je te vinden!'

Connie en Bea knikken, Rietje kan het zo helder zeggen, vinden ze. Heidie maakt in gedachten een notitie: andere regels, andere wetten.

'Normen en waarden, daar heeft iedereen het toch over? Daar is toch niks mis mee?' Rietje vindt dat het allemaal overdreven wordt. 'Als je honderd mensen neemt, zijn er altijd wel een paar dwarsliggers. Nou, hoeveel mensen wonen er tegenwoordig in het land? Dat bedoel ik. Niet een paar dwarsliggers, maar een hele rij. En ik denk dat ze echt niet alleen in onze wijk wonen!'

Heidie blijft nadenken over de normen en waarden. Het is soms heel moeilijk om de vrouwen echt te benaderen, vindt ze. Ze laten zich niet gauw kennen, ze beschermen zichzelf. Dat hebben ze zich in de loop der jaren aangeleerd. Ze begrijpt dat heel goed.

'Normen en waarden hebben niks te maken met milieu, denk ik. Het gaat erom hoe je van binnen bent en wat je je kinderen wilt meegeven. Neem de Tien Geboden... daar hebben jullie vast weleens van gehoord. Die geboden zijn niets anders dan leefregels om in het rechte spoor te blijven.'

Bea verdedigt haar eigen standpunt dat niet verschilt van dat van Rietje.

'Als mijn meiden in elkaar geslagen worden, zeggen ze echt niet: geef me nog maar een paar klappen op de andere wang. Ik heb ze geleerd terug te meppen, dat gaat zo bij ons. Doe je dat niet, dan ben je iedere dag het slachtoffer!' Heidie zucht, ze begrijpt dat standpunt best.

'Toch kun je het je kinderen voorleven. Niet meteen roddels geloven, het slechtste van anderen denken. Goed met je inkomen omgaan... thuis moet iedereen zijn plaats weten. Vader en moeder zijn er om de orde te handhaven en vooral om te laten voelen dat ze van hun kinderen houden. Als je gelovig bent, heb je daar steun aan. En dat niet alleen, je hoort bij een grote familie, mensen die naar dezelfde kerk gaan en naar je omkijken. Dat wordt ook van jou gevraagd. Een bloemetje naar een zieke brengen, een kaartje sturen of gewoon eens opbellen.'

Bea klemt haar kaken opeen alsof ze van plan is nooit meer een woord te zeggen. Maar Connie, Connie reageert anders. Ze begint onverwacht hartverscheurend te snikken. Heidie schuift haastig naar haar toe, slaat een arm om haar heen. 'Connie dan toch... is je verdriet nog zo erg?'

Dan, eindelijk, durft ze te vertellen wat haar is overkomen.

'Het komt door Tammie... Ze kwam een keer bij me toen ik ook zo moest janken. Dat schuldgevoel... dat sarde me zo. Ze zei dat je niet altijd precies hetzelfde bent. De ene keer reageer je zus, de andere keer zo... En toen ik in een ellendige stemming was, ging het mis. En die miskraam... Ik heb er zo'n ellendig gevoel over. Weet je waar ze toen mee aan kwam dragen?'

Heidie kan haar oren niet geloven. Tammie heeft gesproken over geloven in God. 'Ze vertelde van alles over Jezus. Die van kerstmis en zo... Wist ik veel! Zoals zij het vertelde, heb ik het nooit gehoord. Dat Hij van je houdt, wat je ook gedaan hebt, en als je je fouten bekent, kan Hij ze vergeven. Nou, dat kun je jezelf niet eens! Ik niet... Tammie zei: dan word je een nieuw mens en mag je opnieuw beginnen. En toen grote Rob kwam... – zo heet-ie nou eenmaal om dat kleine Rob klein is – ... nou, toen vertelde ze het nog eens. En Rob vond dat we best naar een kerk konden gaan als ik weer thuis ben...'

Heidie streelt automatisch de schouder van Connie die stijf naast haar zit, geleund tegen een boomstam. Een bekeringsverhaal... echt iets voor Tammie. En het is duidelijk dat haar woorden geland zijn. 'Dus daarom ben je de laatste dagen niet meer zo somber!' roept Rietje verbaasd. Ze haalt herinneringen op aan mensen die naar een spiritist zijn geweest. 'Ze riepen allemaal "hoera", maar dat duurde niet lang. Dat is net zoiets, Connie!'

Heidie haast zich te vertellen dat er buiten de Here God ook boze machten zijn, die zich bezighouden met occulte zaken en mensen weglokken van God. 'Alsjeblieft, houd je niet bezig met dat soort zaken, Rietje! Echt, dan heeft Connie heel wat beter gekozen dan die mensen waar jij over spreekt!'

Heidie houdt een zucht binnen. Wat zou het heerlijk zijn als je de gasten uit de villa, deze en de nog komende vrouwen, simpel met de evangelische boodschap kon bereiken en hun zo een handreiking naar een ander leven kon geven. Je moet een Tammie zijn om de juiste woorden weten te vinden!

'Het is te proberen,' geeft Rietje toe en dat is al heel wat.

Heidie stelt voor het restaurant op te zoeken waar ze straks, met de auto, voorbij zijn gereden.

Het blijft aan haar knagen: alles wat de vrouwen wordt aangereikt, wordt niet in de praktijk toegepast, omdat ze niet kunnen. Omdat de normen in hun eigen omgeving daar niet inpassen. Wat kunnen ze dan wel doen?

Ervoor zorgen dat ze hun plaats als moeder weer innemen, zelfstandiger worden en meer zelfvertrouwen krijgen. En je kunt niet om structuur aanbrengen heen. En nooit vergeten dat er op tijd hulp gezocht moet worden als het scheef dreigt te lopen. Stapje voor stapje moet het de goede kant op gaan. Of ziet ze dat te idealistisch?

Twee aan twee lopend hervatten ze de weg terug.

'Rietje, je hebt een heel stel kinderen. Als je er weer alleen voor komt te staan, binnenkort, dan heb je handen en ogen te kort. Je moet weer wennen aan de thuissituatie die anders is dan bij ons. Wat dacht je ervan als je begon met de kleintjes: Jeroen en Alette. Als het goed gaat, pak je Dirk erbij en wat Jessie betreft: die zóu ik niet van school halen voor de grote vakantie. Veel te verwarrend om opeens terug te zijn bij de oude klasgenoten. Na de vakantie gaat ze toch naar de mavo.'

Rietje begint te glimmen en zegt dat ze dat zelf ook al heeft bedacht, maar er niet over durfde te beginnen. 'We hebben een gezinsvoogd...'

Het blijkt al snel dat Rietje bezig is die persoon om de tuin te leiden. Weer een punt dat aandacht verdient: zowel de hulpverleners als de hulpvragers moeten elkaar respecteren.

'Je bent maar zo "een geval", Heidie. De Hoekstraatjes, dat tuig uit de straat, weet je wel?'

Heidie geeft Rietje een por. Ze zijn bij de auto aangeland en terwijl Heidie haar sleutels uit haar broekzak peutert, zegt ze: 'Kop op, Rietje. Je bent mevrouw Hoekstra, moeder van vier rakkers. Laat de mensen kletsen, werk aan je gevoel voor eigenwaarde. Dat zit niet in veel geld of ontwikkeling, meid. Dat komt van binnenuit.'

Heidie glijdt achter het stuur, Rietje komt naast haar zitten. Ze kijkt Heidie waarderend aan. 'Zal ik je eens wat zeggen, Heidie? Ik zal jullie missen. En wat zou ik graag af en toe terugkomen om bij te praten!'

Heidie geeft een klap op het stuur. 'Daar zeg je me wat. Hét idee, dat is prachtig. Hebben we zelf nog niet aan gedacht. Natuurlijk kunnen we jou en de anderen niet zomaar loslaten. We bouwen het af! En we blijven kerst- en nieuwjaarskaarten sturen!'

Tijdens de zeer uitgebreide lunch komen nog meer puntjes naar voren die noch Heidie, noch Tammie of Anouk ooit bedacht hebben. Zelfs Philip niet.

Voldaan van het eten en van de overdaad aan zon stappen ze weer in de auto.

Rietje die achteraan loopt, trekt Heidie aan een arm. 'Die Philip, die heeft ook wat op zijn kerfstok, weet je dat wel? Ik heb hem – per ongeluk – afgeluisterd toen hij aan het bellen was. Nou... als ik het goed heb, heeft hij iemand – schrik niet – vermoord of zo...'

Heidie kijkt geschokt opzij. 'Kom, Rietje dan toch, dat heb je vast mis! Als dat zo was, zou hij in de gevangenis zitten en zijn werk niet mogen doen!'

Rietje klemt haar lippen stijf opeen. 'Ik weet wat ik heb gehoord. Maar echt, ik heb het tegen niemand gezegd. Maar een kind kan zien dat jij gek op die kerel bent, ik wil je waarschuwen!'

Heidie is verbluft. Rietje heeft het mis, dat kan niet anders. Philip en moord! Zo zie je maar weer wat een roddel, die op een halve waarheid berust of in het geheel niet waar is, teweeg zou kunnen brengen. 'Ik zal het nagaan en dan hoor je van me of het zo is,' belooft Heidie. Dat is gemakkelijker gezegd dan gedaan...

De belastende opmerking van Rietje bederft de dag voor Heidie. De glans is van het uitstapje af, ze kan aan niets en niemand anders meer denken dan aan Philip.

Eenmaal thuis trekt ze zich terug op haar kamer om wat ze heeft ontdekt in de computer in te voeren. Ze print de gegevens uit voor Tammie, Philip en Anouk.

Het zijn slechts een paar punten, maar die kunnen een wereld van verschil maken. Er moet niet uitgegaan worden van 'heropvoeding' van de moeders, dat is fout. Beginnen bij hen en dan zien wat mogelijk is, ieder geval zal anders zijn. Ogen en oren openhouden!

Met de uitgeprinte gegevens gaat Heidie aan het eind van de middag op zoek naar Anouk. In het park botst ze bijna tegen Ellen op.

'Wat kom jij doen?' informeert Heidie.

Ellen grinnikt en schuift haar tas met correctiewerk onder een arm. Ze heft een vinger op. 'Hoor je dat? De muzieklessen zijn in volle gang en daar moet ik, als juf van de kinderen, toch het mijne van weten. Ik ga mijn belangstelling tonen!'

Heidie heeft haar door. 'Belangstelling voor de prestaties of eh... voor de leraar?' Lachend gaan ze uiteen.

Heidie vindt Anouk in de tuin van haar eigen huis. Ze zit heerlijk languit op een stretcher. 'Ik neem het ervan, Heidie! Ik heb nog minstens vier maanden te gaan en nu geef ik er al de brui aan. Vorige keer ben ik te lang doorgegaan, ik kon niets uit handen geven. Maar ik heb mijn lesje geleerd.'

Ze hijst zich wat rechterop. 'Jij hebt iets te vertellen, ik zie het aan je gezicht. Ga zitten en vertel op!'

Achter hen, in de weide, rijden kinderen op pony's. Lucas heeft een jongen uit het dorp gecharterd die hem af en toe komt assisteren en de kinderen zijn dol op 'Paardenpeter'.

Even kijken beide vrouwen naar de verrichtingen. 'Mooi schouwspel, Anouk. Wat hebben jullie hier veel bereikt!'

Anouk maakt een afwerende beweging met een hand. 'Dankzij het geld van de weldoeners, Heidie. Zonder geld begin je niets op dit gebied, en nergens. Bovendien had meneer Van Dinkel overal, bij allerlei instanties, connecties. Achterdeurtjes om binnen te komen. Maar vertel op, heb je nog iets kunnen bereiken?'

Heidie leest de punten voor die ze belangrijk vindt, en geeft er uitleg bij.

'Heropvoeden... is het zo bij de moeders overgekomen? Het is wel zo dat we, wat de kinderen aangaat, er bepaalde principes op nahouden en die voorleven. Ze hebben zich daaraan te houden, anders wordt het een janboel. Heropvoeden van de moeders... konden we dat maar! Ik besef nu wel dat het voor hen moeilijk is om de gewoonten van hier thuis voort te zetten. We kunnen ze wel attent maken op hun fouten... Wat is het toch moeilijk, Heidie. Maar we kunnen pas een oordeel geven als de eerste vrouwen terug zijn in hun eigen omgeving.'

Kinderstemmen, Ammie en een vriendinnetje komen aangestormd met beiden een jong katje in hun armen. 'Gevonden... eerlijk gevonden! Ze zaten in de voortuin, helemaal alleen midden op het gras!'

Anouk kan niet zo snel overeind komen als Heidie en laat zich terugzakken in de gemakkelijke kussens.

Heidie knielt naast Ammie neer. 'Een poesje, wat een dotje, Anna Marie!' De twee kijken elkaar aan, vertedering in hun ogen. En dan is het voor Anouk alsof haar wereld, inclusief zijzelf, in elkaar stort.

Die ogen, de manier waarop ze hun haar naar achteren schudden, de mimiek. Doof en blind lijkt Anouk voor enkele minuten. Ze hoort de stemmen om haar heen maar vaag, zien doet ze niets, behalve een rode waas. Met haar verstand weet ze dat het niet mogelijk is. Maar haar hart spreekt een andere taal. Heidie en Ammie. Ze heeft toch destijds bericht gehad van het overlijden van de moeder... Ammie is daarna wettelijk geadopteerd. En toch, altijd had ze al twijfels.

Misschien is Heidie een zus van de moeder, dat moet haast wel. In ieder geval is ze familie van het kind, iemand die meent rechten te kunnen doen gelden.

Opeens begrijpt ze waarom ze de sympathie van haar dochtertje voor Heidie zo slecht kan verdragen. Ondanks dat ze Heidie vanaf het begin graag mocht. Maar haar gevoelens voor de jonge vrouw zijn honderdtachtig graden gedraaid. Ze voelt – o schrik – haat. Afkeer.

Met moeite staat ze op. Vechten zal ze, en winnen. Vechten om de rechten op Ammie te mogen houden.

'Is er wat... Anouk? Zal ik Lucas zoeken, je ziet zo bleek als wat!'

De kinderen vermaken zich met de poesjes, het ontgaat Anouk. 'Ik... ik voel me niet goed. Ik ga een poosje liggen. We praten later wel!'

Bezorgd kijkt Heidie haar na en vouwt de vellen papier met belangrijke punten, heel klein op. Gedachteloos laat zij ze in haar broekzak glijden.

'Zullen we de poesjes iets te eten geven?' stelt ze voor. 'Het kan heel goed zijn dat mensen hebben gedacht: we hebben te veel poesjes. En bij Anna Marie zijn ze vast goed voor de diertjes!'

Ammie straalt. 'Dat denk ik ook. Kom, dan geven we ze melk. Wat moeten ze eten, Heidie?'

Heidie zegt ernstig: 'Poezenvoer, natuurlijk. Zullen we even naar het dorp wandelen en dat gaan halen? Het zijn nog maar kittens, ze moeten speciaal voer hebben!'

Met aan elke kant een kind loopt Heidie het terrein af. Ze koestert het handje van Ammie in de hare, haar hart loopt over van liefde. En van spijt, van schuldgevoel. Verwarrende gevoelens die door elkaar lopen als draden wol van verschillende kleurtjes.

Vanuit haar slaapkamer ziet Anouk hen gaan. Ze klemt haar handen om de vensterbank. Hoe heeft ze zo dom kunnen zijn... het niet eerder ontdekt? Wat uiterst geraffineerd van Heidie om zich hier binnen te praten. Onder valse voorwendsels. Ja toch? Zo is het gegaan. En wat is ze van plan? Haar Ammie afpakken? Anouk snikt. Ze houdt zielsveel van het meisje. Het is als een eigen kind. Het is haar meisje, haar dochtertje. Ze laat het zich niet afpakken, ook al moet ze ervoor naar de rechtbank!

Zo vindt Lucas haar. Totaal ontredderd.

'Wat is er, mijn lieveling? Voel je je niet goed?' Anouk glijdt in zijn vertrouwde armen, snuift zijn geur op. Buitenlucht, paarden, het katoen van zijn bezwete overhemd.

'Lucas... Ze is onbetrouwbaar! Ze wil Ammie afpakken!'

Het duurt minuten eer het Lucas duidelijk is wat zijn vrouw bedoelt. Aanvankelijk lacht hij haar uit. Plaagt haar met de fantasie die haar parten heeft gespeeld. Maar geleidelijk aan groeit er bij hem ook twijfel. Inderdaad, Heidie kwam hem meteen al zo bekend voor.

'Liefste Anouk... Als je gelijk hebt, krijgen we problemen. Touwtrekken om een kind is iets...' Hij zoekt naar een passend woord.

'Iets walgelijks. We moeten eerst de waarheid weten en door het Heidie ronduit te vragen, komen we erachter. Ze zal niet tegen ons liegen. Probeer kalm te zijn, liefke. Echt, tracht je te beheersen! Ik ga vanavond nog naar haar toe en stel haar een simpele vraag. Het is niet gezegd dat ze het kind komt opeisen. Heb je dat al bedacht? Ze kan immers de moeder niet zijn. Of... er moet ergens een vergissing zijn begaan!'

Anouk is ontroostbaar. Ze frummelt aan de knoopjes van Lucas' overhemd.

'We hebben het er in het begin zo vaak over gehad... Toen ze pas bij ons was en we gevochten hebben om haar op onze naam te krijgen. Heel langzaam is de angst voor de echte moeder naar de achtergrond gedrongen. Ik vroeg me telkens af, Lucas...' Ze kijkt omhoog als zoekt ze houvast aan zijn gezicht. Zijn ogen.

'Ik mocht Heidie meteen, precies de vrouw die we hier konden gebruiken. Bovendien was ze de bereidwilligheid zelf. Maar ondanks mijn sympathie had ik diep van binnen een soort afkeer van haar... zoals ze met Ammie omgaat... dat kon ik niet verdragen. En als Ammie liet merken dat ze tante Heidie bijna net zo lief vond als mama... dan sneed er een mes door mijn ziel, Lucas!'

Het duurt heel lang eer het Lucas lukt zijn vrouw te kalmeren. Uiteindelijk wordt ze zo moe van haar spanningen, dat ze toegeeft en op bed gaat liggen. 'Ik zorg overal voor. Ik houd van je, Anouk. Met hart en ziel. Onze kinderen worden volwassen en op een gegeven moment gaan ze hun eigen wegen, zo hoort dat. Maar wij...' Lucas knippert met zijn ogen.

'Wij zijn één, zolang we mogen leven, Anouk. Vrouw van mijn hart!' Met die woorden laat hij haar alleen, het is niet nodig dat ze getuige is van zijn emoties.

De sfeer aan tafel in het moederhuis is veel rustiger dan in het begin van hun samenzijn. Rietje heeft haar kinderen verteld dat ze volgende week met de kleinsten naar huis gaat. Om te proberen of het goed gaat. Jessie heeft emotioneel gereageerd. Het is toch niet de bedoeling dat zij buitengesloten wordt? Omdat ze nogal... moeilijk is? Dat zegt de meester op school en hier moet ze het ook vaak horen!

Rietje raakt ontroerd. Haar oudste die aangeeft het liefst bij mama te willen zijn! Ze heeft het kind ervan weten te overtuigen dat het voor haar het beste is om het schooljaar hier af te maken. Na de vakantie kan ze vlak bij huis naar de mavo.

Connie zegt haar man gebeld te hebben: ze wil ook terug naar huis. Ze kan het aan, ze wil de kleine Robbie zelf verzorgen. Het is een geweldig gevoel dat er een mogelijkheid is om terug te keren, als het mis dreigt te gaan. Maar Tammie heeft toegezegd om de andere dag te zullen bellen, zodat ze bepaalde dingen kunnen doorspreken.

Af en toe gluurt Rietje steels naar Philip, die converseert met een van de kinderen, tussen de happen door. Dan kijkt ze naar Heidie, geeft een knipoog. Heidie kijkt boos terug. Philip is volgens haar een man met een zuiver geweten, met een brandschoon verleden. Nee, dan zij, Heidie!

Nauwelijks is het dankgebed uitgesproken, of ze krijgen gezelschap van Lucas.

Philip staat al en schuift zijn stoel terug onder de tafel. 'Jij komt mij halen voor een rit met de paarden! Ik sta tot je beschikking!'

Lucas slaat Philip kameraadschappelijk op zijn schouder. 'Helaas, vanavond niet. Je hebt gelijk, we hebben een afspraak. Ik eh... heb wat anders te doen. Morgenavond, zullen we dan?'

Het is Philip om het even.

Rondom hen is het een druk heen-en-weergeloop, iedereen moet helpen bij het afruimen van de tafel. Lucas houdt Heidie tegen en neemt een vuile schaal uit haar handen. 'Heb je even, Heidie? Ik wilde iets met je bespreken!'

De stem van Lucas klinkt zo ernstig, dat Heidie blijft staan en hem strak aankijkt, alsof ze op die manier zijn gedachten zou kunnen lezen.

'Ik heb alle tijd! Hoe is het met Anouk? Ze werd vanmiddag opeens niet goed... en we hadden juist een goed gesprek over nieuwe aandachtspunten voor het moederhuis!'

Lucas pakt haar bij een elleboog en voert haar via de tuindeuren naar buiten. Het is een heerlijke avond, de zon is nog behaaglijk en de geuren van de bloeiende lindebomen is zwaar en intens.

'Ja? Zullen we gaan zitten?' Heidie zwaait met een arm naar het terras en zwenkt dan naar de bank onder de grote boom, midden op het gazon. Lucas schijnt haar niet te horen.

'Hoe heb je het hier, afgezien van je scriptie? Wel naar je zin?'

Ze lopen langzaam over het gras. Bij zijn bungalow is Siem bezig de plantjes in de buitenbakken van water te voorzien. Heidie wuift naar hem, hij roept iets onverstaanbaars terug.

Ze lopen tot aan het begin van de oprit, tot aan het fietspad dat langs de Welgelegenlaan loopt.

Dan maakt Lucas rechtsomkeert, houdt Heidies ene arm stijf vast. 'Toen je hier kwam met het verzoek om stage te mogen lopen, was dat niet de eerste keer, wel? Je bent hier eerder geweest. Ruim vier jaar terug!'

Heidie struikelt over haar eigen voeten en zou gevallen zijn als Lucas haar niet had tegengehouden. Het is een slag in de lucht, maar Heidie realiseert zich dat niet eens. 'Hoe weet je dat?' Haar stem is niet meer dan een gefluister. Ze ontkent het niet, waarom zou ze?

De waarheid is haar vijand. Zo voelt het.

Lucas zegt schor dat hij de waarheid en niets anders dan de waarheid wil horen. 'Wie ben je eigenlijk? Wat is je doel? Wat zijn je plannen?'

Nu staan ze voor het portiekje waar Heidie haar kindje in een tas heeft achtergelaten. Lucas weet dat Anouk alles wat het kind bij zich had, bewaart. Voor 'later', als Ammie de waarheid over haar afkomst krijgt te horen.

'Plannen... wat voor plannen?'

De arm van Lucas dwingt Heidie verder te lopen tot ze bij een van de pannenkoekhuisjes komen. Daar mag ze gaan zitten. Ze trilt van hoofd tot voeten. Haar adem komt sidderend.

'Ten eerste: wie ben je? Heet je echt Van Lathem of is het Langerak? Waarom deed je het?' Lucas lijkt nu wel een inspecteur van politie. Heidie buigt haar hoofd.

'Ik ben Heidie Langerak van Lathem. En degene die destijds is verongelukt, was mijn nicht, Leidie Langerak. En ik... ik ben overweldigd door een hoog opgeleide Amerikaan... werd zwanger... tante Elizabeth... Het kon echt niet. Toen hoorde ik van dit tehuis. Van jullie, ik hoorde dat Anouk zo'n goede vrouw zou zijn. Ik koos haar uit als moeder voor mijn meisje. Zo is het gekomen...'

Haar tanden klapperen alsof ze koorts heeft. Lucas krijgt diep medelijden. Tot nu toe dacht hij slechts aan zijn vrouw. Nu ziet hij opeens het moedertje staan, daar bij het portiek. De rieten tas, die ze achterliet. Met Ammie erin. Hij weet ook nog precies wat in het begeleidende briefje stond. Ze kennen het uit hun hoofd, hij en Anouk.

Hij slaat vaderlijk een arm om Heidies schouders. Ze leunt tegen hem aan, puur uit machteloosheid. 'Kind toch!' zegt hij schor. 'Dat van je nicht, dat vind ik ook heel erg. De vergissing die gemaakt is lijkt me begrijpelijk. Maar jij bent toch officieel niet overleden? Hoe zit dat dan?'

Heidie stoot de zinnen eruit. Leidie, die vond dat de baby bij Anouk moest blijven, Heidie moest leren vergeten. Hun ruzie, die niet is bijgelegd voor het ongeluk. De zware overspanning waar Heidie bijna aan onderdoor is gegaan. 'Tante Elizabeth heeft de instanties ingelicht. En ik denk dat jullie aanvraag voor adoptie simpelweg in een andere map zit, om het eenvoudig te stellen. Na de correctie van de naamsverwisseling werden de dossiers weer gesloten. Was ik maar zo wijs als Salomo...' Heidie huilt en kan niet stoppen. Haar eigen zakdoek is al kletsnat, die van Lucas bijna. 'Ik weet het niet... maar opeens moest en zou ik haar zien. En toen ik haar zag... Ze lijkt sprekend op mijn moeder. Die kon ook zo goed zingen, heb ik gehoord van tante Elizabeth. Ze had dezelfde mooie ogen... mijn Anna Marie!'

In gedachten verbetert Lucas haar: Ammie. Ze vallen beiden stil. Lucas denkt met smart aan Anouk. En Heidie kan alleen aan haar dochtertje denken.

'Wat wil je eigenlijk, Heidie? De rust van een gezin verstoren? Ammie opeisen? Het is maar zeer de vraag of je dat zou lukken... afgezien daarvan: wat wil je? Maak me niet wijs dat je dat niet zou weten!'

Natuurlijk weet Heidie dat maar al te goed. Ze wil haar kind terug. Het groot zien worden, tante Elizabeth voor een voldongen feit stellen.

'Ik weet het niet, dat zeg ik toch! Natuurlijk wil ik jullie geen pijn doen... maar ik heb zelf zo'n pijn!'

Ook dat begrijpt Lucas. Zijn overhemd wordt nat van Heidies tranen. Met de rug van zijn hand veegt hij langs haar wangen. 'Kind toch, probeer te kalmeren. Je wordt nog ziek van het huilen!'

Ze zien geen van beiden Philip, die langs komt wandelen en even verbijsterd blijft staan. Heidie in de armen van Lucas. In een innige omstrengeling. Welja, thuis een zwangere vrouw, die waarschijnlijk niets in de gaten heeft en niet vermoedt dat haar man zich op een intieme manier met Heidie gedraagt. Hij walgt van hen beiden en sluipt meer dan hij loopt verder langs de andere pannenkoekhuisjes.

'Anouk is overstuur, Heidie. Kun je je in haar verplaatsen? Voor haar is Ammie ons kind. Voor mij ook!' Heidie lijkt wakker te worden. 'Hoe weten jullie het eigenlijk? Heeft Tammie gepraat? Bah!'

Nee, dat is niet het geval. 'Anouk zag de gelijkenis tussen jou en het kind. Ook al leek het onwaarschijnlijk. De manier waarop je met haar omgaat, werd opeens duidelijk. Ik had niet gedacht dat je zou toegeven, Heidie! Dat doe je dus wel. Zeg op, wat ga je ondernemen?'

Heidie schuift een stukje van hem af. Opeens is hij geen vriend meer, maar een rechter. Een politieagent.

Ze kijkt schuw opzij en haalt haar schouders op. Ze weet niet wat ze moet doen.

Lucas is niet van plan haar te overreden, dat ligt niet in zijn aard. Wel verlangt hij van haar dat ze nuchter de mogelijkheden bekijkt. Kun je een kindje van vier jaar belasten met twee moeders?

Zeker weten dat Anouk zal vechten als een leeuw om Ammie te mogen houden. Hij griezelt nu al wanneer hij bedenkt wat voor problemen er in de naaste toekomst op hen af zullen komen!

'We moeten met Anouk spreken, niet nu, maar bijvoorbeeld morgenochtend. Laat het eerst bezinken. En doe geen gekke dingen. We moeten alle drie het belang van Ammie voorop stellen. En desnoods roepen we de hulp van een deskundige in. Enne... ik zie heus wel dat het jou erg aangrijpt, meisje. Ik ben geen monster. Maar Anouk is mijn vrouw... Ik kan het niet aanzien dat ze ongelukkig is en een kind moet missen. Want zo voelt het!'

Er groeit verontwaardiging in het hart van Heidie. *Een kind moet missen.* Haar hart schreeuwt: 'En ik dan... en ik dan... En ik dan!'

Ze gaat staan, wacht even af of haar benen haar kunnen dragen. Langzaam loopt ze naar de rand van het huisje, kijkt om zich heen. De rododendrons bloeien in alle tinten roze en lila tot donkerrood. De schoonheid rondom is zo in contrast met haar gewond gemoed. Het doet zelfs pijn om naar het jubelen van een vogel te luisteren.

'Waar ga je heen?' informeert Lucas ongerust. Hij is ook gaan staan. Heidie kijkt minachtend om. 'Ik stort me echt niet zonder meer in de vijver, als je dat mocht denken. Ook ik moet nadenken. Misschien ben ik morgen wel weg, Lucas.'

Met die woorden laat ze hem alleen en loopt, zonder op te letten waar haar voeten haar heen brengen, voort. Het park uit, het fietspad op. Kinderen die naar het zwembad zijn geweest, joelen voorbij. Haren nog nat, gebruind door de zon en achter op hun ruggen bungelende tassen.

Aan het eind van de laan dendert een trein over de rails en Heidie wenste dat ze erin zat. Waarheen? Weg, ver weg. Als het kon naar een andere wereld. Rakelings scheert een fietser haar voorbij. Philip, ze ziet het aan zijn rug. Hij groet niet, kijkt ook niet om. Gelijk heeft hij... Een vrouw die haar eigen kind weggeeft, is in zijn ogen geen knip voor de neus waard...

Jammer dat haar voorraad tranen is opgedroogd. Nu heeft ze niets meer om haar verdriet te kunnen uiten. Het is of ze innerlijk barst.

Ze roept het in gedachten uit tot God. 'Help me toch! Ik kan dit niet dragen, het is te zwaar en ik ben zo alleen...' Bitter alleen.

Als ze toch eens... Nee, ze wil niet zo handelen als Connie heeft gedaan. En moedig houdt Heidie zich voor: 'Het is maar een flits, een gedachte omdat ik een uitweg zoek. Er moet toch een andere oplossing mogelijk zijn... God, Here, U hebt anderen geholpen... Help dan ook mij!'

Ze steekt de laan over en loopt een zijweg in. Het lopen kalmeert haar. En dan is het alsof ze niet langer alleen gaat, maar gesteund wordt door een onzichtbare arm die haar troost.

15

TAMMIE HEEFT MET HEIDIE TE DOEN. ZE BEGRIJPT ALS GEEN ANDER HAAR situatie. 'En ik voel me zo schuldig, Tammie. Al dit verdriet was niet nodig geweest als ik me als een moeder had gedragen. En begin er niet over dat ik een nieuw mens moet worden... dat God mijn zonden vergeeft. Ik kan er zelf geen kant mee op!'

Tammie begrijpt ook dat Heidie zich niet tegen God en het geloof in Hem afzet, ze is dan ook niet van plan te gaan 'preken'. Het gaat er nu om dat Heidie steun vindt bij een mens en die vindt ze bij haar.

'Ga nu eerst slapen, morgen blijf je maar weg bij het ontbijt. Misschien dat je later op de dag in staat bent Rietje weg te brengen. Ik had het zelf willen doen, maar mijn wagen is dringend aan een grote beurt toe!'

Op de trap komt Heidie Philip tegen. Hij kijkt haar minachtend aan en Heidie kan niet anders dan denken dat hij de waarheid over Anna Marie heeft vernomen.

De kinderen Roosenboom slapen al, behalve Rachel, die stilletjes naar Heidies kamer glipt. 'Je bent ziek, geloof ik. En je hebt ook gehuild. Wat is er, Heidie, kan ik je ergens mee helpen?'

Een smal bruin handje streelt haar ene wang, donkere ogen kijken ernstig in de hare. 'Ik kan het niet goed uitleggen, Rachel. Je bent lief dat je naar me omkijkt. Soms hebben volwassenen problemen die kinderen nog niet kunnen begrijpen, zelfs een grote meid als jij niet.'

Zwijgend zitten ze een tijdje in de donkere kamer waar slechts een klein lampje aan is. 'Soms ben ik ook bang, Heidie, dat we toch gescheiden worden. En die angst is nog groter dan het verdriet om papa en mama. De anderen zijn alles wat ik nog heb, ik kan ze niet missen, Heidie. Denk je dat tante Elizabeth ons in huis zou willen hebben? Ze heeft zo'n groot huis... we zouden haar echt niet in de weg lopen. En we zijn gewend om thuis te helpen. Dus...'

Heidie schiet van schrik overeind. 'Tante Elizabeth? Ze is al behoorlijk op leeftijd, weet je dat? Ze is zo oud als mijn opa en oma zouden zijn geweest als ze nog geleefd hadden. Ik ben bang dat ze het niet aandurft een gezin in haar huis op te nemen. Als ik het nu nog was...' Ze glimlacht flauwtjes.

Maar Rachel wordt er levendig van.

'Ja, Heidie, dat is een goed plan. Jij zoekt een man, Philip bijvoorbeeld, of Ewout van de muziek. Of die andere van de boerderij, Paardenpeter. Maakt niet uit, wie. Dan zijn jullie een echtpaar en dan kunnen jullie ons adopteren!' Ze klapt op een kinderlijke manier in haar handen.

Heidie heeft spijt van haar ondoordachte opmerking. Ze heeft de keus nog wel uit drie kerels. Geen van allen komt in aanmerking.

'Wil je erover denken?' smeekt het kind.

'Denken wel, Rachel, maar doen... Ik ben nog niet aan een huwelijk toe. Maar misschien is er in Nederland een echtpaar dat graag zes kinderen wil adopteren. We zouden kunnen gaan zoeken.'

Rachel schudt haar hoofd. 'Net of je ons te koop aanbiedt. Zo klinkt het. Nee, we houden van jou. Echt waar. Anders dan van onze mama. Maar wel heel veel!'

Met een gebogen rug loopt Rachel terug naar haar eigen kamer. Heidies verdriet heeft er nog een schepje bovenop gekregen.

Tegen koffietijd, de volgende ochtend, is Heidie zover dat ze Rietje wel weg wil brengen. Ze is niet echt uitgeslapen. En fit voelt ze zich ook niet.

Tammie knikt haar toe, zeurt niet 'of het wel gaat'. Rietje is telkens in tranen. Ze heeft het zo goed gehad, hier. En de wijze lessen zal ze in acht nemen. 'Ik bel je om de andere dag, Rietje! En we spreken snel af voor een bezoekje. Jij bent ons proefkonijntje!'

De koffers worden achter in de bak gepropt, de twee kleinsten kruipen op de achterbank en als Rietje en Heidie ook zitten en de gordels vastgemaakt hebben, kan de rit beginnen.

Rietje beweert zich een 'ander mens' dan voorheen te voelen. Nee, ze wil rechtstreeks naar huis, niet eerst naar haar moeder. Die wacht thuis op haar.

Heidie kan haar aandacht bijna niet bij het verkeer houden. Ze wordt door het gebabbel afgeleid en ook de vermoeidheid speelt haar parten.

Eenmaal in het huis van Rietje voelt ze zich al snel overbodig en maar al te graag laat ze Rietje en haar kinderen in de veilige hoede van een liefhebbende moeder achter.

Af en toe is het vechten tegen de tranen, het lijkt of ze een niet te stuiten bron heeft aangeboord. Driftig veegt ze langs haar ogen en juist op dat moment remt de vrachtwagen voor haar onverwachts af. Het is in een kwestie van seconden gebeurd. Heidies auto knalt tegen de achterbumper van de wagen voor haar, ze remt, tolt in de rondte en komt in de berm tot stilstand – tegen een boom.

Het volgende dat ze zich herinnert, is dat ze in een lichte ruimte op een behandeltafel ligt. 'Zo, zijn we wakker? Dat was schrikken, mevrouwtje! Je bent er nog goed afgekomen. Een gebroken been en waarschijnlijk een hersenschudding. Maar dat komt allemaal goed!'

Langzaam dringt het tot Heidie door dat het allemaal ook anders had kunnen aflopen. Een ongeluk, door onoplettendheid. Als ze tijdig had gezien dat de vrachtwagenchauffeur afremde, was er niets gebeurd.

Stel je voor dat Rietje en haar gezin in haar auto hadden gezeten!

Ze doezelt weg, laat alles over zich heen komen. De onderzoeken, het aanbrengen van gips, de vriendelijke woorden van het ziekenhuispersoneel.

Wie er gewaarschuwd moet worden? Ze mag zelf bellen.

'Een kamer voor jou alleen, dat is boffen! We hebben even niets anders, er is onverwacht een patiënt vertrokken.' De verpleegkundige kwebbelt er vrolijk op los. Als ze eindelijk alleen is, slaakt Heidie een zucht. Nu bellen. Tammie, die kan wel tegen een stootje.

Maar Tammie is door het bericht meer geschokt dan Heidie heeft gedacht. Een ongeluk – was het dat echt? Of is Heidie in radeloze toestand bewust tegen de voorligger geknald?

Ja ja, Tammie licht tante Elizabeth wel in. En natuurlijk de anderen, Anouk in de eerste plaats. 'Houd je nu maar rustig, liverd. Je mag vast snel naar huis, je kunt hier verzorgd worden. Vanavond kom ik op bezoek!'

Ook Lucas en Anouk denken wat Tammie niet durft uit te spreken. 'Ze is vast bang voor ons... Ze ziet het niet meer zitten, vrees ik, Lucas. Maar ik kan haar nu onmogelijk onder ogen komen. Jij?' Lucas wel.

'Ik ga met Tammie mee om poolshoogte te nemen. Misschien wil ze thuis bij haar tante wel revalideren. Dat lijkt me het beste!'

De kinderen Roosenboom zijn ontroostbaar. Ze snikken dat Heidie ook wel dood had kunnen zijn, net als hun ouders. Tammie heeft aan hen haar handen vol.

Tegen Philip durft Tammie haar vrees uit te spreken. 'Lucas en ik gaan bij haar op bezoek. Misschien dat jij morgen...' Philip valt haar in de rede.

'Dat lijkt me geen goed idee. Ik heb er geen behoefte aan haar te zien. Vraag me niet naar de reden, Tammie. En die heb ik, een heel goede reden.'

Tammie is beduusd. Zou Philip weten van haar moederschap? Zou hij haar veroordelen? Zo hard kan hij toch niet zijn!

'Wij moeten samen eens praten, Philip. Ja ja, schud niet van nee, ik heb daar dringend behoefte aan.'

Philip doet er het zwijgen toe en begeeft zich naar het Poorthuis, waar werk op hem wacht. Heidie... wat is ze hem tegengevallen! Hoe kan ze een vrouw als Anouk zoiets aandoen. En voor Lucas heeft hij ook geen goed woord over. Natuurlijk gebeuren zulke dingen. Maar niet met mensen die zeggen van elkaar te houden. In een relatie is trouw toch wel het belangrijkste.

Bea en Connie helpen waar ze kunnen. Connie zoekt toiletspullen en ondergoed voor Heidie uit. Ze vouwt een paar nachthemden zo klein op dat ze in een plastic tasje passen. Jammer van die mooie auto... Jammer voor Heidie dat ze, net nu het zomer wordt, in het gips moet. Maar, denkt ze optimistisch, er zijn ergere dingen.

Tammie heeft haar wagen terug uit de garage.

Lucas echter is geen prettige reisgenoot. Hij zwijgt en kijkt somber voor zich uit.

'De auto doet het weer prima. Ja, ik wilde per se een stuk rijden om te zien of alles weer soepel loopt en dat doet het!'

Als ze op het parkeerterrein van het ziekenhuis stoppen, informeert Tammie hoe het met Anouk gesteld is. 'Ze zal wel erg geschrokken zijn, gisteren. Volgens Heidie heeft ze zelf ontdekt dat Heidie de onbekende moeder is. Tja, het moest er ooit van komen, Lucas. Het bloed kruipt waar het niet gaan kan. Maar nu is het niet het moment om daarover te tobben, we hebben even een adempauze om alles rustig te overdenken. Ik wil dat je weet dat Heidie mij een tijdje terug al ingelicht heeft!'

Lucas schijnt uit een diepe slaap te ontwaken. 'Zo zo... ze had dus een biechtmoeder nodig. Nou, ik vind dat ze geraffineerd te werk is gegaan. Ze had ons kunnen schrijven, alles uitleggen. Zoals het nu gelopen is, blijkt het voor alle partijen een ramp te zijn!'

Tammie reageert niet op die woorden. Ze pakt de plastic tasjes bij elkaar en zegt: 'Kom, Lucas, probeer ontspannen over te komen en ga niet als een rechter aan het ziekbed zitten. Heidie heeft al schrik en narigheid genoeg gehad.'

Naast elkaar gaan ze de weg naar de ziekenkamers. Bij de deur van Heidies kamer stoot Lucas uit wat hem bezighoudt: 'Heeft ze het met opzet gedaan? Om ervan af te zijn?'

Tammie haalt haar schouders op. 'We zullen het zo weten. Blijf maar even in die wachtkamer daar, ik denk dat ze aan mij genoeg heeft.'

Heidie is wat uitgerust en kijkt hunkerend uit naar het bezoek van Tammie.

Ze strekt haar armen uit. 'Tammie... toen ik bijkwam, wist ik niet

waar ik was. Ik heb een lichte hersenschudding, het had veel erger kunnen zijn, is me verteld. Het is mijn eigen schuld... Ik zat te janken, veegde mijn ogen af en boem pats. Ik had zelfs, volgens de politie, dood kunnen zijn. Maar mijn beschermengel was er op tijd bij!'
Heidie glimlacht en ze is rustiger dan Tammie had verwacht. Plagend zegt deze, terwijl ze de tasjes op de sprei legt: 'Dus het was geen opzet. Vroeg de politie daar nog naar?'
Heidie schudt haar hoofd, heel voorzichtig, want onverwachte bewegingen doen pijn. 'Welnee, waarom zouden ze? Ik kreeg zelfs nog een compliment dat ik goed had gereageerd. Ik had net zo goed tegen het tegemoetkomend verkeer in kunnen koersen. Een gelukje bij een ongeluk.
Het is alleen... Ik zit nu letterlijk vast. Lichamelijk en geestelijk, Tammie. Hoe reageerde iedereen?'
Tammie haalt de tasjes leeg en bergt de spullen op in het nachtkastje. 'Zoals verwacht. De Roosenboomkinderen waren het meest geschokt. Ze zijn echt stapel op jou, Heidie!'
Heidie sluit haar ogen. Dat weet ze maar al te goed. Er ontbreekt alleen nog een man aan hun geluk, zodat ze samen een gezin kunnen vormen.
'Ik heb uitstel van plannen. Raar is dat. Ik denk dat ik snel weg mag en dan naar tante Elizabeth ga. Dan hoef ik de confrontatie met Anouk ook niet aan te gaan. Ook al kan ik dan mijn kleine meisje niet zien... Ik mis haar nu al, Tammie. Maar misschien is het beter zo.'
Er wordt thee gebracht voor Heidie, thee in een beker met een tuitje. Tammie kan niets anders zeggen dan: 'Ellendig dat het zo is gelopen. Ik praat wel met Anouk. Er moet toch een manier zijn om tot een oplossing te komen, Heidie. Denk maar eens goed over alles na, bekijk het probleem van alle kanten, zodat je het vanuit alle betrokkenen kunt bezien. En ik kom zo vaak mogelijk om bij te praten. Wie wil je nog meer graag op bezoek hebben?'
Heidie reageert meteen. 'Niemand. En dat meen ik. Laten ze mij

maar met rust laten! Ook de kinderen... ik ben óp, de emoties zijn me te veel.'

Tammie ziet de teleurgestelde snuitjes al voor zich. Tijd, denkt ze, die heeft Heidie nodig. Opeens ziet ze een lichtpuntje in de toestand. Nu is Heidie gedwongen na te denken. Ze kan niet weglopen voor het probleem en ze kan in alle rust de situatie overdenken en alles een plaatsje geven!

De deur gaat een stukje open, het gezicht van Lucas kijkt om het hoekje. Heidie voelt dat ze wit wegtrekt. 'Nee...' kreunt ze.

Lucas komt verder. Hij heeft de wachttijd goed benut en een bos bloemen gekocht, legt die in Heidies armen. Hij geeft haar een kus op het voorhoofd.

'Zo, je bent me de brokkenmaakster wel! Je ligt er deftig bij, zo op een éénpersoonskamer!'

Hij is weer de Lucas die Heidie heeft leren kennen. 'Ik heb zojuist een agent gesproken die straks bij jou is geweest. Hij heeft me de toedracht verteld. Je zult wel erg geschrokken zijn!'

Tammie begrijpt dat Lucas weet dat Heidie niets anders dan een dom ongeluk is overkomen. 'Ik zat te huilen... Oen die ik was. Het zal door de oververmoeidheid zijn gekomen!'

Tammie zucht zacht van opluchting. Ze geeft Heidies hand een kneepje. 'We zullen er alles aan doen om je zo snel mogelijk weer op de been te helpen. Weet je echt zeker dat je naar je tante wilt?'

Daar kijkt Lucas van op. Op die manier is ze uit de buurt van Anouk, die gevoelens van boosheid niet van zich af kan zetten.

'Dat is wel zo rustig voor je. Wanneer denk je naar huis te mogen?'

Heidie wijst op haar hoofd. 'Dat ding hier moet rust hebben, weet je. Maar als we vertellen hoe ik bij tante Elizabeth die rust kan krijgen, laten ze me vast snel gaan. Mijn tante kennende, neemt die zeker een extra hulp voor mij in huis. Nou ja, het zij zo. Sinds de kinderen bij haar zijn geweest, is ze een ander mens. Levendiger dan ik haar ooit heb gekend.'

Heidie lebbert haar bekertje leeg en als Tammie het uit haar hand neemt, sluit ze vermoeid haar ogen. 'Wij gaan weg, lieverd. Is het goed als ik morgenmiddag bij je kom? Ik zal vanavond je tante bellen. En denk er nog eens goed over na of je echt de kinderen niet wilt zien. Ze zullen zo teleurgesteld zijn...'

Heidie kreunt zacht. 'Nog niet, Tammie. Ik ben echt gek op ze... maar het maakt me van streek hen bedroefd te zien. Doe ze de groeten en zeg dat ik van ze houd...'

Tante Elizabeth is volkomen uit haar doen vanaf het moment dat ze van het ongeluk heeft gehoord. Ze moet er niet aan denken Heidie door zo'n ramp te verliezen. Heidie, haar enige familielid en erfgename. Ze is meer dan welkom. En natuurlijk zoekt ze iemand die haar kan verzorgen zoals het hoort. Ze heeft haar personeel opdracht gegeven de tuinkamer voor Heidie in orde te maken. Haar bed moet naar beneden, dat is punt een.

Het liefst stapte ze meteen in de wagen om haar te halen. Tammie uit het Poorthuis heeft echter beloofd haar zelf te brengen. En op bezoek komen mag ze ook, Elizabeth is welkom. Vreemd dat ze anderen de toegang weigert. Maar ja, wie ziek is, heeft het recht eisen te stellen.

Elizabeth zou Elizabeth niet zijn als ze de volgende ochtend niet naar de stad ging om de nodige – feitelijk onnodige – inkopen voor Heidie te doen. Het geven van geld of cadeautjes is voor haar altijd de enige manier geweest om sympathie te laten blijken.

Heidie is verrast over zichzelf: zodra haar tante binnenkomt in de ziekenkamer, voelt ze een golf van vreugde. 'Tante... wat lief dat u bent gekomen! En o...wat een prachtige rozen. Als ze hier nu maar een vaas voor die lange stelen hebben!'

Tante Elizabeth is aangedaan. Ze kust Heidie met meer warmte dan ooit tevoren. 'Kind, ik was je bijna kwijt geweest. Ik moet er niet aan denken... Ik ben niet zo goed in het uiten van emoties, maar je bent me erg, erg dierbaar!' Dat is het liefste wat Elizabeth ooit tegen haar nichtje heeft gezegd. De vrouwen kijken elkaar aan alsof ze de ander voor het eerst echt zien. 'Eerst Leidie, nu jij...'

'Het komt goed, ik heb alleen tijd nodig, zegt de dokter.'

Heidie doet haar best verheugd over te komen als ze de vele cadeautjes uitpakt. Fijne lingerie, van een soort waar Elizabeth zelf van gruwt, maar waarvan ze weet dat haar nicht ervan houdt. Bonbons om 'u' tegen te zeggen, een paar boeken van Heidies favoriete schrijfster, een geurtje en een stapel tijdschriften. 'U bent een schat om me zo te verwennen. Hartelijk bedankt voor alles. Hm... wat een lekker luchtje. Ik denk... snuf snuf... jasmijn. Zo ruiken die bij u in de tuin ook!'

Tammie komt hen gezelschap houden. Ze wappert met een stapel tekeningen, gemaakt door de Roosenboompjes. Elizabeth krijgt tranen in haar ogen als ze de werkstukken bekijkt. 'Die stakkers toch!' Tammie gaat erbij zitten en trekt haar blouse recht.

'Is er al nieuws over je vertrek hier?' Heidie is verdiept in een briefje van Rachel en hoort niet wat er wordt gezegd. 'Ik zal eens kijken of ik een arts te pakken kan krijgen!' zegt Elizabeth, terwijl ze haar best doet niet naar de kledij van de andere vrouw te kijken. Je moet het maar durven om er zo bij te lopen. Het getuigt in ieder geval wel van een vrije geest...

'Het is ontroerend... lees dit eens, Tammie! Ze wil een man voor me zoeken zodat wij met ons allen een gezin kunnen vormen. En een huis heeft ze ook al: we kunnen bij jou of Elizabeth gaan wonen.'

David heeft zijn aap getekend, wel zes keer op dezelfde bladzijde. 'Ze missen je erg, Heidie!'

Heidie sluit haar ogen. Haar handen liggen stil op het dek, over de tekeningen. 'Ik hen ook...'

Het is heerlijk toeven in de tuinkamer van het huis van tante Elizabeth. Hoewel ze moet rusten, zijn een paar passen in de kamer of daarbuiten toegestaan. Als ze zich niet aan de voorschriften houdt, weet Heidie, heeft ze er zichzelf mee.

Er is een wat oudere vrouw in huis gekomen om voor haar te zorgen. Het is een rustige dame die vroeger verpleegster is geweest en nu af en toe gevallen als Heidie begeleidt. Hoewel Heidie een hulp voor haar alleen vrij overdreven vindt. Ze kan zelfstandig eten en drinken, ze slaapt veel en komt aan de nodige rust toe. Het lijkt of Elizabeth de hulp meer voor zichzelf heeft ingehuurd. Ze kan met mevrouw Heelinga goed praten over vroegere tijden. Ze kijken vaak samen tv, doen gezamenlijk boodschappen en meer dan eens stelt Elizabeth voor een eindje te wandelen. Op een gegeven moment is het dan ook geen mevrouw meer, maar Sofia.

Heidie krijgt dagelijks post van de kinderen. Kaarten, tekeningen en vooral briefjes. Ze bewaart ze allemaal. Af en toe lijkt het of ze van verlangen naar Ammie uit elkaar spat. En als tante Elizabeth haar een keer in- en inbedroefd aantreft, stuurt ze Sofia weg en gaat ze zelf op de rand van het bed zitten.

'En nu vertel je me wat de reden van dit verdriet is. Het is niet gewoon een huilbui... Er zit meer achter. Ik wil het weten. Nu!' Heidie dept haar ogen. 'Als ik het vertel, stuurt u me weg. Dan wilt u niets meer met me te maken hebben. Dan schaamt u zich mij als nicht te hebben.'

Elizabeth knijpt haar lippen stijf op elkaar. 'Ben ik dan zo'n onmens, kind? Durf je me niet te vertrouwen? Ik heb nooit een moeder voor je kunnen zijn, dat weet ik maar al te goed. Maar toch... Je hebt niemand anders bij wie je je hart kunt uitstorten en ik beloof je je niet af te wijzen. Nu niet en nooit, wat je ook gedaan mocht hebben!'

En dan, na jaren, komt de gebeurtenis die Heidies leven op z'n kop heeft gezet, naar buiten. Elizabeth luistert zonder haar in de rede te vallen. Ze ziet Heidie voor zich met een dikke buik, later met een klein kindje in haar arm. Hoe heeft ze kunnen denken dat zij, Elizabeth, haar en het kind de deur zou wijzen?

Het te vondeling leggen van het kindje, het ongeluk dat Leidie is overkomen. Nu vallen de puzzelstukken op de juiste plaats. Geen wonder dat Heidie destijds gebroken was. En dan ook nog de naamsverwisseling! 'Kindlief, was maar bij mij gekomen. Na de schrik... want natuurlijk zou ik van streek zijn geweest, dat ben ik nu ook...

maar na de schrik zouden we samen een oplossing hebben gevonden. Een kindje van jou... familie van mij!'

Heidie vertelt door tot het bittere einde. Elizabeth houdt Heidies hand stevig in die van haar. 'Wat moet je geleden hebben. Je kindje zien en er niet van mogen houden. En wat erg voor die ander, Anouk. Maar ze is in verwachting en ze heeft al een zoon... Waarom kan ze jou je kind dan niet teruggeven?'

Heidie lacht door haar tranen heen. 'Zo simpel ligt het echt niet. Er zijn wetten... Ik wil anderen die jaren voor Anna Marie gezorgd hebben, niet bezeren. Ze is wettelijk hun kind! Maar is er geen tussenoplossing?'

Beide vrouwen vervallen in zwijgen. Elk met hun eigen gedachten. Tot Heidie zegt: 'Tante Elizabeth, vergeef me dat ik zo over u heb gedacht. Ik handelde als een kostschoolkind in plaats van als een moeder. En mijn houding ten opzichte van u werd telkens harder omdat ik dacht zeker te weten dat u me zou afwijzen, verwijten zou maken en dat soort dingen.'

'Het is vergeven en vergeten. We moeten verder. En ik ben zo blij dat ik het nu weet. Misschien ga ik zelf weleens praten met die mensen. Dan kan ik het kind ook zien!'

Nadat Heidie haar hart heeft uitgestort, voelt ze zich aanmerkelijk beter. Sterker ook. Het komt haar genezing ten goede.

De huisarts die haar controleert, is meer dan tevreden. Ze mag langer op, onder voorwaarde dat ze zich kalm houdt. Heidie kijkt naar haar gipsbeen.

'Ik kan moeilijk anders!'

Tussen Sofia en tante Elizabeth in maakt ze korte wandelingen. En ook al is de aanwezigheid van Sofia niet meer nodig, niemand spreekt over haar vertrek.

Zo rijgen de zomerdagen zich aaneen. Een tijd van bezinning voor Heidie. Ze leert accepteren, vergeven ook. Niet langer is ze de opstandige studente, die een te zware last torst. Ze is bezig – eindelijk – volwassen te worden.

De weg die ze gaan moet en wil, is niet de meest makkelijke. Maar ze beseft dat ze niet alleen hoeft te gaan. Ze durft God weer te vertrouwen, haar bidden wordt een zoeken en een luisteren.
Wat er ook gebeurt, alleen zal ze nooit meer zijn.

16

ANOUK SLEEPT ZICH DOOR DE DAGEN HEEN. ZE IS ZO SNEL GEÏRRITEERD dat anderen haar uit de weg gaan, ze merkt het niet. Zelfs Lucas zoekt in de avond vaak de stilte van de natuur. Hij zadelt zijn paard en maakt ritten, komt verfrist en vervuld met nieuwe moed weer thuis. Het is hem onduidelijk waarom Philip weigert hem te vergezellen. En zelfs tot een gesprek is hij niet te bewegen. Vlak voor de zomervakantie is het voor iedereen een drukke tijd, Philip is vaak op school te vinden en begeleidt de tehuiskinderen daar intens. En met succes. In het moederhuis hebben twee nieuwe moeders hun intrek genomen, Tammie mist de hulp van Heidie meer dan ze voor mogelijk had gehouden. En Philip? Ze weet niet wat ze van hem moet denken. Ze heeft ontdekt dat hij 's nachts vaak wandelingen maakt en als ze daarover begint, kijkt hij haar aan met een mysterieuze blik, en laat haar alleen zonder een woord te zeggen.

Belangstelling voor Heidie zegt hij niet te hebben. Wil Tammie wel op bezoek? Het is hem om het even en de groeten hoeft ze van hem niet te doen.

Op een avond, als iedereen al naar bed is, besluit Tammie de koe bij de horens te vatten. Ze doet de lampen in de woonkamer uit en nestelt zich op de bank. Vroeg of laat zal Philip tegen de lamp lopen. Drie avonden zit ze op wacht, slaapt op de bank in plaats van in bed. Dan is het zover. Buiten is het donker, geen maanlicht, alleen de lantaarns doen hun best de paden te verlichten.

Philip sluipt door de kamer naar de tuindeuren. Opeens voelt hij zich bij zijn trui gegrepen. Hij springt achteruit alsof hij gestoken is, tuimelt bijna met Tammie in zijn armen op de bank die naast de tuindeuren is geschoven.

'Wat zullen we nu beleven? Ben je ziek... of heb je het op mij gemunt?' valt Philip uit.

'Ik ben ziek van verdriet omdat jij je inkapselt. Ja, dat doe je. En ik heb het ook op je gemunt, ik zit al drie avonden op wacht. En nu kom je naast me zitten!' Het klinkt zo autoritair, dat Philip niet anders kan dan gehoorzamen. Maar misschien wil hij dat helemaal niet!

'Zeg op, wat wil je weten, Tammie?' Het klinkt tamelijk hoogmoedig en Tammie is blij met het slechte licht, nu kan ze die vorsende ogen nauwelijks onderscheiden.

'Gaat het om Heidie? Ze heeft ermee te maken, dat weet ik. Maar er is meer, dat voel ik, jongen. Dat heb ik nu eenmaal meegekregen bij mijn geboorte. Niks geen helderziendheid of zoiets. Nee, ik ben supergevoelig voor wat anderen meemaken en voelen. Bij jou bespeur ik iets wat je leven beheerst. Echt, als jij je uitspreekt, dan word je een ander mens. En wat ik te horen krijg, komt niet verder. Dat is een belofte.'

Philip ademt zwaar. Hij heeft zijn handen tot vuisten gebald, ziet Tammie. Ze zou hem als een zoon in haar armen willen nemen. Troosten, dat doe je bij kleine kinderen. Volwassenen hebben meer nodig. Begrip, liefde. Een zegenend woord.

Philip klemt zijn kaken op elkaar, Tammie hoort zijn kiezen knarsen. 'Heidie? Ze heeft ermee te maken. Maar ook weer niet... Heb jij ook al ontdekt dat ze wat met Lucas heeft? Ik heb er geen goed woord voor over!'

Tammie hapt naar lucht. 'Ben jij nou doorgedraaid of ik? Heidie en Lucas? Hoe durf je het in je mond te nemen?'

Philip proeft echte boosheid en dat geeft hem de moed om te vertellen wat hij heeft gezien. Heidie in de armen van Lucas. 'Terwijl hij thuis een vrouw met een dikke buik heeft!'

Tammie denkt na, probeert te bedenken wanneer dat voorgevallen zou kunnen zijn. Ze denkt het te weten. 'Luister, Philip. Er is iets gaande tussen Anouk en Lucas met Heidie als middelpunt. Maar ze hebben niets met elkaar, totaal niets. Dat verzeker ik je. Heidie heeft het moeilijk en ik denk dat Lucas haar probeerde te troosten. Tracht het zo te zien. Want zo moet het gebeurd zijn, vraag het Lucas maar.'

Philip ontspant zich een beetje, maar als Tammie hem aanraakt, voelt ze aan zijn armspieren, die hard als kabels zijn, dat ze nog niet bij de kern van de moeilijkheden zijn.

'Vooruit dan maar, Tammie. Je bent een wonderlijk mens en ik ben niet bestand tegen je. Luister, dan krijg je een drama in een notendop te horen!'

Philip vertelt dat hij een briljant student medicijnen was. Hij haalde in zeer korte tijd zijn bul en werkte met plezier in een ziekenhuis. Al snel maakte hij carrière. Werken en nog eens werken, dat maakte hem gelukkig. Tot die fatale dag. 'Er kwam een doodziek kind binnen. Ik had dienst, Tammie. Alle routineonderzoeken werden verricht. Het was nacht en ik was zwaar vermoeid na vijf nachtdiensten. Ik – het verhaal krijg je niet in details te horen, dat is niet nodig – maakte een fout. Verkeerde diagnose, verkeerde medicatie. De volgende ochtend was het kind overleden. Na sectie bleek ik ernaast te hebben gezeten. Zulke dingen gebeuren... maar het was voor mij genoeg om te kappen. Dagelijks – maar vaker 's nachts – zie ik het bleke kindergezicht voor me. Nee, geschorst werd ik niet, want het bleek dat diezelfde fout vaker gemaakt wordt en zelfs door artsen met meer ervaring dan ik. Ik bleef denken aan de ouders... Je enig kind verliezen door een stomme doktersfout. En omdat ik toch iets met mijn leven aan moest, ben ik psychologie gaan studeren. Niet dat het hielp, maar ik was bezig.'

Tammie heeft haar hand over de gebalde vuist van Philip gelegd. Philip die zo zelfbewust overkomt, mensen intimideert alleen al door naar hen te kijken. 'Ach, lieverd toch!'

'Ik heb er van alles aan gedaan om die beelden kwijt te raken, Tammie. Ik heb gebeden, op mijn knieën. God gesmeekt me van de herinneringen te verlossen. Ik voelde me als Paulus... Mijn genade is u genoeg. Het is zo'n strijd, Tammie. Moet ik het daarmee doen? Genade accepteren klinkt zo gemakkelijk... Ik wil het zelf goedmaken en dat kan niet!'

Tammie voelt meer dan ze ziet dat Philip huilt.

'Genade, Philip, is iets geweldigs. Het treft me dat jij het woord genade zelf gebruikt. Er zijn maar weinig mensen die de moeite nemen om over het begrip genade na te denken. Het is genade als je begrijpt wat genade betekent. Het is jouw hand vast in die van de Vader. Genade betekent vrijspraak... moed om door te gaan met leven. Lees maar eens wat het woordenboek over genade zegt: het is een bovennatuurlijke hulp die God de mens verleent om zijn eeuwige bestemming te bereiken. Jawel, dat heb ik opgezocht en ik heb het zelf ooit ook nodig gehad. Net zoals onze Heidie dat nodig heeft!'

Philip transpireert, merkt Tammie. Ze denkt: Lieve, gevoelige man. Ga toch eindelijk door met je leven!

Ze bewaart die woorden voor een volgend gesprek.

'Zul je er eens over nadenken, Philip, over wat ik heb gezegd? Het is een hogere weg, een andere dan de psychiater je geven kan. Maar het is een goede weg, hij voert je omhoog tot Hem. En ik weet het.'

Philip leunt moe tegen haar schouder. Tammie heeft gelijk, het is alsof zijn last wat lichter aanvoelt. Hij is zo moe van het vechten.

'Je hoeft dat kind niet te vergeten. De deskundigen zeggen: geef het een plaats. Ik zeg: deel je herinneringen met de Here. Je krijgt er zegen voor terug en uiteindelijk ga je juichen omdat je het woord genade hebt leren begrijpen!'

Het is lange tijd stil tussen hen. Tot Philip met gebroken stem zegt: 'Ik ben zo moe, Tammie. Moe van mezelf, van het leven. Het is of jij me een elixer hebt toegediend. Er is dus een andere manier van leven en denken mogelijk...' Hij woelt met een hand door zijn toch al verwarde haren. 'Je fout erkennen, ja, dat moet je wel. Maar het loslaten en telkens als je eraan denkt het medicijn genade tot je nemen... Begrijp je wat ik bedoel? Het is míjn fout. Ik kan geen boete doen... zelfs het met geld niet herstellen. Genade... dat is zoiets als een ander de last laten dragen...'

Tammie glimlacht in het duister. 'Dat is de kern van het Evangelie, mijn beste. Er was er Eén die ook jouw last wilde dragen, zodat jij vrij kunt zijn. Accepteer het!' Ja ja, Philip weet het. Maar om het op jezelf toe te passen, eruit te leven... dat is een grote stap. Of toch niet?

'En Heidie... weet je het echt zeker, is er niets tussen haar en Lucas? Ik verachtte haar daarom, weet je dat? Tja, ik moet bekennen dat ik me tot haar aangetrokken voel...'

Tammie knikt. 'Dat weet ik toch allang.'

'Nou ja... wat weet jij niet?' Philip hoort zichzelf schor lachen. Raar klinkt dat.

'Wat is dan háár probleem...' Dat kan Tammie onmogelijk vertellen. 'Ga het haar vragen. Dan zegt ze het wel!'

Weer die intense stilte, zo diep als het slechts in de nacht kan zijn.

'Twee mensen met problemen, dat gaat toch niet? Je helpt elkaar de diepte in!' Tammie spreekt het tegen. Niet als het op haar manier geprobeerd wordt. 'Twee drenkelingen die uiteindelijk verz... verdrinken!'

'Nee Philip, per slot van rekening is niet één mens brandschoon. Iedereen heeft wel iets dat hij of zij anders had willen doen. De een heeft een zwaarder pakket dan de ander, dat is waar. Daar komt nog bij dat anderen je vaak duidelijk laten voelen dat je gefaald hebt. Maar zo niet een kind van God! Met Hem heb je een kracht die niet van jezelf is. Toe, ga het avontuur aan, lieverd! Ik voorspel je dat je gelukkig zult worden!'

Opeens zijn er twee ontzettend sterke mannenarmen om Tammie heen. 'Ik heb nog nooit een mens als jij ontmoet, Tammie. Ik houd van je!'

Tammie verbergt haar tranen.

'Lieverd, dat is wederzijds. Kom, nu nemen we een ferme slok van iets sterks, een slaapmuts. Daar hebben we recht op, jij en ik!'

Niet alleen Heidie en Philip zijn met hun problemen bij Tammie terechtgekomen, ook anderen weten de weg naar haar warme hart te vinden. Al snel kijkt men heen door het slonzige uiterlijk van de vrouw die zich lijkt te verwaarlozen en niets om kleding geeft. Zo ook Anouk. Met als gevolg dat Tammie zich zo'n beetje een soort biechtmoeder gaat voelen.

'Tammie, ik heb een hart vol boosheid. Wrok, woede, besluiteloosheid. Kortom: ik zou voer voor een therapeut zijn! En dat terwijl ik een kind onder mijn hart draag. Je weet waar ik op doel!'

Tammie kijkt de gezellige kamer rond in de woonboerderij. Lucas en Anouk hebben smaak – en geld! – om hun huis zo in te richten dat iedere gast hun keus moet bewonderen.

Tammie nestelt zich op een bank, gelokt door een veelheid aan kussens.

'Heerlijk, dat je weer een kindje verwacht. Lucas is er ook zo blij mee, heeft hij me verteld. Ik vind hem een schat van een papa. En wat heeft hij de kleine Ammie veel gegeven! Want zij is het, waar je over wilt spreken?'

Anouk knikt. Ze legt haar benen op een kruk en doet haar best zich te ontspannen. Tammie heeft niets aan een hysterische vrouw die loopt te jammeren.

Beiden drinken hun glas ijsthee leeg. 'Ik zou normaal gesproken met wat me drukt naar mijn moeder gaan. Ze is een schat... Ze kan luisteren, net als jij. En aan algemene troostwoorden begint ze niet eens. Maar Moema heeft het al zo druk... Binnenkort komt mijn broer met zijn zwangere vrouw op bezoek, mijn zus, de vriendin van Siem evenzo. Nee, ik kan haar niet ook nog eens met mijn zorgen lastigvallen!'

Tammie zet haar glas terug op tafel en neemt nog een bonbon. Zo'n heerlijke goed gevulde Belgische traktatie. Om haar lijn heeft ze zich nog nooit bekommerd.

'Dat is logisch. Bovendien is je Moema te dichtbij. Dit zal haar hart ook raken, zodra ze het te horen krijgt. Vertel eens eerlijk, Anouk, heb je nooit stilgestaan bij het feit dat dit ooit zou kunnen gebeuren? Dat er familie zou opduiken? Nu denk ik in eerste instantie niet eens aan de moeder. Er zouden grootouders kunnen zijn, om maar wat te noemen!'

Anouk legt haar hoofd achterover. En sluit haar ogen. 'Natuurlijk wel. Vooral in het begin. Maar zodra Ammie opgroeide, begon te praten en me mama noemde, heb ik het verdrongen. Aanvankelijk begon Lucas er nog weleens over. En dan zei ik: 'Komt tijd, komt raad'. Nou... zie eens hoe ik eraantoe ben. Ik ben als een moederdier dat voor haar jong vecht!'

Tammie knikt begrijpend, zegt niet dat ze denkt: dat doet Heidie precies zo.

'Heb je weleens soortgelijke gevallen bestudeerd, Anouk? Want die zijn er legio. Mensen hebben een oplossing gevonden die alle partijen bevredigt. Ooit zul je het kleine ding – een schatje trouwens – vertellen dat ze niet bij jou is geboren. Dat moet jong gebeuren, anders is de schok te groot. Het kind zou er een trauma aan kunnen overhouden. Het vertrouwen in de ouders kunnen verliezen. Dat is punt één. Denk nu niet dat ik voor Heidie of voor jou kies. Ik probeer objectief te blijven. Bovendien ben ik geen Salomo... Het punt is, dat Ammie hier gewend is, hier thuishoort. Het zou voor het kind een ramp zijn als ze uit deze vertrouwde omgeving weggehaald werd. Maar... wat denk je van een open gesprek met haar? Ze is ruim vier en erg wijs voor haar leeftijd. Ze mag Heidie graag, dat heb je me zelf verteld. Als je eens voorstelde haar af en toe een dagje of weekend aan Heidie "uit te lenen". Zodat ze haar biologische moeder leert kennen. Dat hoeft, als je verstandig handelt, voor jou geen afwijzing te zijn. Ik denk dat het fout is om in deze kwestie de officiële weg te bewandelen. Een rechtszaak, bijvoorbeeld, kan voor jullie allen een ramp zijn!'

Tammie haalt diep adem voordat ze verder gaat, ook om Anouk de kans te geven haar woorden te verwerken.

Ze luisteren beiden ongewild naar de buitengeluiden. Hinnikende paarden, geblaf van een paar honden en het tevreden gekwebbel van spelende kinderen.

'Ik was al bang dat je zoiets zou voorstellen. Hetzelfde zei Lucas. Maar het is zo moeilijk, Tammie! En er is nog iets: in het begin van haar tijd hier was ik echt op Heidie gesteld. We voelden elkaar aan, dezelfde humor, vul maar in. Maar sinds ik weet dat zij de echte moeder van mijn kleine meisje is, heb ik niets dan lelijke gedachten over haar!

En toen ze gewond raakte, was ik blij dat ze voor even uit beeld zou zijn! Nou, Tammie, mijn gevoel van eigenwaarde is behoorlijk uit balans. Iemand die zo reageert als ik, is geen knip voor z'n neus waard. Toch?'

Tammie zegt dat Anouk niet zo streng voor zichzelf moet zijn.

Heftig zegt Anouk, met moeite haar tranen bedwingend: 'Ik wist van meet af aan dat er iets was dat Heidie en mij bond. Raar is dat, ik dacht eerst dat het gewoon wederzijdse sympathie was. En dat Ammie wel erg veel op Heidie leek, wilde ik niet zien. Maar onbewust zag ik het wel degelijk. En zeker nu we het weten... Ze lijkt sprekend op haar. Volgens Heidie lijkt ze op haar moeder. Ook die kon goed zingen. Ammie heeft een stem als een engeltje... Ik lijd hier zo aan, Tammie!'

Tammie zwijgt, laat Anouk even alleen worstelen met haar gedachten.

Na een korte stilte zegt Anouk: 'Er moet dus wel iets gebeuren. Ik kan niet afwachten tot Heidie met een voorstel komt. En dat doet ze heus wel een keer. Zeker weten. Ze lijkt zo gemakkelijk. Maar er zit een kop op dat vrouwtje!'

Tammie wacht en wacht, ze hoopt dat Anouk zichzelf terugvindt. 'Als je naar jezelf kijkt, dan ben je duidelijk niet trots op je houding. Maar, lieverd, die houding van jou is begrijpelijk. Op den duur zwakken die nare gevoelens ten opzichte van Heidie af. Hoe eerder, hoe beter, zou ik zeggen!'

Anouk begrijpt maar al te goed dat ook Tammie geen wonderen kan verrichten in dit geval. Ze zal het uiteindelijk zelf moeten doen. Het enige wat Tammie wel kan, is haar een spiegel voorhouden.

'Wat zou een rechter beslissen?' tobt Anouk door.

'Als jij rechter was, wat zou jij beslissen, Anouk?'

Het kost de zwangere vrouw moeite zich te beheersen. 'Misschien komt het door de hormonen dat ik zo... zo anders ben. Ik durf Heidie nu niet onder ogen te komen. Hoe moet dat dan, Tammie?'

'Je moet niets overhaasten. Er eerst in gedachten mee klaar zien te komen. En dat jij denkt dat je Heidie... zal ik zeggen: haat?... dat geloof ik niet. Wat je voelt is een natuurlijke reactie. Zelfverdediging. Gebruik je gezonde verstand en je zult zien dat je er biddend uitkomt. Met het leventje van de kleine meid heeft God ook een bedoeling. Laten we dankbaar zijn dat Heidie geen abortus heeft overwogen. En dan nog iets...'

Anouk kijkt op. Ze dacht dat alles wat belangrijk is, besproken was. Van alle kanten belicht was.

'Ik heb begrepen dat Heidie uit een welgesteld nest komt. Ze is de erfgename van haar tante Elizabeth. Besef je wel dat Ammie ooit de erfgename van Heidie zal zijn?'

Anouk trekt een vies gezicht. 'Geld... bah! Maar gelijk heb je wel, Tammie. Ik zal mezelf nog eens goed onderzoeken. Ik ben altijd een vredelievend mens geweest. Maar weet je wat ik in werkelijkheid ben?'

Tammie gaat staan, het is hoog tijd om terug te gaan naar het moederhuis. Vanavond komt de gezinsvoogd die Bea is toegewezen, kennismaken.

Tammie strijkt tevergeefs langs de kreukels in haar rok. 'Dat zal ik je zeggen. Je bent geliefd als dochter, als echtgenote en als moeder. Nou nou! En dan ook nog: prima functionerend in haar baan en gewaardeerd door de kinderen en leidsters. Moet daar nog iets aan toegevoegd worden?'

Anouk hijst zich overeind.

'Ik ben een struisvogel die z'n kop in het zand steekt. En jij bent een schat om naar me te luisteren. Ik geloof dat je me een spiegel hebt voorgehouden!'

Tammie knuffelt Anouk. 'Dat was dan ook mijn bedoeling. Vergeef jezelf, blijf niet tobben over je reacties. Je zult zien dat binnenkort alles weer in balans is. Verheug jij je maar op je nieuwe kindje!'

Samen lopen ze naar buiten, waar een stel kleintjes druk in de weer is met pannetjes en potjes. 'We hebben zeefzand gemaakt!' joelt Ammie.

'Waarom doen kinderen dat toch altijd, Tammie! Zeefzand... ze zijn er druk mee en met het resultaat kunnen ze niet eens taartjes bakken!'

Ammie trekt verontwaardigd aan een uiteinde van Anouks ruimvallende blouse. 'Het is paneermeel, mama. Of poedersuiker. Dat strooien we over die natte oliebollen!'

Beide vrouwen lachen smakelijk om het boze snuitje van Ammie. 'Ze heeft een grote woordenschat, Tammie, en ze begrijpt veel meer dan wij denken... Je hebt gelijk, ik zal met haar praten. De spulletjes laten zien die ze aanhad toen we haar kregen. De rieten tas, het briefje van haar... van Heidie. Wie weet maakt dat bij mij betere gevoelens los...'

Tammie zwaait naar Paardenpeter die enthousiast met een kind op een pony mee draaft.

'Ik verwacht niet anders! Je weet me te vinden, Anouk! Al is het midden in de nacht!'

Tammie kuiert weg van de boerderij, ze loopt langs de voorkant en via een aangelegd pad komt ze naast de villa terecht. Midden in de nacht? Dan zou Anouk de derde persoon in korte tijd zijn die dat late tijdstip uitzoekt voor een diepgaand gesprek!

De functie van psychologe, van biechtmoeder en dominee valt haar niet licht! Het is dat Tammie goed kan relativeren, anders zou de last haar te zwaar worden. Na het gesprek met Anouk volgt een babbeltje met Bea, die tegen het bezoek van de gezinsvoogd opziet. Ze heeft op dat terrein akelige ervaringen. En ze mist Rietje. Met Connie kan ze niet echt overweg.

'Help me maar met koken, Bea. Dan kunnen we ondertussen kletsen!'

Zo samen met Tammie vergeet Bea kribbig te zijn, er schuilt een heel klein meisje in de forse vrouw. Maar je moet Tammie zijn om dat te ontdekken.

'Structuur, daar beginnen ze altijd over. Maar daar hebben we toch aan gewerkt, Tammie?'

Zo is het, beaamt Tammie. Structuur. Lijnen om je aan vast te houden. 'Een geraamte, een huis dat nog in de steigers staat. Zie je het voor je? Je metselt niet klakkeloos een eind in de rondte, nee, keurig, steen voor steen. Zoals gepland. Houd dat voorbeeld maar vast!'

Bea heeft nog veel te leren, maar ze is op de goede weg. 'Ik mis Rietje, en Heidie... die mis ik het meest. Ze kon zulke goede dingen zeggen, dingen waar je wat aan hebt en over na gaat denken. Maar ja, ze heeft dan ook geleerd voor dat soort dingen. Onzin dat ze niet hier zou kunnen opknappen. We zouden allemaal goed voor haar zorgen. En meteen praten!'

Tammie vindt dat Bea maar eens een brief moet schrijven. 'Je zult zien dat ze dat erg leuk vindt!'

Vanuit het kantoor, aan de andere kant van de hal, komen jammerende vioolstreken. Bea grijpt naar haar hoofd. 'Hoe lang duurt het voor ze echt kunnen spelen?'

Tammie houdt het vergiet met geschilde aardappels omhoog, schat de inhoud. Er kunnen er nog een paar bij, beter te veel dan te weinig. 'Hoe lang? Als ze hun best doen, ach, dan zijn ze over een half jaartje een stuk verder! Alles moet geleerd worden, beste Bea!'

Ook Philip is die avond van de partij. Hij kan van de gezinsvoogd leren, zij van hem. Bea is voor niets bevreesd geweest, het contact is meteen prima en belooft veel voor de toekomst.

Philip brengt, als het al na tienen is, de gezinsvoogd naar haar wagen en besluit een avondwandeling te maken. De geuren en lichte geluiden lokken. 'Ik kom graag nog eens terug, het was een leerzame avond! Welterusten voor straks!'

Philip kijkt de achterlichten na en gaat op pad.

Hij heeft zoveel om te overdenken.

Ten eerste is daar Heidie, die geen 'plannen' met de man van Anouk heeft. Maar wat zou de reden zijn van haar verdriet? Want je kruipt niet zomaar in de armen van een man. En zeker Heidie niet. Ze kan zelfs afstandelijk overkomen, weet hij uit ervaring. Hij heeft er spijt van kortaf te zijn geweest, vlak voor ze het ongeluk kreeg.

Blijft het probleem: zou ze het aandurven een nieuw leven te beginnen met een man als hij, met iemand die een bezwaard geweten heeft? De angel is eruit dankzij de woorden van Tammie. Maar ook het litteken doet pijn. Paulus, hij moet telkens aan Paulus denken. En aan het begrip genade, dat hoog boven alle andere uittorent. Dat moet hij zich eigen zien te maken.

Hij wil van de onzekerheid omtrent Heidie af. Het is een feit dat hij haar niet onverschillig laat. Dat heeft hij gemerkt. De speciale wisselwerking tussen man en vrouw. Die was absoluut aanwezig. Het begin van liefde.

Als een schooljongen tobt hij: hoe pak ik het aan? Wat ga ik zeggen... hoe zal ze reageren? Met die vragen kan hij naar niemand toe. Dat zijn dingen die hij zelf moet oplossen. En dan is er het besluit: morgen zegt hij een paar afspraken af. Belangrijk zijn ze niet, het gaat om interne gesprekken en die kunnen best een dag of wat uitgesteld worden.

Morgen rijdt hij naar de villa van tante Elizabeth. Zonder vooraf belet te hebben gevraagd. Want stel je voor dat hij niet welkom is! Overrompelen dan maar. Niet erg volwassen, maar wel doeltreffend.

17

Zo gezegd, zo gedaan. Geen macht ter wereld kan hem nu nog tegenhouden.

Rachel en Lea staan vlak voor hem, als hij de volgende dag gewapend met zijn autosleutels naar buiten wil gaan.

'Je gaat naar Heidie en tante Elizabeth, is het niet, Philip?' Rachel klemt haar kleine handen om een behaarde onderarm. Philip schudt zijn hoofd.

'Tuttut... hebben de dames weer eens aan de deur staan luisteren?' plaagt hij. Lea schudt haar hoofd. 'We willen graag mee. Laten horen hoe goed het met de vioollessen gaat. Ewout zegt dat we vorderingen maken. Mag het, alsjeblieft?'

Rachel zegt niets, maar haar mooie ogen spreken een eigen taal. Philip aarzelt. Van een privégesprek zal niet veel terechtkomen. Anderzijds is het een leuk binnenkomertje. De twee meisjes zullen in ieder geval met warmte ontvangen worden.

Ze zien hem twijfelen. Lea maakt een sprongetje. 'Dan zeg ik het binnen even. En we moeten de violen halen. En de standaard en de muziek!'

Philip slaakt een overdreven kreet. 'Vrouwen... zo jong en al zo geraffineerd!'

Lachend rennen ze weg.

Philip ziet vanaf dat hij wakker is, het beeld van Heidie voor zijn geestesoog. Heidie, net zo eenzaam als hijzelf. Misschien kan hij toch iets organiseren zodat hij een half uurtje met haar alleen is. Afwachten.

'We hebben geld mee van Tammie om bloemen te kopen. Weet jij wel een winkel, Philip?'

Rachel mag eerst voorin zitten, Lea op de terugweg.

Zodra ze op de provinciale weg rijden, begint Rachel over een onderwerp te praten waar zij en Lea mee tobben.

'We hebben verdriet dat papa en mammie er niet meer zijn. Echt, het is het ergste wat kon gebeuren. Philip... en toch lachen we om grappen en hebben af en toe plezier. Is dat niet raar? Hoe kan dat?'

Philip glimlacht fijntjes. Het valt niet mee, al rijdend, deze kleine dames een goed antwoord te geven.

Of ze er zelf al over nagedacht hebben, een antwoord weten op die vraag?

Twee donkere kopjes schudden heftig van nee. 'Anders zouden we het jou toch niet vragen?'

Philip mindert iets vaart en bidt in stilte dat hij de juiste woorden zal weten te vinden. Met begrippen als genade kun je bij een kind nog niet aankomen.

'Weet je, een mens is net een doosje met hoeken en vlakken. Nee, dit wordt geen sommetje. Denk aan een doosje... je verdriet en het gemis, horen bij een paar vlakken. Bijvoorbeeld bij het deksel van het doosje... andere vlakken horen bij eten en drinken. Of bij spelen. Belangrijke dingen in het leven. Zie je het doosje nog voor je?' Hij kijkt vluchtig opzij. Rachel heeft haar ogen dicht. 'Ik zie een doosje dat we in Ethiopië in een heel klein plaatsje op de markt hebben gekocht.'

Lea ziet haar sieradenkistje voor zich.

'Als het doosje zo staat dat je de vlakken met verdriet kunt zien, ga je huilen, erover praten. Herinneringen ophalen. Ja? Maar soms... dan ligt het doosje op een zijkant. Dat zijn de momenten van grapjes. Van fijne dingen... Jij kunt er niet altijd wat aan doen als het doosje op een bepaalde manier valt, en blijft liggen. Dat zijn – soms – de momenten dat je lacht! Dat betekent niet dat je papa en mama bent vergeten, nee, alleen hun vlakje ligt niet zo dat je het zien kunt en dat is heel goed!'

De meisjes verwerken zijn woorden moeizaam. Hoe hij al dat soort dingen weet? 'Heb je daarvoor geleerd, Philip, of had je die dingen voor die tijd al in je hoofd?'

Een grijns is het antwoord. En: 'Laten we zeggen: van allebei een beetje!'

Gelukkig voor hem komt een ander onderwerp aan de orde. Meisjeszaken, waar ze hem niet bij nodig hebben.

Bij zijn: 'We zijn er!' schrikken ze op en ze zijn meteen terug in het heden. 'Wat doen we als ze niet thuis zijn?'

Philip stapt uit en opent een achterportier voor Lea, Rachel is zelf al uitgestapt. 'Dan gaan we naar de bedriegertjes!' Gilletjes en protesten. Lacherig lopen ze voor Philip uit de tuin in. Tot Rachel blijft staan. 'Sst! Ze zitten vast buiten, Lea en ik sluipen met onze violen naar achter en dan spelen we... iets. Iets wat we uit ons hoofd kennen!' Philip kijkt hen toegeeflijk aan. Hij loopt terug om de auto voor hen open te klikken, zodat ze hun instrumenten met toebehoren kunnen pakken. Rachel en Lea kibbelen over wat ze zullen spelen.

'Het gemakkelijkst is: *Dank U voor deze nieuwe morgen...* Dat doen we! Kom op!'

Ze sluipen op hun tenen naar de hoek van het huis, gluren of ze iemand gewaarworden, hun viool onder een arm. Philip mag de ingeklapte standaard en muziek dragen, hij geniet. Het is een mooi gezicht deze kinderen blij te zien. Voor even ligt het vakje 'vrolijk' boven.

'Daar... vlak achter het huis zitten ze! Kom!'

Nog dichterbij, ze kunnen de stemmen nu goed verstaan. Rachel en Lea knikken naar elkaar, tellen geluidloos af. En dan klinkt het krasserig, maar behoorlijk zuiver: *Dank U voor deze nieuwe morgen.*

Philip denkt de woorden mee.

'... dank U voor deze nieuwe dag!

Dank U, dat ik met al mijn zorgen

bij U komen mag!'

Drie stomverbaasde vrouwengezichten keren zich in hun richting. Elizabeth roept: 'Nee maar! Welkom!'

De hun onbekende dame zwijgt en Heidie klapt verheugd in haar handen.

'Surprise!' joelen de meisjes en ze stormen naar Heidie, die haar armen uitspreidt. Elizabeth legt haar nieuwe vriendin snel uit wie de meisjes zijn.

Dan, heel langzaam, voegt Philip zich bij hen. Een zonnebril bedekt zijn ogen. Elizabeth slaakt een verheugd kreetje, licht Sofia opnieuw in en wijst Heidie op de uitbreiding van de visite.

Het is Heidie alsof ze geen lucht meer kan krijgen. Het liefst rende ze weg, ergens ver de tuin in. Maar ze zit gekluisterd aan haar stoel. Ze denkt dat ze luid spreekt, maar in werkelijkheid is het niet meer dan fluisteren als ze zijn naam noemt.

Philip kijkt haar aan, begroet eerst tante Elizabeth en laat zich aan Sofia voorstellen. En dan: 'Heidie... wat heb je nu toch weer uitgehaald! Hoe gaat het met jou, meisje?' Er klinkt zoveel warmte in zijn stem door, dat het Heidie van streek maakt. Waar is de norse man van kort geleden gebleven?

Hij zet zijn bril af en buigt zich naar Heidie over om haar te zoenen. Ze bloost, kust hem in de lucht terug, beide ogen wanhopig opengesperd.

Sofia is al naar de keuken om koffie te halen, de meisjes neemt ze mee, zodat ze kunnen kiezen wat ze willen drinken.

'En dat zonder afspraak, jij durft, Philip. Maar het is hoog tijd dat Heidie zich weer voor bezoek openstelt. Het kan haar alleen maar goeddoen, is het niet, Heidie?'

Philip trekt een stoel vlak naast de hare. 'Tja, jullie kunnen me natuurlijk de deur wijzen, dan ben ik zo weg. Is dat wat je wilt, Heidie?'

'Ik heb hier niets te willen,' aarzelt ze.

'We zijn vergeten bloemen te kopen!' roept Lea vanuit de opening van de keukendeur. 'Is er hier ergens een winkel?'

Even later zitten allen om de tafel, waar een gezellig kleed op ligt. Blauwe bloemtrosjes zijn erop geborduurd, tussen ranken klimop.

'We nemen jullie straks wel even mee naar het winkelcentrum dicht in de buurt!' belooft tante Elizabeth. Er ontspint zich een eenvoudig gesprek met simpele onderwerpen, zoals het weer, de bloeiende planten in de tuin, de komende vakanties.

Heidie komt in de zon te zitten, en het is Philip die de grote parasol zo zet dat ze er geen last meer van heeft. Of ze mag lopen? Jawel, met een kruk. 'Loopgips... ik zal zo blij zijn als het eraf mag. En volgens mij is de hersenschudding verleden tijd!'

De naam Tammie valt, waarop Philip lachend inhaakt. 'Tammie is me er één, die kan je hersens laten schudden tot je een ander mens blijkt te zijn geworden!' Heidie schatert. 'Dus dat is jou ook al overkomen!'

Ze kijken elkaar aan. Dus jij ook? Jij hebt Tammie ook zo nodig gehad?

Elizabeth gaat staan.

'Jullie vermaken elkaar wel, denk ik. Sofia en ik nemen de meisjes mee naar een tuincentrum waar ze bloemen kunnen kopen. Red je het, Heidie?'

Nee, natuurlijk niet. Ze wil hier weg. Weg van Philip die weer dezelfde man is als die waar ze zo op gesteld is geraakt.

Met veel drukte en gelach verlaat het viertal hen, even later start de motor van een auto. Philip gaat staan, drentelt wat doelloos op het terras heen en weer. Het zou niet moeilijk zijn een gespreksonderwerp te vinden. Maar hij wil recht op zijn doel af. Klare wijn schenken.

Hij keert zich abrupt om, Heidie is hem met haar ogen gevolgd. Ze wil gaan dazen over de mensen van het Poorthuis, maar haar keel zit dicht van emotie. Ze slikt en slikt.

Philip gaat voor haar staan, zo goed en zo kwaad als dat gaat. De afstand is hem nog te ver. Met een paar passen staat hij naast de ligstoel, legt op beide leuningen een hand. Heidie staart naar zijn vingers, die om het hout knellen.

'Heidie... Wil je met een vent trouwen die een verleden heeft?' Hij gooit het eruit. Geen mooie praatjes, geen inleiding. Heidie drukt zich zo ver ze kan tegen de rugleuning. Haar ogen opengesperd als een angstige vogel die door een kat in het vizier wordt gehouden.

'Ga weg...' Ze legt in een zelfbeschermend gebaar beide armen voor haar ogen. Philip trekt haar handen weg en koestert ze in de zijne.

'Ik houd van je. Al vanaf het moment dat ik je voor het eerst zag. Er stond iets tussen ons in... Ik ben daar klaar mee gekomen dankzij Tammie. Heidie, wil je mijn vrouw worden?'

Zijn donkere ogen branden in die van haar. Philip kan niet anders, hij gaat in de aanval: hij legt zijn mond licht op die van Heidie, alsof het een teder spel is. Een vlinder die rust vindt op een door de zon verwarmde bloem. Ze voelt zijn warmte... het is of ze erin verdrinkt. Ze geeft toe, en even later wordt zijn kus intenser en Heidie kan niet anders dan erop reageren. Ze klemt haar handen om zijn schouders.

'Het is dus ja?' constateert Philip. Hij is nu wel heel erg dichtbij. Heidies ogen vullen zich met tranen. 'Het moet nee zijn... voor je eigen bestwil. Echt... je zult er spijt van krijgen. Want het zal altijd tussen ons staan. En ermee klaar komen, dat zal mij niet lukken!'

Philip neemt geen genoegen met haar woorden. Hij gelooft ze ook niet. De poten van een stoel krassen protesterend over de terrastegels als Philip een stoel vlak naast die van Heidie trekt. 'Ik geloof je niet, lieveling. Ik weet dat we voor elkaar zijn geschapen. Samen kunnen we alles aan.'

Heidie denkt met smart aan de woorden die hij ooit sprak aangaande moeders die niet voor hun kind wilden zorgen. Hoe vreselijk zal hij het dan wel vinden als hij hoort dat zij een kindje ter adoptie heeft neergelegd, bij Anouk op de stoep?

'Het kan niet. Echt, je moet me geloven. Hoe graag...'

Philip houdt haar handen tegen zijn mond, hij verlangt zo naar haar. Hij trekt haar tegenstribbelende lichaam in zijn armen en kust haar vurig.

'Durf je nu nog te weigeren?' Ja, het moet.

'Wil je het in overweging nemen?' Alsof het om een zakentransactie gaat!

Om tijd te winnen stemt Heidie toe.

'Als... als ik van mening verander, kom ik naar je toe. Maar reken er niet op!' Zeker weten dat het er nooit van komt.

Lang duurt hun samenzijn niet, de anderen zijn sneller terug dan

Philip gehoopt had. Armen vol bloemen, allemaal voor de patiënte. Heidie veegt de tranen – zogenaamd van ontroering – uit haar ogen. Sofia is zo lief voor vazen te zorgen.

'Jullie blijven natuurlijk eten!'

Heidie smeekt haar met de ogen dit verzoek in te trekken. Maar Elizabeth begrijpt het verkeerd. Het is Philip die ertussen komt. 'Dat gaat helaas niet, tante Elizabeth. Ik heb een paar afspraken die ik moet nakomen. Misschien dat de meisjes kunnen blijven tot morgen? Want ik meen dat Tammie dolgraag langs wil komen. Zij kan ze mee terugnemen.'

Dat is dan ook weer geregeld. Philip groet het gezelschap door een hand op te steken, kijkt langs Heidie heen en is vertrokken voor men er erg in heeft.

Sofia neemt de kinderen mee om hun een slaapkamer te wijzen. Heidie geeft aan doodmoe van het bezoek te zijn geworden en strompelt terug naar haar bed, in de kamer.

Elizabeth durft geen vragen te stellen, maar dat er iets helemaal fout zit, is haar wel duidelijk.

Niet Tammie, maar Anouk komt op bezoek. En o wonder, in het gezelschap van Ammie! 'Tante Heidie... hier ben ik dan! Ik heb een cadeautje voor je gekocht, zelf uitgezocht! Een geurtje met... hoe heet het ook weer, mama?'

Anouk staat op dezelfde plek als Philip de dag ervoor. 'Lelietjes van dalen, lieverd. Geef het maar gauw!'

Elizabeth verschiet van kleur. Ze herkent in het kind duidelijk de familietrekken. Ze voelt dat haar bloed sneller gaat stromen, alsof ze een injectie met levenssap heeft gekregen.

Anouk buigt zich naar Heidie toe en geeft haar een knuffel.

'Jij... jij hier!' stamelt Heidie.

'Jawel, ik hier. En ik ga pas weg als wij samen een goed gesprek hebben gehad. Maar eerst wil ik gelaafd worden!'

Sofia neemt de drie meisjes mee voor een klusje in huis en na voor een tweede keer koffie te hebben ingeschonken, verdwijnt ook Elizabeth stilletjes.

'Ik...' Ze beginnen tegelijk te praten.

Heidie schudt haar hoofd. 'Ik heb spijt van veel dingen, Anouk. Niet dat ik jou heb uitgekozen, destijds. Je bent de beste moeder voor Anna Marie die ik kan wensen. En ik heb er spijt van naar het Poorthuis gekomen te zijn. Ik heb alleen maar ellende veroorzaakt. Ik zal je met rust laten...' De tranen die rijkelijk over haar wangen stromen, zijn heet.

Anouk houdt zich flink. Dat heeft ze zich voorgenomen en ze is niet van plan zich door emoties te laten meeslepen.

'Ook ik heb spijt. Ik vraag je om vergeving. Ik heb zo lelijk over je gedacht. Ik – God weet dat het me spijt – ik heb gereageerd op een manier waar ik niet trots op ben. Jawel... je weet niet wat ik allemaal heb gedacht. Heidie... we moeten tot een overeenstemming komen. We moeten ons uitspreken tegen elkaar. De situatie is wonderlijk. Maar het gaat om Ammie. Háár geluk staat bij mij bovenaan!'

Heidie knikt. 'Bij mij toch ook. Wat zal ze denken, als ze volwassen is, van een moeder die haar heeft weggegeven?' Daar heeft Anouk rap een antwoord op. 'De omstandigheden, lieverd, die deden je zo handelen als je deed. Compliment dat je abortus niet als een optie hebt gezien. Nu hebben we Ammie! Dat van je nicht vind ik afschuwelijk. De enige mens die je vertrouwde te moeten verliezen is erg. Maar nu heb je ons allemaal! Ik heb een voorstel. Wil je ernaar luisteren?'

Heidie, voorbereid op het allerergste, sluit haar ogen en knikt.

'Ga je gang!'

Anouk vindt dat het niet lang meer moet duren eer ze Ammie de waarheid omtrent haar geboorte vertelt. Ze wil nog even wachten, misschien is het slim om het na de geboorte van de baby te doen. Dan vertelt ze meteen wie mama wel is. Jammer dat er niets bekend is over de vader, maar dat probleem is van later zorg. En dat is uiteindelijk het probleem van Ammie.

'En dan... dan zal onze kleine meid contact met je willen. Wat dacht je van een soepele regeling? Jij af en toe bij ons logeren, en Ammie bij jou. Je zult je toch ooit wel settelen, neem ik aan. Lucas is het met me eens dat dit de beste regeling is. Ik geef je het kind terug, Heidie, als jij het zo wilt!'

Heidie opent nu haar ogen en kijkt recht in die van Anouk. 'Je bent een kanjer, Anouk! Ammie... Ze moet blijven waar ze is. Het is wreed een kind, juist zo'n gevoelig kind als Ammie, uit de vertrouwde sfeer te halen. Ik heb haar het leven geschonken... Jij bent de vrouw die haar opgevoed heeft! Ik vind het groot van jullie om mij erbij te betrekken. Dat had ik niet durven verwachten!'

Beide vrouwen zitten lang hand in hand.

Er is zoveel om over na te denken.

Dan zegt Anouk, opeens weer onzeker: 'Vergeef je me echt alles wat ik gedacht en gezegd heb... ook al weet je niet precies wat? Heidie, o Heidie, ik heb een kant in mezelf ontdekt waarvan ik niet wist dat ik die had!'

Heidie lacht als een bevrijd mens. 'Dat overkomt ons allemaal wel-eens. Maar goed ook... Je hebt nog net niet een kroontje op je hoofd, maar het scheelt niet veel. Iedereen in het Poorthuis loopt met je weg!'

Anouk wimpelt de lof af. 'Je overdrijft, Heidie. Zullen we vriendin-nen zijn? Wil je dat nog wel?'

Heidie, die gisteren luid nee tegen een ander riep, zegt nu volmon-dig ja.

Elizabeth komt voorzichtig de sfeer polsen, Heidie roept haar verder te komen. Zodra Elizabeth de twee vrouwen ziet zitten, hand in hand, weet ze dat het goed komt. Hoe dan ook!

Aan het eind van de middag, als het bezoek opgewekt is vertrokken, dient Tammie zich aan. Haar wagen parkeert ze naast die van Elizabeth, twee auto's, een wereld van verschil. Voor haar doen is Tammie netjes gekleed.

Ze wordt door Elizabeth hartelijk begroet. 'Het doet Heidie zo goed om bezoek te krijgen! Fijn dat je er bent. Heidie zit in de voorkamer, jammer dat het is gaan regenen. We woonden de laatste dagen bijna buiten!'

Tammie ziet meteen dat er iets aan schort bij Heidie. Ze kan raden wat. Het moet met Philip te maken hebben. Philip, de afgewezen man, heeft haar in vertrouwen genomen. Omdat hij zeker weet dat, als iemand kan bemiddelen, het Tammie moet zijn.

'Ben je nog van plan je scriptie af te maken, Heidie? We hebben "nieuw voer" in het moederhuis. Bea is vertrokken, Connie krijgt bijna dagelijks haar man op bezoek sinds hij vakantie heeft. Ze gaan opnieuw beginnen, heeft grote Rob gezegd. En ik geloof dat het project een succes genoemd kan worden. Dat is Philip met me eens!'

Ai, nu is die naam gevallen. Heidie kan niet anders dan haar hart bij Tammie uitstorten. 'Zeg nou zelf, Tammie, ik moet de eer toch aan mezelf houden! Ik kan het niet aan hem te horen zeggen dat hij ieder woord gemeend heeft!'

Tammie overdenkt haar woorden zorgvuldig. Ze wil niet te boek komen te staan als de vrouw die heeft bemiddeld tussen twee geliefden. Ze wil op de achtergrond blijven.

Ze vertelt over de ontreddering van Philip, na het sterfgeval dat zijn leven op de kop heeft gezet. 'Dat weerhield hem, Heidie, om een vrouw te zoeken. En toen kwam jij. Hij was bang je te verliezen. Hij noemt zich...'

Heidie valt haar in de rede. 'Een man met een verleden. Ik weet het toch. Maar ik dan? Hij is zonder opzet in de narigheid gekomen. Maar ik... ik heb gekozen voor een verkeerde daad!'

O, o, wat moet Tammie weer praten en praten. Uitleggen, de menselijke ziel ontrafelen. Gedachten, acties en daden en de gevolgen daar weer van.

'Wat jij moet doen, lieverd, is naar hem toe gaan en vertellen dat je niet echt volmaakt bent. Helaas. Jammer genoeg is hij dat ook niet, en ik niet, en niemand op deze aarde. Stap over de drempel die hoog-moed heet en geef je bloot!'

Heidie kijkt haar verschrikt aan, dan lachen ze samenzweerderig. 'Niet letterlijk.' Het heft is Heidie uit handen genomen. Ze begrijpt dat Tammie zich verplicht voelde Philip over Heidies verleden te ver-tellen.

Maar ook Anouk heeft hem in vertrouwen genomen. Hem om advies gevraagd. Tja, nu is het gebeurde niet langer Heidies geheim.

Ze zou zo graag weten hoe Philip heeft gereageerd. Of hij begrip voor haar heeft. Of houdt hij vast aan zijn standpunt dat een moeder vóór alles er voor haar kind moet zijn?

Elizabeth kan haar nieuwsgierigheid niet langer bedwingen en komt hen gezelschap houden.

'Volg je hart, Heidie. Doen. Dat heb ik mijn leven lang niet gedurfd. En wat was het gevolg? Ik werd een onbeminde vrouw, mensen schuwden mijn gezelschap. Zelfs jij. Nu ik geleerd heb nederig te zijn, mezelf niet zo belangrijk te vinden, is het leven anders. En ik neem het dan ook in eigen hand. Eindelijk heb ik mezelf gevonden. Weet je wat mijn plannen zijn? Ik ga een bungalow kopen, in de buurt bij die van Sofia.

Weg met dit te grote huis... de status. Het laat me koud wat de men-sen van me vinden. De jaren die ik nog heb, wil ik gebruiken om te leven!'

Heidie zwaait haar gezonde been van de rustbank, zet het goed ver-pakte exemplaar ernaast. 'Tante Elizabeth, ik ben van u gaan houden. Echt waar. En ik ben trots op u!'

Tammie kijkt bezorgd op haar horloge. En nee, ze blijft niet eten. 'Wat doe jij, Heidie? Je mag met me meerijden...'

'Gaan!' roept Elizabeth. 'Sofia kan wel een koffertje voor je pakken. En als je wilt, kom ik je weer halen!'

Niet nadenken, maar doen.

Heidie laat zich in de lage wagen helpen en schatert om de manier waarop haar tante het inwendige van de auto bekijkt. 'Charme uit de jaren vijftig!' zegt ze lief. En, net voor ze wegrijden, roept ze door het open raampje: 'Je bent een gelukkige vrouw, Tammie!'

Een maaltijd overslaan en toch geen trek hebben. Zo vergaat het de twee vrouwen, die in rap tempo naar het Poorthuis rijden.
Heidie wikt en weegt hoe ze het zal aanpakken. Ze voelt nog de hete kus van Philip, hoe zou ze die kunnen vergeten. Nooit immers?
'Je gaat gewoon in een pannenkoekhuisje zitten en dan sein ik Philip in dat iemand hem wil spreken. De rest, ach, die komt vanzelf. Ik spreek je later op de avond wel! Ondertussen zorg ik ervoor dat je bed lekker verschoond wordt.'
Heidie strompelt aan de arm van Tammie achter de kleine bungalows langs. Het is rustig, dankzij de lichte regen die maakt dat buiten alles gaat geuren. 'Ziezo. Alle ingrediënten zijn aanwezig voor een romantische ontmoeting. Wat wil je nog meer?'
Met die woorden laat Tammie Heidie alleen. Heidie denkt aan de vorige keer toen ze hier stond te jammeren, in de armen van Lucas. Vreemd dat ze zich zo rustig voelt, na het bezoek en de bekentenissen van Anouk. Ze heeft bewondering voor haar. Ammie loslaten, dat doet pijn.
Moeizaam gaat ze zitten op een van de harde banken die rondom een tafel zijn aangebracht. Philip... haar hart gaat naar hem uit.
Ze hoort voetstappen, ze zou hem tegemoet willen snellen. Achter haar hart aan.
'Jij hier! Dat betekent slechts één ding. Lieveling... ik weet alles, bijna alles. Tammie is open geweest. En ik begrijp ook alles, alles wat je hebt gedaan. Ik houd van je!'
Philip knielt op de grond, vlak voor haar voeten. Hij legt een hand op het gipsbeen dat door Rachel, Lea en Tammie is beschilderd met viltstiften.
'Doe niet zo dramatisch...' snikt Heidie, en legt haar beide handen, alsof ze hem wil zegenen, op zijn hoofd.
'Jij hebt voor je kindje datgene gekozen wat toen het beste leek. Maar

er zullen, zo God wil, meer kindjes komen. Die van jou en mij samen. Heidie, zeg dat je met me wilt trouwen!'

Philip legt zijn hoofd op haar schoot. Nog nooit in zijn leven heeft hij zich zo afhankelijk van iemand gevoeld. Haar ja is de hemel op aarde, haar nee het tegenovergestelde.

Heidie buigt zich voorover, haar hand streelt zijn gespierde nek. Kruipt een eindje onder de kraag van zijn ruitjeshemd. 'Ik houd van je. En ik ben helaas niet de volmaakte maagd...'

Nu schiet Philip omhoog, hij ploft naast haar neer, trekt haar op zijn knieën en zijn eisende mond vertelt haar dat ze dat voor hem wel is. 'Jij bent alles wat ik begeer... Ik ben totaal afhankelijk van je. Dat doet liefde met een mens. Heidie, zeg dat je van me houdt!'

Ze neemt zijn hoofd in beide handen, ziet de schittering in zijn donkere ogen die haar tegemoet glanzen. En het is een zeker weten dat hij in zijn leven nog nooit op die manier naar iemand, wie dan ook, gekeken heeft.

'Ik houd van jou, Philip. En ik wil niets liever dan heel, heel dicht bij jou zijn zo lang ik leef...!'

Dat antwoord is meer dan duidelijk. En tevens het begin van een heel nieuw leven, dat vervlochten wordt met het oude.

Waarom lang wachten als het niet nodig is! Alles is immers voorhanden? Heidie heeft haar studie voor even op de lange baan geschoven. Er zijn belangrijker zaken aan de orde.

Maar trouwen met een gipsbeen, dat gaat haar te ver.

Half september, dan is het zover.

Elizabeth is dankbaar dat Heidie in haar huis wil wonen. Zodra de verbouwing van haar bungalow gereed is, vertrekt ze. Alles en alles is in een recordtempo terechtgekomen. Een stroomversnelling zogezegd.

Bruidsmeisjes? Dat spreekt vanzelf. Ammie, en alle zusjes Roosenboom zijn van de partij. Al met al belooft de trouwdag een groots gebeuren te worden.

Toch is er iets wat Heidie blijft kwellen. Niet de kwestie rondom Ammie, maar de kinderen Roosenboom trekken aan haar hart en ziel.

Uiteindelijk durft ze het tegen Philip uit te spreken. Ze zitten, vlak voor de trouwdatum, in de heerlijke tuin die binnenkort van hen zal zijn.

De zomer gaat heel langzaam over in de naderende herfst, dat is aan alles rondom hen te merken. De avonden worden duidelijk killer en het is ook veel eerder donker.

'Zeg het maar, wat scheelt eraan?' Soms, eigenlijk best vaak, lijkt het of Philip haar gedachten kan lezen.

'Ze gaan naar de middelbare school... Ze zien zo tegen de toekomst op, ze zijn bang voor de toekomst. Philip...'

Een arm om haar heen. Heidie heft het van het gips verloste been een stukje op, het is wennen om weer op twee gewone benen te kunnen staan.

'Je hebt het over de kinderen. Ik weet dat je daarover tobt. En ook... jawel... wat er in je hoofdje rondspookt. Jij wilt graag over hen moederen. Ze, om kort te gaan, adopteren. En eerlijk gezegd heb ik dat ook weleens overwogen, maar ik durfde het nooit aan te kaarten. Omdat het heel wat is, lieverd van me!'

Heidie rukt zich los. 'En Anouk dan? Die heeft toch ook Ammie genomen toen er niemand anders was? Echt, het zou me goeddoen te weten dat die zes kinderen een fijne jeugd hebben en dat niet zonder elkaar! Net of ik iets goed kan maken aan hen dat ik mijn eigen kind heb ontnomen. Onzin, ik weet het. Ik zeg ook maar wat...!'

Philip zwijgt, denkt na en zegt dan: 'Dat zou ik ook kunnen zeggen. Dat overleden kind... Het komt niet terug als ik vader van zes andere zou worden. Maar je gevoel, dat begrijp ik ook. Zullen we er serieus over gaan denken? Het huis hier is ideaal voor een groot gezin. In aanmerking genomen dat zes nog maar het begin is!'

Ze kussen elkaar, vol overgave. Een huwelijksreis, daarna meteen ouders van zes kinderen die hunkeren naar een leven als gezin.

'Jij mag denken, ik heb het al gedaan!' En daarmee is de zaak beklonken.

De trouwdag is een voor de hoofdpersonen emotioneel gebeuren. Het gemeentehuis, vlotte toespraken. Dan de kerk, versierd met gele chrysanten en klimop. Stampvol is het gebouw. Achterin zitten de kinderen van het Poorthuis met de voltallige staf. Pollie Pieper heeft voor de gelegenheid zelfs een hoed gekocht. Vrienden, familie en belangstellenden zorgen ervoor dat geen bank onbezet is. De ouders van Leidie zijn ook gekomen. Het verdriet om hun dochter heeft hun gezichten getekend. Hun komst, vindt Heidie, is een heldendaad. De bruidsmeisjes zitten op de eerste rij. Naast hen Sam en David plus aap. Een ereplaats. Anouk, bijna uitgerekend, houdt een oogje op hen, terwijl Lucas Fritsje in toom houdt.

De predikant weet hoe hij met woorden kan boeien, samen met het paar heeft hij de bijbelgedeelten uitgekozen.

En als het zover is dat het jawoord uitgesproken mag worden, kijken bruid en bruidegom elkaar stralend aan. Heidie heeft het gevoel alsof ze met haar ogen in de ogen van haar toekomstige man kan kruipen. 'Nu mag u de bruid kussen...' De gasten rekken hun halzen uit om te zien hoe Philip met een tedere beweging de sluier optilt en hun jawoord met een innige kus bezegelt.

David heft zijn aap op en maakt een zoenbeweging met zijn lippen. Dan vraagt de predikant om rust, om stilte en aandacht. Want hij heeft nog iets te vragen. Of de kinderen Roosenboom bij het bruidspaar willen gaan staan. De donkere snuitjes kijken de dominee vol verwachting aan. Moeten ze soms wat zingen?

'Kinderen Roosenboom...' De predikant noemt hun namen in de juiste volgorde. Dan verheft hij zijn stem.

'...willen jullie dit bruidspaar, Heidie en Philip Dupuis, dat zojuist voor de gemeente en God de Here het jawoord heeft gegeven, als vader en moeder accepteren? Wat is daarop jullie antwoord?'

Ze kijken elkaar aan, de zes kinderen. Hoorden ze het goed? De dominee is bereid zijn woorden te herhalen. Ze kijken naar Heidie, naar Philip die er zo eng deftig uitziet in zijn donkere kostuum. 'Mogen deze twee mensen, Heidie en Philip, jullie tweede vader en moeder zijn? Is het ja of wordt het nee?'

Dan dringt het tot de zes door. Ouders, pleegouders. Geen vreemde mensen die hen adopteren willen, hen zullen scheiden. Maar Heidie die hun steun en toeverlaat is, vanaf het moment dat ze voet hebben gezet in het Poorthuis. Heidie en haar Philip.

Rachel snikt het uit, net als Lea. Het dringt diep tot hen door wat het allemaal inhoudt. Ze duiken op Heidie af, omarmen haar en ze laten zich omarmen. Dan volgen de vier anderen. 'Voorgoed?' informeert David zakelijk. Philip zegt schor: 'Voorgoed, tot de dood ons scheidt!' In de kerk worden her en der zakdoeken te voorschijn gehaald. Het is ook een uniek gebeuren.

Het geroezemoes wordt overstemd door muziek vanaf het balkon. Ewout en zijn leerlingen laten horen wat ze ijverig hebben ingestudeerd.

En daar staan ze dan, alle acht, hun hoofden omhooggericht naar de muziek, de gezichten naar de kerkgangers. Na het slotakkoord valt er een diepe stilte.

'Bruidspaar, wat is uw antwoord, willen jullie deze kinderen opvoeden als waren het jullie eigen kinderen?' Volmondig en luid klinkt het 'ja'.

'Kinderen? Nemen jullie deze twee aan als jullie wettige ouders?' De kinderen lachen en roepen ja. En ze moeten ook een beetje huilen. Vooral als het bruidsmeisje Ammie roept: 'Ikke ook een beetje? Ik ook ja zeggen?'

De zegen wordt uitgesproken en Heidie denkt: dit is wel het gelukkigste moment uit mijn leven. Here, help me als het nodig mocht zijn, me dit te herinneren. Ze voelt de arm van Philip. Ziet in een waas alle mensen die hen zo na staan.

De organist speelt de bruidsmars en het bruidspaar maakt zich klaar voor de wandeling over de loper, terug naar de wachtende auto's.

De bruidsmeisjes hervatten hun taak en tillen de sleep op. Sam en David promoveren zichzelf tot bruidsjonkers en grijpen een stuk van de kanten stof.

Bij de ingang staan kinderen uit het huis klaar met mandjes en kleine bloemen die ze rondstrooien. Even blijft het paar stilstaan, lachend kijken ze in de lens van de fotograaf.

Achter hen klinkt het slotakkoord van de bruidsmars en het gestommel van mensen die hun plaats verlaten.

Dan is er een heel kort moment voor de twee hoofdpersonen. Ze kijken elkaar aan, zich volkomen bewust van de ernst van deze dag. Het begin van een leven vol liefde, maar ook vol opoffering. Een bestaan dat ze zonder hulp van Boven niet aangedurfd zouden hebben.

Een piepklein eilandje, midden in een grote wereld, daar staan ze op. Ogen die zeggen waarvoor ze de woorden niet kunnen vinden.

Philip knijpt zacht in de gehandschoende hand van zijn vrouw, die op zijn arm rust.

'Alles goed?'

Heidie knikt.

Met die twee woorden is alles gezegd.

Openbare B
Osdor
Osdorpplein
1068 EL Amsterdam
Tel.: 610.74.54
www.oba.nl

This book should be returned to any branch of the
Lancashire County Library on or before the date shown

0 1 JUN 2018		
1 0 AUG 2018		
2 2 AUG 2018		
1 8 SEP 2018		
1 0 MAR 2020		
0 7 JUL 2021		

Lancashire County Library
Bowran Street
Preston PR1 2UX
www.lancashire.gov.uk/libraries

LL1(A)

LANCASHIRE COUNTY LIBRARY

30118133871073

FANTASTIC BEASTS

AND WHERE TO FIND THEM™

MAGICAL MOVIE HANDBOOK

by Michael Kogge

Scholastic Ltd.

Lancashire Library Services	
30118133871073	
PETERS	J792KOG
£6.99	23-Jan-2017
NHE	

Copyright © 2016 Warner Bros. Entertainment Inc.
FANTASTIC BEASTS AND WHERE TO FIND THEM characters, names
and related indicia are © & ™ Warner Bros. Entertainment Inc.
WB SHIELD: ™ & © WBEI.
J.K. ROWLING'S WIZARDING WORLD ™ J.K. Rowling and Warner Bros.
Entertainment Inc. Publishing Rights © JKR. (s16)

www.fantasticbeasts.co.uk

Scholastic Children's Books
Euston House, 24 Eversholt Street,
London NW1 1DB, UK

A division of Scholastic Ltd
London ~ New York ~ Toronto ~ Sydney ~ Auckland
Mexico City ~ New Delhi ~ Hong Kong

First published in the US by Scholastic Inc, 2016
Published in the UK by Scholastic Ltd, 2016

Art Direction: Rick DeMonico
Page Design: Keirsten Geise

HARDBACK EDITION ISBN 978 1407 17346 7
SCHOLASTIC CLUBS AND FAIRS EDITION 978 1407 17932 2

Printed and bound in Germany

2 4 6 8 10 9 7 5 3

All rights reserved

This book is sold subject to the condition that it shall not, by way of trade or otherwise be
lent, resold, hired out, or otherwise circulated without the publisher's prior consent in any
form or binding other than that in which it is published and without a similar condition,
including this condition, being imposed upon the subsequent purchaser.

Papers used by Scholastic Children's Books are made from wood grown in sustainable forests.

www.scholastic.co.uk

CONTENTS

INTRODUCTION

Newt Scamander, the world's pre-eminent Magizoologist, strongly believes that magical beasts should be studied and protected. Newt has made this his life's mission, travelling the globe to carry out his research.

The adventure begins when Newt arrives in New York City in the winter of 1926, with nothing more in his possession than the clothes on his back and one modest leather case. But his is no ordinary case – it is also the home of a fantastic array of magical creatures!

Jacob Kowalski – who is referred to by the American wizarding community as a No-Maj because he does not have magical powers – meets Newt when they are both at a local bank. Following a misunderstanding, Jacob and Newt get into a skirmish outside the bank, and the two accidentally switch cases. Jacob gets the surprise of his life when he returns home and opens Newt's case, unwittingly unleashing many of the Magizoologist's beloved beasts.

Meanwhile, there is something dark and ferocious terrorizing New York City. It's crushing cars, blasting through walls and shattering windows. Some No-Majs explain the unusual disturbances as strange weather, but others suspect the truth: magic is afoot. Mary Lou Barebone, the leader of the New Salem Philanthropic Society, leads a vocal charge in alerting people about what she believes is sinister witchcraft and wizardry all around them.

As Newt searches the city for his runaway beasts, he becomes further entangled not only with Jacob, but also with two witch sisters named Tina and Queenie Goldstein, who work for the Magical Congress of the United States of America, MACUSA. Once the Congress becomes aware of Newt's escaped creatures, they blame him for the troubles in the city.

Newt tries unsuccessfully to convince officials at MACUSA that his beasts are innocent. He has seen this kind of carnage before, and believes it to be the sign of an Obscurus – a dark and violent force that manifests itself when a child born with magical powers suppresses his or her abilities. But MACUSA refuses to believe that an Obscurus in New York City could even be a possibility. There hasn't been one recorded in the United States in over 200 years, since American witches and wizards began practising magic in secret.

How can Newt save himself – and his beasts – if no one will listen to the truth?

✳ CHARACTERS ✳

NEWTON "NEWT" SCAMANDER

·•·•·•·•·•·•·•·•·•·•·•·•·•·

PROFESSION: THE WORLD'S MOST FAMOUS – AND ONLY – MAGIZOOLOGIST

BACKGROUND

Newt grew up in England and fell in love with fantastic beasts at an early age. He attended Hogwarts, where he was placed in Hufflepuff house. He enjoyed learning about the training of magical creatures, as did his close friend Leta Lestrange. But one day, Leta went too far with an experiment that ended up endangering a fellow student's life. Instead of allowing his good friend to get expelled, Newt took the blame for Leta and was expelled in her place.

DRAGON MASTER

During the Great War, Newt performed his patriotic duty working in the Beast Division for the Ministry of Magic, wrangling Ukrainian Ironbelly dragons. Afterwards, he was commissioned to write a tome on magical creatures and has been travelling the globe ever since, compiling notes.

MAGIZOOLOGY

Newt studies Magizoology. He discovers and further studies magical creatures from around the world to better educate the wizarding community. Often, many of these beasts are endangered or on the verge of extinction and Newt comes to their rescue. He's set up peaceful habitats in his case for each rescued beast to live freely, and he cares for them as deeply as if he were their own mother.

SPELL BOOK

Newt is fond of a range of spells, including *Aberto*, which opens doors and windows; *Accio*, which summons objects and *Reparo*, which repairs items that have been broken – most often by one of his beasts.

NEWT'S CASE

From the exterior, Newt's leather case could not look more normal. The interior of Newt's case, however, couldn't be more unique.

ROLL THE DIAL ONE WAY . . .

Move the brass dial on Newt's case to "Muggle Worthy" and it will open to reveal the clothes, maps and other everyday items that Newt has packed for his long journey.

ROLL THE DIAL THE OTHER WAY . . .

Move the brass dial to "Open" and it'll open to reveal a portal to a whole new world.

NEW WORLDS

While in New York, Newt is introduced to everything the city has to offer: fascinating neighbourhoods, beautiful parks, the Central Park Zoo and even the Magical Congress of the United States of America, known as MACUSA.

NIFFLER ESCAPE

Newt's plans are derailed when one of his rescued beasts, the Niffler, escapes from his case. The fur-covered creature has a penchant for shiny objects – especially coins, shoe buckles and diamonds – which are found everywhere in New York City!

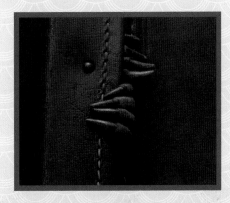

NEW FRIENDS

Just as Newt has ventured into a new world, he has also ventured into new friendships. He befriends Jacob Kowalski, an aspiring baker, and sisters Tina and Queenie Goldstein, two witches who work for MACUSA.

ZOO ANIMAL

Newt soon realizes more of his beasts have escaped from his case and one is causing quite a stir at the Central Park Zoo. To coax this rhinoceros-like beast, the Erumpent, back into his case, Newt tries to dab on a bit of the beast's musk – but instead accidentally spills the musk all over Jacob.

PORPENTINA "TINA" GOLDSTEIN

PROFESSION: MACUSA WAND PERMIT OFFICIAL

BACKGROUND

Early in Tina's life, her parents succumbed to dragon pox, leaving Tina and her younger sister, Queenie, on their own. Tina went on to develop her magical skills at Ilvermorny School of Witchcraft and Wizardry, the North American academic institution for young witches and wizards. Tina is an astute observer, which, combined with her hard work ethic, made her an excellent MACUSA Auror.

AUDACIOUS AUROR

As an Auror, Tina excelled at investigating crimes committed against the wizarding community. However, her unwillingness to move past one particular, controversial case – despite the instructions of her superiors – led to her eventual demotion to the Wand Permit Office.

SPELL BOOK

Since her previous employment required Tina to snoop around buildings and crowds and become highly skilled at observing others, her repertoire of spells includes anything that keeps her unseen or unheard by those she's observing. Like all witches and wizards, if she is discovered, Tina can Obliviate any memory of her presence from a No-Maj mind.

KEEPING THE SCENT

Tina continues to keep close watch over the Second Salemers, a group of people who have made it their life's work to root out witchcraft and wizardry. It will take more than a demotion to stop Tina from doing the job she was born to do.

SECOND CHANCE

After Newt and Jacob finally get the Erumpent back into Newt's case, Tina closes it with them inside and presents it to the International Confederation of Witches and Wizards at MACUSA, hoping that this act will lead to her reinstatement as an Auror. President Picquery isn't so forgiving, however, and Tina and Newt are reprimanded and sent to Graves for sentencing.

CHRISTMAS TIDINGS

Tina discovers more than the spirit of Christmas at a New York department store – she gains respect for Newt and how he cares for his beasts. The two track an invisible beast, a Demiguise named Dougal, through the store. Together, they recapture another beast, the winged Occamy, with a teapot – and a bit of quick thinking.

SECRET GUARDIAN

Knowing that he has to leave to help contend with the Obscurus, Newt entrusts Tina with his life's work: his case containing the fantastic beasts he's collected. He also gives her his manuscript describing how to maintain these amazing creatures.

JACOB KOWALSKI

PROFESSION: ASPIRING BAKER

BACKGROUND

Though Jacob is Polish by birth, he desires nothing more than to live the American dream: to get married and start his own business. But Jacob doesn't have the money to open his own bakery, so he finds himself stuck at a dead-end job at a canning factory instead.

OVER THERE

While in Europe, Jacob fought for the American Expeditionary Force in the Great War. He remained in Europe until the mid-1920s before coming back to New York, dreaming of bringing Polish pastries to the States.

BAKER'S DELIGHT

Two of Jacob's trademark treats are *babka* and *pączki* pastries, which he makes according to the recipes of his Polish grandmother. Her secret ingredient for the *pączki* is simple – orange zest. Jacob is confident that once New Yorkers taste them, they won't be able to resist.

BANKER'S DOZEN

Jacob seeks a loan from Mr Bingley at Steen National Bank in New York City. Bingley denies Jacob a loan for his bakery business because he doesn't see how one baker can compete with machines that pump out pastries by the hundreds.

MILDRED

Jacob's failure to secure a loan does not go over well with his fiancée, Mildred, who is tired of living in poverty. She breaks off her engagement with Jacob in hopes of finding a man with brighter prospects. Jacob is left broken-hearted and alone.

MURTLAP ATTACK

Having just been left by his fiancée, Jacob opens his case to discover an unexpected surprise – his and Newt's cases were switched by mistake! Not only that, but one of Newt's beasts, a Murtlap, escapes from the case and clamps its jaws on Jacob's neck. He manages to wrestle the rodent-like creature off before falling unconscious from its bite.

WILD KINGDOM

Newt takes Jacob inside his magical case to give him a remedy for the bite. There Jacob meets a host of strange creatures, from Bowtruckles to Graphorns. Soon he has Mooncalves eating pellets out of the palm of his hand.

BEWITCHED

When Jacob first meets Queenie Goldstein, he can't stop thinking about her, which is unfortunate, because Queenie can read minds! Whether it's her captivating laugh or her magical cooking skills, Jacob is certain of one thing: he's smitten by this special witch.

QUEENIE GOLDSTEIN

PROFESSION: MACUSA WAND PERMIT OFFICIAL

BACKGROUND

Queenie grew up under her older sister Tina's wing after their parents died. Like her sister, Queenie attended Ilvermorny School of Witchcraft and Wizardry and later got a job at MACUSA in the Wand Permit Office.

LEGILIMENS

Queenie has a very special power, Legilimency, which allows her to read other people's minds. While clairvoyance seemed like a gift at first, Queenie quickly learned that you don't always want to know what everyone around you is thinking all the time.

SPELL BOOK

Queenie has adapted basic locomotion spells to weave thread into clothing for dressmaking. She has also mastered the art of automating complicated recipes. But her charms extend far beyond witchcraft – her warm and friendly personality is spellbinding on its own!

SUPPORTIVE SISTER

As the sisters grew older, their positions reversed. Queenie started looking after Tina, who could sometimes become fixated on her job. Queenie is supportive of her sister's passions, but she tries to keep her out of trouble.

FASHION ICON

The world of fashion sparks Queenie's passion and she likes to keep up with the latest trends. However, maintaining a stylish wardrobe is expensive, so Queenie weaves her own clothes on a dressmaker's dummy, using fashion magazines as inspiration and her wand as a magic needle.

NO HOLDS BARRED

Queenie acts immediately when she suspects that her sister is in trouble with MACUSA. On her way to Tina, Queenie stumbles across Jacob, who is about to be Obliviated, and is also in need of a rescue! Finally, Queenie is able to retrieve the magical case from Graves's office and walk out with Tina and Newt inside.

SERAPHINA PICQUERY

PROFESSION: MACUSA PRESIDENT

BACKGROUND

Seraphina's charisma and leadership skills made her a natural to climb the political ladder of MACUSA. She reached its highest rung when her fellow wizards elected her as President of the organization.

PRESIDENTIAL ATTIRE

Seraphina Picquery wears a gold headpiece and a gold-embroidered robe.

NO WAR

Seraphina sees her chief priority as avoiding unnecessary war with the No-Majs, as such a confrontation would devastate the peace that has held for centuries. She wants to conceal the existence of witches and wizards from the No-Maj community to avoid violence and retaliation.

TROUBLESOME TINA

Seraphina keeps an eye on all the happenings at MACUSA, which is why she is not happy to learn that Tina Goldstein is acting beyond her authority. The President bluntly rebukes her in front of the MACUSA community, reinforcing the notion that Tina cannot be trusted.

SWIFT JUSTICE

Seraphina needs to maintain control and order over the magical community, so when Newt's beasts start getting out of hand and are thought to be destroying the city, she is quick to put her foot down. She gives Newt an infraction, charges Tina as an accessory and then sends them off to her trusted counsellor, Percival Graves. But Graves wants a stricter punishment: he sentences them both to death.

PERCIVAL GRAVES

PROFESSION: DIRECTOR OF MAGICAL SECURITY AT MACUSA

TRUE AGENDA

President Picquery finds Graves's exceptional skills of great use, and she values him as one of her most trusted advisors. But it's hard to know what's beyond Graves's self-assured exterior, and where his true loyalties lie.

ON THE HUNT

Graves is looking for what he believes to be the cause of the current destruction around New York, an Obscurus, and has enlisted Credence's help to track it down. Graves believes that because Credence has ties to the NSPS, which is trying to root out all witchcraft, he would make a useful ally.

DEATHLY HALLOWS PENDANT

Graves wears a necklace with a pendant of the Deathly Hallows symbol – a triangle that holds a circle bisected down the centre.

THE BAREBONE FAMILY

MARY LOU BAREBONE

PROFESSION: NEW SALEM PHILANTHROPIC SOCIETY LEADER

WITCH WATCHER

Mary Lou Barebone is a vigilant crusader against witchcraft and wizardry. She blames the recent destruction in the city on black magic, and organizes rallies to promote her cause. She coerces poor children into spreading her messages of hatred and fear in exchange for a hot meal.

CHASTITY BAREBONE
•◆•◆•◆•◆•◆•◆•◆•◆•◆•◆•◆•
PROFESSION: NEW SALEM PHILANTHROPIC SOCIETY ACOLYTE

DEN MOTHER

Chastity is a truly gentle soul and was adopted by Mary Lou. Chastity does what she is told to avoid conflict, printing pamphlets and dishing out gruel to the starving children of the city.

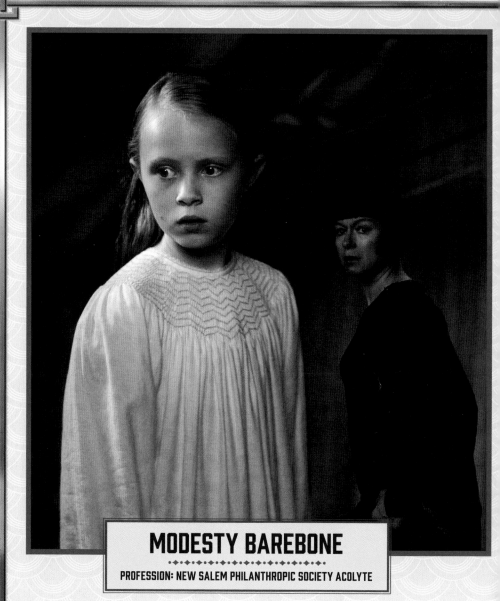

MODESTY BAREBONE

PROFESSION: NEW SALEM PHILANTHROPIC SOCIETY ACOLYTE

ENQUIRING MIND

Like her older sister, Modesty does what she is told by Mary Lou, whom she both loves and fears. But Modesty secretly finds magic alluring and she acquires a toy wand, despite her mother's disapproval of witchcraft.

CREDENCE BAREBONE

◆·◆·◆·◆·◆·◆·◆·◆·◆·◆·◆·◆·◆·◆·◆·◆·◆

PROFESSION: NEW SALEM PHILANTHROPIC SOCIETY ACOLYTE

BACKGROUND

Credence is the oldest of Mary Lou's three adopted children. As a young adult, he does as his mother asks, attending rallies and distributing leaflets that promote the goals of the Second Salemers.

CHILD SEEKER

Percival Graves, a MACUSA Auror, comes to Credence asking for help. Graves thinks that one of the children may have an Obscurus, as many odd happenings have occurred around the NSPS. In return, Graves promises to make Credence part of a family who accepts him for who he truly is.

THE SHAW FAMILY

HENRY SHAW SR
PROFESSION: PRESIDENT OF SHAW ENTERPRISES

NEWSPAPER MOGUL

Henry Shaw is the patriarch of one of the most prominent families in New York. As a newspaper magnate, he has immense power over public opinion. His media empire includes readership in Boston, New York and Washington, D.C.

SENATOR HENRY SHAW JR

PROFESSION: UNITED STATES SENATOR

POSTER BOY

Like his father, Henry Jr wanted power and influence, so it's no surprise that he worked to become a United States Senator. Henry Jr gives the Shaw family insider access to government policymakers, and champions causes his father has a vested interest in.

LANGDON SHAW

PROFESSION: UNKNOWN

LATEST CRAZE

Langdon Shaw does not share the lofty ambitions of his senatorial brother and magnate father. He is jealous of his brother's success and his relationship with their father, so he uses the NSPS to try and win his father's approval. Unfortunately for him, his family does not share his enthusiasm.

STINGS

BEASTS

BOWTRUCKLE

ERUMPENT

NIFFLER

BILLYWIG

OCCAMY

DEMIGUISE

DOXY

MURTLAP

THE OBSCURUS

The International Confederation does not agree with Newt's allegation that an Obscurus is behind the wave of destruction in New York City. To their knowledge, such a dangerous creature hasn't existed in the United States for over 200 years.

THE CHILD WHO ROARED

An Obscurus is the repressed energy of a child who is forced to hide his or her magical talent. This energy can manifest itself as an entity on its own that can erupt in violent, devastating fury.

SCIENTIFIC EVIDENCE

Many No-Majs connect recent disturbances to electrical or atmospheric phenomena. Mary Lou Barebone and her Second Salemers have another explanation: they think the destruction stems from magic and witchcraft.

BLACK BOX

Newt knows the Obscurus is no myth. When travelling in Sudan, he encountered an Obscurial – an eight-year-old girl. When the girl died, he captured her Obscurus and put it in a small black box so he could study it safely.

CITY STREETS

The Obscurus is crashing through walls and shattering windows wherever it goes, a terrifying sight for No-Majs, witches and wizards alike.

CITY HALL

The Obscurus blasts through the doors of the opulent City Hall building, past the tables of wealthy donors and straight into the man of the hour: Senator Henry Shaw Jr.

ORGANIZATIONS

MAGICAL CONGRESS OF THE UNITED STATES OF AMERICA

JUST AS THE MINISTRY OF MAGIC GOVERNS THE WIZARDING COMMUNITY
IN GREAT BRITAIN, MACUSA DOES THE SAME IN THE UNITED STATES.

A WARM WELCOME

An owl swoops down from its prominent perch atop the exterior of the Woolworth Building, spinning the revolving doors and allowing witches and wizards entry into the MACUSA lobby. Once inside, two regal gold Phoenix statues greet all entrants.

MAGICAL EXPOSURE THREAT LEVEL CLOCK

A large, gear-driven dial gauges the threat level for the wizarding community. When Newt and Tina enter the building, the hand on the dial points to SEVERE: UNEXPLAINED ACTIVITY due to the mysterious attacks disrupting New York City.

ELEVATOR

An elevator lifts passengers up and down the magical skyscraper. Red, the lift attendant, operates the controls inside the elevator, using a clawed stick to hit the hard-to-reach upper buttons.

WORLD ARMAGEDDON

What scares the leaders of MACUSA the most is their potential exposure to the No-Maj world. If wizards and witches are discovered to be more than rumours – if they're found to exist by No-Majs – it could lead to hysteria and conflict far worse than anything in history.

CONGRESSIONAL CHAMBER

THE HEART OF MACUSA IS THE CONGRESSIONAL CHAMBER, A LARGE ROOM WITH AMPLE SEATING FOR LARGE ASSEMBLIES.

PHOENIX ASCENT

A tapestry hanging over the presidential chair is emblazoned with the symbol of MACUSA – a Phoenix rising out of a sunburst.

INTERNATIONAL CONFEDERATION OF WITCHES AND WIZARDS

MACUSA representatives and delegates from the International Confederation convene in the Pentagram Office with President Picquery to discuss matters of international importance.

COMMITTEE PROBE

The international delegates join in President Picquery's questioning of Newt Scamander. While all listen intently to the interrogation, none speak out in the Magizoologist's defence, or in agreement with Newt's assertion that an Obscurus, not his escaped creatures, are behind the strange occurrences in New York.

BASEMENT

◆·◆·◆·◆·◆·◆·◆·◆·◆·◆·◆·◆·◆·◆·◆·◆·◆·◆

MANY WITCHES AND WIZARDS WORK BEHIND THE SCENES IN VARIOUS BUREAUCRATIC OFFICES LOCATED BELOW THE LOBBY OF MACUSA.

WAND PERMIT OFFICE

MACUSA wizarding legislation states that a wizard or witch can't wield a wand in America without a permit. This office issues and records all such licences. Tina and Queenie Goldstein work here in a space barely larger than a cupboard, stacked full of applications that need processing.

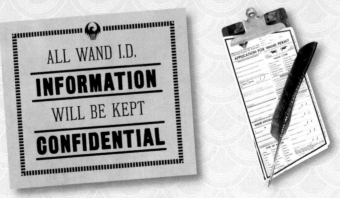

ALL WAND I.D.
INFORMATION
WILL BE KEPT
CONFIDENTIAL

CELLS

MACUSA also has cells that serve to restrain those whom the authorities deem dangerous or in need of rehabilitation.

EXECUTIONER'S SONG

After Percival Graves finishes questioning Newt and Tina in the interrogation room, he sends them to underground cells where they await execution.

NIMBLE FINGERS

Newt has a means of liberating himself from handcuffs that doesn't involve using his wand. His little friend who stays behind his coat lapel, a Bowtruckle named Pickett, inserts his reed-like body into the cuffs and unlocks them from within.

NEW SALEM PHILANTHROPIC SOCIETY

THE NSPS'S MAIN OBJECTIVE IS TO INFORM THE PUBLIC ABOUT THE "DANGEROUS" WIZARDS AND WITCHES WHO LIVE SIDE BY SIDE WITH NON-MAGICAL PEOPLE. NSPS FOLLOWERS, WHO CALL THEMSELVES THE SECOND SALEMERS, SEEK TO RENEW THE SALEM WITCH TRIALS OF OLD.

PRINTED PROPAGANDA

Mary Lou makes sure always to have lots of propaganda pamphlets on hand to distribute to those interested in hearing her message – as well as to those who aren't. She and her children print these pamphlets themselves from old presses they keep in the church.

PUBLIC SPEAKING

Any time Mary Lou finds an opportunity to preach her anti-witchcraft message, she is sure to do so. She will happily speak to any crowd of people willing to listen.

OTHER MEMBERS

In addition to the Barebone family, Langdon Shaw also takes interest in the NSPS movement. He believes that there may be truth to Mary Lou's message.

UNFAIR SHARE

Mary Lou is happy to provide free food rations to children who help her spread the NSPS message.

LOCATIONS

THE BIG APPLE

New York was the cultural, financial and industrial capital of the United States during the 1920s. From all across the world, people left their homes to start a new life in America's biggest city.

ROARING TWENTIES

Jazz music, roadsters, nightclubs and a fast-paced lifestyle made the 1920s "roar" after the bleak years of the Great War.

RICH AND POOR

Newspapers and magazines frequently presented an era of economic prosperity to their readers. Everybody seemed to be living large and having fun. Yet for millions of Americans, this was an illusion. The working poor suffered as they had in years past, dreaming big but rarely able to acquire the resources to achieve those dreams, as was the case with Jacob and his dream of owning his own bakery.

ARRIVAL IN NEW YORK

Newt Scamander is one of thousands of people who voyage to New York on a steamship from across the globe. Many immigrants are hoping for a life better than the one they are leaving, but Newt has a different objective. He wants to safely return to Arizona one of his beasts, Frank the Thunderbird.

MASSIVE IMMIGRATION

Many immigrants are hoping for a piece of the American dream, but upon arrival, find themselves earning mere pennies in deplorable conditions. Many are forced to do difficult physical labour, or work in unsafe mines and dangerous factories.

STATUE OF LIBERTY

An enormous sculpture of the Roman goddess *Libertas*, the Statue of Liberty greets weary travellers to New York.

CONEY ISLAND

Newcomers often marvel upon first seeing one of New York's main attractions, Coney Island. The amusement park lights up the entire island with carousel rides, Ferris wheels and roller coasters.

CUSTOMS OFFICE

Customs officials are in charge of reviewing the passports and travel documents of all new arrivals to America. It is also their job to inspect the luggage of new arrivals. This interaction is difficult for Newt, who must not reveal that he is actually a Magizoologist carrying dozens of fantastic beasts!

BAGGAGE CHECK

Newt slyly switches a dial on his case to "Muggle Worthy" so that the case's contents magically change from his fantastic beast biomes to his everyday personal effects.

STEEN NATIONAL BANK

Jacob goes to Steen National Bank, which he knows can loan him the funds he needs to start his bakery. Newt's Niffler enters for a different reason – to tuck into its belly pouch the bank's treasure trove of shiny objects!

LOBBY

Newt drops a silver egg in the process of searching for his escaped Niffler. The silver egg belongs to an Occamy, another one of Newt's beasts. Jacob picks up the silver egg – which sets off a series of life-changing events that plunge him deep into the world of magic.

BANK MANAGER'S OFFICE

Mr Bingley listens half-heartedly to Jacob's business pitch before denying him a loan. He is not interested in taking a chance on someone like Jacob.

BANK GUARDS

The guards at Steen National Bank are prepared for robbers with weapons, but not wizards with wands.

VAULT

Locks and safes won't stop the Niffler from burrowing into the place that holds hundreds of sparkly, shiny objects.

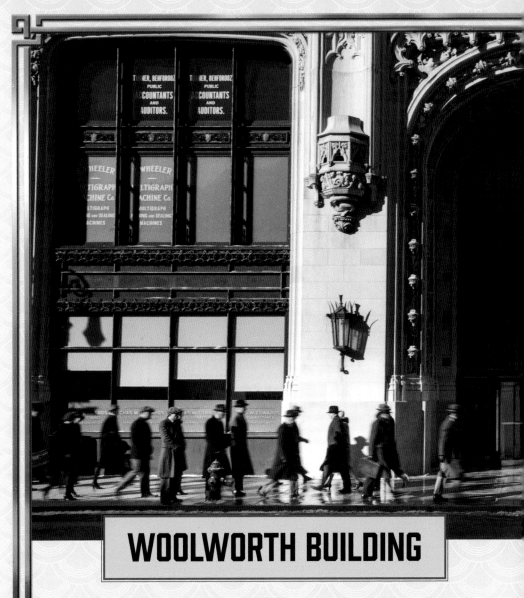

WOOLWORTH BUILDING

When the Woolworth Building was completed in 1913, it was the tallest building in the world. Its 60 stories put an indelible mark on the city skyline.

FIVE-AND-DIME

Frank Winfield Woolworth started "Woolworth's Great Five Cent Store" in the late 1800s. His revolutionary concept was to sell household products to the general public for affordable prices, which in those days was around a nickel.

HOME BASE

By 1910, the Woolworth Company had grown so large it needed a corporate headquarters. Frank Woolworth paid for construction of a building in downtown Manhattan at 233 Broadway.

STONE OWL

Gargoyles ornament the building's terracotta exterior, such as a corner owl. For those with the proper wizarding heredity, the owl is no stone decoration – it can recognize wizards and witches and lead them to a magical world, the Magical Congress of the United States of America.

JACOB'S APARTMENT

Jacob Kowalski dwells in a Polish neighbourhood on the Lower East Side.

TENEMENTS

Many of the immigrants from the early 1900s did not have the resources to afford adequate housing, forcing them to find shelter in cheaply constructed, multistorey apartment buildings called tenements. These tenements were often unsanitary and unsafe.

EMERGENCY EXIT

Jacob doesn't enter or exit his apartment through the ordinary means of a front door. Instead, he climbs a fire escape ladder and pushes his way through a broken window.

HOME, SWEET HOME

Like his lifestyle, Jacob's apartment furnishings are very modest. It may not be much, but it's home, and the treats that Jacob bakes give the tiny apartment personality and warmth. But when one of Newt's beasts escapes from the magical case, Jacob is left with a completely demolished apartment – until Newt arrives to reverse the damage.

GOLDSTEIN RESIDENCE

Tina and Queenie rent an apartment in an old brownstone. It's not luxurious by any means, but the two sisters fill it with their favourite things, which gives it warmth and a homely appeal all its own.

MRS ESPOSITO

The landlady of the brownstone has various rules for her tenants. The main one is that strangers – particularly men – are not permitted. Newt and Jacob must keep a low profile, which isn't easy as they are carrying a case full of magical beasts!

KITCHEN

Queenie has a flair for the culinary arts, and can nimbly whip up dinner with a flick of her wrist.

LIVING ROOM

Queenie keeps a dressmaker's dummy in the living room that she uses to design fabulous outfits.

BEDROOM

At one end of the apartment, two twin beds are situated beneath large windows. Tina forces Newt and Jacob to stay over, while they figure out what to do about Newt's escaped beasts wreaking havoc all over the city.

NSPS CHURCH

Mary Lou Barebone utilizes a formerly abandoned church as both a home and the headquarters for the New Salem Philanthropic Society movement.

UNHAPPY HOME

The Barebone family lives in sparsely furnished quarters in the upstairs of the church. Despite the fact that they are all together, the church is still far from a happy home for the children, as Mary Lou rules with an iron fist.

ALL WORK AND NO PLAY

Credence, Chastity and Modesty are closely monitored by their mother. She uses them to help recruit other children to her cause by offering food in exchange for pamphlet distribution. To New York City's many starving children, this seems like a good deal.

SHAW TOWERS

New York's steel forest of tall buildings seems to scrape the sky itself. Shaw Towers stands proudly among them, an opulent glass-windowed structure that sparkles and dazzles in the sunlight.

INDUSTRIAL STYLE

Both the exterior and interior of Shaw Towers reflect the style of the day. This architectural style mixed the sleek, industrial stamp of machines with bold colours and geometric flair.

BARKER

Before one can meet with newspaper magnate Henry Shaw, one must get past his personal assistant, Barker. Such a task is not easy – even for Langdon, Shaw's younger son.

EXECUTIVE OFFICE

From his lavish office, Henry Shaw Sr controls his newspaper empire. Among the papers he owns are the *New York Clarion*, *Massachusetts Herald* and *Washington Enquirer*. These papers serve as Shaw's mouthpiece, focusing on the issues and stories he wants covered.

NEWT'S SHED

Inside the world of Newt's case, he has constructed a special shed. This wooden structure stores all the equipment he uses on his journeys to track and care for fantastic beasts, from tropical gear and collecting jars, to nets and pickaxes.

MOONCALF PELLETS

Jacob takes these pellets from Newt's shed and scatters them for the Mooncalves to eat in their field. The docile creatures show their appreciation by sidling against him.

NEWT'S MANUSCRIPT

On a writing desk in Newt's shed sits a stack of manuscript pages for his book, along with a medieval bestiary he uses as reference material. When completed, Newt hopes that *Fantastic Beasts and Where to Find Them* will become the pre-eminent book on the subject and will teach its readers to do everything they can to protect these incredible creatures.

BIOMES

Beyond the shed are the various habitats Newt has established to maintain his rescued beasts. Frank the Thunderbird lives in a desert area much like those in the Southwestern United States. The Bowtruckles enjoy the branches of a bamboo tree, along with a Demiguise named Dougal. In a field bathed in the light of the full moon graze the gentle Mooncalves. The beasts live in happiness and peace, no longer under threat of violence or extinction.

DIAMOND DISTRICT

The shops in this neighbourhood trade in precious stones and expensive jewellery. Many of the diamonds in America pass through the jewellers in New York City's Diamond District.

SMASH AND GRAB

The glittering jewellery on display in shop windows attracts the Niffler like a holiday feast. Driven by an insatiable need to grab all the shiny things it can find, the Niffler breaks through the window of a shop to fill its pouch with the jewellery.

CAUGHT RED-HANDED

When Newt and Jacob try to catch the Niffler, hijinks ensue and they instead end up covered in the stolen jewels – just in time for the arrival of the police.

CENTRAL PARK ZOO

At the Central Park Zoo in Manhattan, visitors can see monkeys, lions, bears and other non-magical animals.

ERUMPENT ON THE LOOSE

The habitats at the Central Park Zoo aren't quite as elaborate as the ones Newt builds inside his case – but that doesn't stop one of his beasts from wanting to visit! When the Erumpent storms into the zoo, she breaks through many fences and cages, releasing the animals and inciting general pandemonium.

MONKEY MAGIC

Not wanting to be left out of the fun, a baboon snatches Newt's wand and starts to gesture with it. Before any damage can be done, Newt commands his wand back to him, and the force blasts the monkey backwards. Newt retakes his wand, and apologizes to the creature for singeing its hair.

ERUMPENT MUSK

The Erumpent's stampeding spree is biologically motivated – it's the beast's mating season! When Newt accidentally douses Jacob in male Erumpent scent, he becomes her desired mate.

CITY HALL

New York's extravagant City Hall is the cornerstone of the municipal government. A long stone staircase leads to a central pavilion that hosts many events, such as Senator Henry Shaw Jr's re-election benefit.

SALEM STEPS

Mary Lou Barebone takes her cause right to the steps of City Hall outside a banquet for Senator Shaw. She rallies against witches and all those who would deny their existence. The crowd gathered around her sees evidence in support of her case – an ominous black shadow that speeds into City Hall.

DINNER PARTY

Senator Shaw must win re-election if he wants to continue gaining political power, so a banquet in his honor is served for wealthy campaign donors. Never does the Senator suspect that the speech he gives will be his last.

DEPARTMENT STORE

New York City's department stores spare no expense in decorating
for the holiday shopping season.

HOLIDAY CHEER

A magical charm that Newt sends out to locate the other escaped beasts leads him
and Tina to a large department store. These two share a special moment under a
Christmas tree before discovering that Dougal, an invisible Demiguise, is there to
watch over Newt's newly hatched Occamy.

ROACH BAIT

To catch the Occamy, Jacob drops a nearby cockroach into a teapot. The hungry Occamy goes right for it, shrinking itself to fit in the pot. This allows Tina to catch the beast, and return it to Newt's case.

THE BLIND PIG

Just like No-Majs, wizards and witches have their own favourite watering holes.

SAFE HARBOUR

After escaping from the MACUSA cells, Newt and his friends need a place to gather information. Tina brings them all to the little-known speakeasy – The Blind Pig – and an informant who might be able to help them, the bar's Goblin owner, Gnarlak.

SPEAK SOFTLY

Speakeasies got their name because patrons had to speak quietly outside so that the authorities wouldn't come in and shut the place down. But once inside, the atmosphere buzzes with music, conversation and good times.

GIGGLEWATER

The beverages served here by the house-elves can send even the stoutest witch or wizard into a fit of giggles.

LIVE MUSIC

Singers croon the latest hits in the wizarding community to a rapturous audience.

TIMES SQUARE

Situated in Midtown Manhattan, Times Square beats with a pulse all its own. Giant electric signs blaze and blink non-stop, advertising everything from newspapers to chewing gum. Vaudeville halls and theatres put on the latest and most popular shows, while shops tempt tourists with postcards and souvenirs. The square is crammed with people at all hours of the day and night, making New York truly a city that never sleeps.

SUBWAY

After the success of underground railways in London and Boston, New York built its own subterranean rapid transport system in 1904 called the subway. By the 1920s, it could take riders anywhere in Manhattan, Brooklyn or Queens.

MAGIC WANDS
& SPELLS

WIZARDING WANDS

Most spells require a wand to be cast and directed. Wands funnel the magical energy of the caster and the spell into its desired effect. Each wand has its own personality – some would say intelligence – that matches the witch or wizard.

Tina
Goldstein

Newt
Scamander

Seraphina
Picquery

Queenie
Goldstein

Percival
Graves

SPELLS

Since the discovery of magic, witches and wizards have studied, practised and even invented spells that fit their talents and instincts. These are but a few of the many spells used throughout the centuries.

ABERTO

★ Opens doors and portals

ACCIO

★ Brings a nearby object to the summoner

LEGILIMENS

★ Clairvoyance to read another person's thoughts, even over a far distance

LOCOMOTOR

★ Moves objects according to the caster's direction

OBLIVIATE

★ Erases desired memories from a subject's brain

OFFERO

★ Returns elements to their previous state

REPARO

★ Repairs broken objects to their original state

STUPEFY

★ Stuns the affected target

WANDED

&

EXTREME CAUTION SHOULD BE EXERCISED IF LOCATED, HE OR SHE SHOULD BE IMMOBILIZED AND APPREHENDED AT ONCE. MACUSA-DEPT OF AURORS MUST BE ADVISED IMMEDIATELY. EXTREME CAUTION SHOULD BE EXERCISED IF LOCATED, HE OR SHE SHOULD BE IMMOBILIZED AND APPREHENDED AT ONCE. MACUSA-DEPT OF AURORS MUST BE ADVISED IMMEDIATELY BY OWL. EXTREME CAUTION SHOULD BE EXERCISED IF LOCATED, HE OR SHE SHOULD BE IMMOBILIZED AND APPREHENDED AT ONCE. MACUSA-DEPT OF AURORS MUST BE ADVISED IMMEDIATELY BY OWL.

RD! **!REWARD!**

EXTREMELY DANGEROUS!

VALIDATED BY
MACUSA-REGISTER OFFICE 289295

M.A.C.U.S.A
REGISTERED OFFICES OF MACUSA

New York Dept.